VERZWEGEN AANDEEL

Michael Ridpath

VERZWEGEN AANDEEL

Van Holkema & Warendorf

Voor mijn moeder, Elizabeth, die zo graag las

Oorspronkelijke titel: *The Predator*
Oorspronkelijke uitgave: Michael Joseph, Penguin Books Ltd.
Copyright © 2001 Michael Ridpath
Copyright Nederlandse vertaling:
© 2001 Unieboek bv, Postbus 97, 3990 DB Houten
Nederlandse vertaling: Frans en Joyce Bruning
Omslagontwerp en digital artwork: Hans van den Oord
Opmaak binnenwerk: ZetSpiegel, Best

www.unieboek.nl

ISBN 90 269 8240 2 / NUGI 331

Deel 1

Chris trok het gele plakkertje van zijn favoriete koffiemok en las de notitie in het bekende kronkelige handschrift: 'Ben naar Praag. Woensdag terug. Misschien. Groetjes L.'

Zuchtend schudde hij zijn hoofd. Het was maandagmorgen, de eerste dag weer thuis na tien heerlijke dagen skiën in de Franse Alpen. Hij was al vanaf half acht op kantoor. Hij voelde zich helemaal opgekikkerd, klaar om alle eventuele knopen te ontwarren die Lenka tijdens zijn afwezigheid in hun bedrijf had gelegd. Zoals hij al had verwacht, waren dat er nogal wat. De computer werkte niet, er lag een brief van de accountants van het fonds, over een probleem met de verrekening van gekweekte rente, en ze had een stapel obligaties gekocht, uitgegeven door een heel onbetrouwbaar klinkend Pools bedrijf voor mobiele telecommunicatie.

En nu dan nog dat briefje.

Ze wist dat hij kwaad zou zijn. Ze had het vast op zijn mok in de keuken geplakt, zodat hij eerst even kon wennen voordat hij het vond. Wat attent. Ze had toch op z'n minst een dag in Londen kunnen blijven om hem op de hoogte te brengen van wat er tijdens zijn afwezigheid was gebeurd. Dit was de eerste vakantie die hij had genomen sinds hij en Lenka twee jaar geleden Carpathian Fund Management hadden opgezet, en hij had gedacht dat de zaak zonder hem in de soep zou lopen. Maar als hij zijn ogen sloot en terugdacht aan het gevoel van die verse, rulle poedersneeuw onder zijn ski's, wist hij dat het de moeite waard was geweest.

De telefoon ging. Hij droeg zijn mok terug naar zijn bureau en nam op. 'Carpathian.'

'Goedemorgen Chris! Ben je mooi bruin geworden?' Hij herkende de schorre, enthousiaste stem direct.

'Lenka! Waar zit je?'

'Heb je mijn briefje niet gevonden? Ik zit in Praag.'

'Ja. Maar wat doe je daar? Je had hier moeten zijn om mij te vertellen wat er zoal is gebeurd.'

'Jij bent een gisse jongen, Chris. Je komt er wel achter. Hoe dan ook, ik heb geweldig nieuws. Ik heb een kantoor voor ons gevonden!'

'In Praag?'

'Ja, natuurlijk in Praag. Weet je niet meer dat we daarover gesproken hebben?'

Het was waar. Ze hadden het erover gehad om geleidelijk kleine kantoren in Midden-Europa te gaan openen. Maar nu nog niet, had Chris gedacht. Als hij dacht aan de rompslomp aan administratie die het openen en runnen van een kantoor zou opleveren, zonk de moed hem al in de schoenen.

'Wat is er, Chris? Het is een geweldige locatie. En volgens mij heb ik de juiste man voor de functie van kantoormanager gevonden. Jan Pavlík. Hij zal je best bevallen. Kom maar eens kijken.'

'Wanneer? Hoe moet ik dat klaarspelen? Er is hier te veel te doen.'

'Dat kan wachten,' zei Lenka. 'Dit is belangrijk. En we moeten snel besluiten om dit kantoor te krijgen. Toe nou. Ik wil dit soort beslissingen niet nemen zonder jou.'

Chris had het idee dat ze daar nu juist mee bezig was.

'Maar hoe zit het met de computer? En wat gaan we in hemelsnaam doen met vijfentwintig miljoen euro aan Eureka Telecom?'

'Maak je niet dik. Ollie laat vanmorgen een mannetje komen om de computer te maken. En als je hier komt vertel ik je alles over Eureka Telecom. Het is een heel verhaal.'

'Dat is je geraden,' zei hij.

'O Chris, je klinkt zo fel,' zei Lenka met geveinsd ontzag. 'Luister, het kantoor is precies tegenover The Golden Bear. Dat is een fantastische kroeg. Daar hebben ze Budvar. Het zal je bevallen, dat verzeker ik je.'

Hij aarzelde. Hij keek uit het raam naar de bovenste takken van de eikenbomen die omhoogstaken vanaf het plein beneden. Het lawaai van het Londense verkeer drong door tot op de vijfde verdieping, erbovenuit klonk het geschreeuw van een taxichauffeur die een fietskoerier uitschold. Het was waar, ze hadden hun beleggers beloofd kantoren te zullen openen in Midden-Europa. Ze hadden gezegd dat het uiterst belangrijk was een lokale vertegenwoordiging te hebben, om de markt goed te leren kennen. Nou ja, het werd tijd dat ze daar iets aan deden.

'Och, toe nou, Chris,' zei Lenka. 'Als je het me moeilijk wilt maken, kun je dat hier ook doen.'

Zoals gewoonlijk kreeg Lenka haar zin.

'Oké,' zuchtte hij. 'Tot vanavond.'

De taxi zocht zich een weg tussen de willekeurig geparkeerde auto's op het kleine, besneeuwde plein, en stopte voor Hotel Pařiž. Chris betaalde de chauffeur en boekte een kamer. Hij belde Lenka op haar kamer: ze zei hem dat ze over tien minuten in de lobby zou zijn. Chris trok een spijkerbroek aan en ging weer naar beneden.

Lenka liet hem natuurlijk wachten. De lobby krioelde van de ornamenten uit het begin van de twintigste eeuw: barokke kroonluchters en koperen liftdeuren, een Rodin-achtig beeld van een naakt en art-nouveauposters die van alles adverteerden, van Tsjechische chocola tot Franse toneelstukken. Lenka logeerde altijd in Hotel Paříž, ze zei dat het een van de weinige hotels in de stad was dat nog stijl had. Ze was dertig kilometer van Praag opgegroeid en had hier haar studententijd doorgebracht. Ze was er dol op. Het verwonderde Chris helemaal niet dat ze daar een kantoor wilde openen.

En hij zou haar niet tegenhouden. Ofschoon ze technisch gesproken gelijke partners waren in Carpathian Fund Management, was het fonds haar idee geweest en hij vond nog steeds dat hij geluk had gehad dat ze hem had gevraagd met haar mee te doen. Ze hadden elkaar tien jaar eerder leren kennen, toen ze beiden enthousiaste deelnemers waren geweest aan een interne opleiding van Bloomfield Weiss, een grote investeringsbank in New York. Ze hadden vriendschap gesloten en het contact onderhouden toen ieder zijn eigen weg ging: hij naar Bloomfield Weiss in Londen en zij naar hun afdeling Opkomende Markten in New York. Toen hij daarna alleen zat opgesloten in zijn flat, om op te knappen van een virus dat hij in India had opgelopen, oneervol ontslagen uit zijn baan, in de steek gelaten door zijn vriendin, zijn zelfvertrouwen naar de knoppen, had ze hem gebeld. Ze ging weg bij Bloomfield Weiss om haar eigen fonds te beginnen. Of hij met haar mee wilde doen?

Zij had hem gered. Natuurlijk had hij eerst haar aanbod geweigerd. Hij had gezegd dat hij niet de juiste man was, dat hij eerder in de weg zou lopen dan helpen. Dat had hij zelf gedacht, maar zij niet. Aangemoedigd door haar had hij de brokken van zijn geruïneerde trots weer aan elkaar gelijmd. Het bleek dat ze gelijk had: ze vormden een goed team. Carpathian was een hedgefonds dat investeerde in staatsobligaties en obligaties met een hoog rendement in Midden-Europa. Dat was in elk geval hoe ze het hadden beschreven in hun marketingbrochure. In werkelijkheid betekende 'hedgefonds' groot risico, 'hoog rendement' speculatieve obligaties, en Midden-Europa het oude Oost-Europa, zonder ziekenhuisgevallen als Rusland. De beleggers wisten echter wat ze deden. Ze wilden zoveel mogelijk geld verdienen aan de integratie van de vroegere ijzeren gordijnlanden met de rest van Europa. Ze wilden Lenka en Chris grote risico's laten nemen en veel dollars voor hen laten verdienen, of om het juister te zeggen, veel euro's. Met wat hulp van Chris had Lenka vijfenvijftig miljoen euro bijeengebracht, en nog meer geleend om het resultaat van de investeringen zo groot mogelijk te maken.

Tot dusver was alles goed verlopen. In hun eerste negen maanden hadden ze een resultaat van negenentwintig procent behaald. Alleen in januari al hadden ze zes procent behaald. Chris was lang genoeg handelaar geweest om te weten dat een deel van hun succes aan geluk te danken was geweest. Maar hij was goed in de handel in staatsobligaties en zij kende de markt met hoog rendement goed. Zij had oog voor de grote lijn, hij zorgde dat de details klopten. Zij imponeerde de beleggers, hij zorgde ervoor dat ze op tijd gunstige kwaliteitsrapporten kregen. Zij had het kantoor op Hanover Square gevonden, hij had onderhandeld over de huur. En nu had ze een kantoor in Praag opgespoord, de eerste stap om van hen echte Europese fondsenbeheerders te maken. Maar Chris wist uit pijnlijke ervaring dat de zaken op de obligatiemarkten in een oogwenk konden veranderen. Zijn skivakantie was de eerste periode sinds meer dan een jaar dat hij zich een paar dagen lang geen zorgen had gemaakt over Carpathian. Nu waren de zorgen er weer. Ollie, hun jonge analist, kon de computer wel weer aan de praat krijgen. Hij en Tina, een nog jongere receptioniste-assistente konden het wel een paar dagen samen redden. Maar een grotere zorg was het bezit van Eureka Telecom. Vijfentwintig miljoen euro was een flinke positie voor een fonds als Carpathian. Chris wist weinig over Eureka Telecom, alleen dat het bedrijf van plan was in heel Midden-Europa een net voor mobiel telefoneren op te zetten en dat de obligaties waren uitgegeven in de week dat hij aan het skiën was. Bloomfield Weiss, zijn vroegere werkgever, was de syndicaatleider. Hij kon er niets aan doen, maar hij vond het nog steeds moeilijk om vertrouwen te stellen in een obligatie-emissie waarvan zij de leider waren.

Hij stond een poster te bekijken waarop een toneelstuk met Sarah Bernardt in de hoofdrol werd aangeprezen, toen hij een bekende stem hoorde. 'Chris! Fijn dat je er bent. Je bent laat!'

Glimlachend kuste ze hem op beide wangen. Ze was een slanke vrouw met witblond haar, scherpe jukbeenderen en amandelvormige bruine ogen. Ze droeg een strakke spijkerbroek, een leren jack en laarzen. Ze zag er verrukkelijk uit. Als Chris haar voor de eerste keer had ontmoet, zou zijn mond zijn opengevallen. Maar dit was Lenka en hij was nu aan haar gewend. Overal waar ze zich vertoonde, draaiden mannen zich naar haar om en dat was precies wat ze altijd had gewild.

'Ik heb drie kwartier op het startplatform van Heathrow gezeten,' zei hij. 'Kunnen we wat gaan eten? Ik verrek van de honger.'

'Heb je in het vliegtuig niets gegeten?'

'Ik heb mezelf gespaard.'

'Goed dan,' zei ze. 'Laten we naar The Golden Bear gaan. We kunnen er een paar biertjes drinken en ik weet zeker dat ze wel wat te eten hebben.'

'Gaan we het nieuwe kantoor nog bekijken?' vroeg Chris.

'Alleen aan de buitenkant. Morgenvroeg zullen we het goed bezichtigen.'
'Zo, wat voor tent is die Golden Bear?'
'Het is gewoon een kroeg, Chris. Precies jouw smaak. Kom op.'
Toen ze langs hem liep, rook hij het dure parfum dat ze altijd droeg en dat zo vertrouwd was geworden. Annick Goutal, had hij ontdekt. Hij liep achter haar aan het hotel uit, de avondlucht in. Het was koud, een doordringende kou die recht door zijn Londense jas tot op zijn botten priemde. Had hij maar handschoenen meegenomen.
'Kom op,' zei Lenka. 'Deze kant op,' en ze begon door de rustige besneeuwde straat te lopen.
'Is het ver?'
'Tien minuten lopen. Het is vlak bij Příkopy, waar de meeste grote banken zijn. Het is een goed adres en niet te duur.'
'Hoe zit het met die Jan Pavlík? Denk je dat we hem kunnen overhalen mee te doen?'
'Ja, zolang hij jou bevalt. We spreken hem morgen. Hij is goed, volgens mij.'
'Heb je al over de voorwaarden gesproken?'
'Natuurlijk niet,' zei Lenka. 'Dat zou ik niet durven zonder het jou te vragen, toch?'
Chris keek haar alleen maar aan.
Lenka lachte. 'We kunnen erover praten als we in de kroeg zijn. Er zijn nog andere dingen waarover ik het ook met je wil hebben.'
'Daar ben ik helemaal voor,' zei Chris. 'Maar eerst moet ik eten.'
'Oké, oké,' zei ze. 'Ik weet zeker dat ze er goulash en knoedels hebben. Daar kun je je maag wel mee vullen.'
Ze sloegen de hoek om en kwamen uit op het plein van de Oude Stad. Chris bleef even staan, overweldigd door de magie van de subtiel verlichte sprookjesgebouwen die straalden in de sneeuw. Het middeleeuwse stadhuis rees uit boven de fris geschilderde koopmanshuizen, donker in het midden stond een monument voor een onbekend iemand. Uit een van de bars aan de rand van het plein klonken de volle noten van een saxofoon.
'Kom op,' zei Lenka en ze trok Chris aan zijn arm. 'Ik dacht dat je zei dat je honger had.'
Chris wist dat ze hem met opzet hierheen had gebracht, dat ze wilde pronken met de stad die haar zo dierbaar was. Hij volgde haar toen ze hem door een paar steeds smallere straatjes leidde.
'Ik hoop dat je de weg weet,' zei hij.
'Natuurlijk weet ik die,' zei Lenka en ze sloeg onder een boog een klein steegje in.

11

Hier en daar werden stille portieken en een paar gesloten kristalwinkels beschenen door een straatlantaarn. Chris rook kolen in de lucht. Hier lag de sneeuw nog op de weg te glanzen in het lamplicht, slechts hier en daar platgedrukt door de weinige auto's die erdoor gereden waren sinds de sneeuw was gevallen. Alles was stil, het lawaai van het stadsverkeer klonk gedempt door de muren en de sneeuw.

Plotseling werd Chris zich bewust van zachte, snelle voetstappen achter hen. Toen het geluid dichterbij kwam, draaide hij zich om. Lenka wilde juist iets gaan zeggen. Een man liep snel in hun richting, slechts enkele stappen van hen verwijderd. Hij had iets in zijn hand en ging recht op Lenka af.

Een fractie van een seconde reageerde Chris niet: hij was te verrast door wat er gebeurde. Toen hij zich realiseerde wat de man in zijn hand had, schreeuwde hij en dook op hem af. Maar hij was te langzaam. Met één snelle beweging greep de overvaller Lenka met zijn linkerhand bij de kraag van haar jack, rukte haar naar achteren en hield met zijn rechterhand zijn mes tegen haar keel. Ze sperde haar ogen open van angst, metaal glinsterde tegen de bleke kleur van haar hals. Ze ademde hijgend. Ze staarde Chris aan en haar ogen smeekten hem iets te doen, ze was te bang om zich te verzetten of zelfs maar iets te zeggen.

'Rustig,' zei Chris en hij stak langzaam zijn handen uit naar de man.

Die gromde. Chris zag een flits van staal en hoorde het gerochel van Lenka's poging om te gillen. Hij dook naar voren, maar de man duwde Lenka naar hem toe, draaide zich om en rende weg. Chris ving haar op en aarzelde, onzeker of hij hem na moest rennen. Maar hij liet de man lopen en liet Lenka voorzichtig op het trottoir zakken. Het bloed gutste op de sneeuw, over haar lievelingsjack heen. Chris rukte zijn eigen jas uit en probeerde die tegen haar keel te houden.

'Help!' schreeuwde hij. Hij wist het Tsjechische woord voor hulp niet. In plaats daarvan probeerde hij het in het Pools: *'Pomocy! Policja! Pogotowie! Lekarza!* O, kom op, laat iemand me helpen!'

Lenka lag roerloos onder zijn handen. Haar gezicht was al bleek, haar ogen stonden krachteloos open. Haar lippen bewogen zich toen ze probeerde iets te zeggen, maar er kwam geen geluid uit. Wanhopig duwde Chris zijn jas stevig tegen haar keel, alsof hij de vloed kon stelpen als hij maar hard genoeg drukte. Binnen enkele tellen zaten zijn handen en armen onder het bloed.

'Alsjeblieft, Lenka!' drong hij aan. 'Toe nou, Lenka! Hou op met bloeden. Je moet ophouden met bloeden! Ga in hemelsnaam niet dood. Lenka!'

Maar het maakte geen verschil. Onder zijn handen staarden haar ogen ineens wezenloos in de verte en haar ademhaling stokte. Chris tilde haar bebloede hoofd tegen zijn borst en hield haar vast, terwijl hij zijn vingers door haar korte witte haren streek.

'Lenka,' fluisterde hij nog eens en kuste haar voorhoofd. Toen legde hij haar voorzichtig terug in de sneeuw en begon te huilen.

Met ingetrokken schouders sjokte Chris door de sneeuw, zijn ogen neergeslagen. Hij merkte nauwelijks dat de stad om hem heen in de ochtend langzaam weer tot leven kwam. Hij had behoefte aan frisse lucht. Hij moest de chaos aan emoties die in hem woedde tot rust zien te brengen. Hij had tijd nodig.

Hij voelde zich vreemd. Na zijn eerste tranen had een kille gewaarwording hem overvallen. Naar buiten voelde hij zich verlamd, gevoelloos. Hij had die nacht slecht geslapen. Beelden van Lenka's paniekerige ogen, die hem smeekten iets te doen om haar te redden, en haar bleke gezicht dat op de met bloed bespatte sneeuw lag, drongen zich op, telkens als hij weg begon te doezelen. Zijn hersenen waren vermoeid, verdoofd. Maar daaronder, daaronder lag een warreling van emoties die in hem woelden. Hij voelde afschuw om haar dood, woede jegens degene die haar had vermoord, schuld dat hij niets had kunnen doen om het te voorkomen, en de wetenschap dat hij haar nooit meer kon zien, kon horen lachen, ruzie met haar kon maken, haar kon plagen, of de kleine overwinningen van Carpathian met haar kon vieren. Al die gevoelens verscholen zich daar, wachtend om uit te barsten in een langgerekte schreeuw. Maar op de een of andere manier hield zijn broze buitenkant stand, hield hij alles binnen. Zijn gezicht was stijf van de koude lucht op zijn wangen, een ijzig vlies dat het verlies in hem opsloot.

De politie was snel gekomen. Ze stelden Chris vragen over Lenka, over de aanval, over de man met het mes. Chris had zijn gezicht niet duidelijk op kunnen nemen. Van middelbare lengte, met een donker jack aan en een donkere wollen muts op, meer kon hij niet opbrengen. Nutteloos. Een snor. Hij herinnerde zich een snor. Nog steeds nutteloos. De Tsjechische politie zei dat de man een beroepsmoordenaar moest zijn geweest. Het is kennelijk moeilijk om iemands keel doeltreffend door te snijden. Nee, had Chris herhaaldelijk gezegd, hij had geen idee wie Lenka zou willen vermoorden.

Die morgen waren haar ouders gekomen. Kleine, zachtaardige, eenvoudige mensen, totaal anders dan Lenka. Hij was plattelandsdokter, zij verpleegster. Ze waren totaal verslagen. Chris had zijn best gedaan hen te troosten, maar hun Engels was erg slecht. Hun verdriet deed pijn aan zijn hart. Hij had hen achtergelaten, opnieuw met een gevoel van nutteloosheid.

Hij liep naar de straat waar ze had gezegd dat hun nieuwe kantoor zou komen. Ze had hem het nummer niet verteld, maar hij zag de kroeg met aan de buitenkant het uithangbord van een gele beer die een kroes bier vasthield. Ertegenover lag een crèmekleurig gebouw van drie verdiepingen met een deur van sierlijk houtsnijwerk. Chris keek wat nauwkeuriger en zag vijf metalen naamplaatjes met de logo's van internationale juristen, accountants en consulenten. Dat moest de plek zijn. Het kantoor in Praag zou nu moeten wachten. Jan Pavlík ook. Chris besefte dat de man verwachtte vandaag met hem te praten. Hij zou hem moeten bellen om hem te laten weten wat er gebeurd was.

Hij aarzelde en kwam even in de verleiding de kroeg in te gaan en een vroeg biertje te drinken. Maar hij keerde de warmte de rug toe. Hij wilde lopen, de koude lucht voelen op zijn gezicht, Lenka's dood voelen.

Hij zwierf doelloos door de oude stad, met zijn pleintjes, zijn kerken, en zijn gebouwen in oranje, geel, crème en groen, alles prachtig gedecoreerd, alles bespotte Lenka's dood met zijn pracht en praal.

Hij merkte dat hij bij de Karelsbrug stond, trok zijn schouders diep in zijn overjas en liep door. In het midden bleef hij staan, draaide zich om en keek naar de stad. Lenka had hier vele jaren doorgebracht als studente. Hij kon zich haar voorstellen tijdens die bedwelmende dagen van de Fluwelen Revolutie, uit alle macht schreeuwend. Een jonge, idealistische vrouw die uitkeek naar het leven vol vrijheid dat voor haar lag. Of slechts een half leven.

Een loodgrijze lucht drukte op de stad en dreigde het kasteel van Praag op de tegenoverliggende oever te verzwelgen. Een felle, koude wind zwiepte van de Moldau, waarvan het water snel stroomafwaarts kolkte. De kou beet door zijn jas, hij huiverde. Wat moest er nu met Carpathian gebeuren? Vergeet de uitbreiding maar, het zou al moeilijk genoeg zijn het bedrijf gaande te houden zonder Lenka. Maar hij was vastbesloten dat te doen. Ze was zijn partner, ze had hem vertrouwd en hij zou haar niet in de steek laten.

Hij leunde over de balustrade van de oude stenen brug en staarde omlaag naar de woelige rivier. Hij dacht terug aan die keer dat ze elkaar voor het eerst hadden ontmoet, tien jaar geleden in New York. En huiverend herinnerde hij zich dat andere sterfgeval.

Deel 2

1

De volle trein reed het station Wall Street van de ondergrondse binnen en een tweeëntwintig jaar oude Chris Szczypiorski drong zich het perron op, gevolgd door twee andere jonge Engelse bankemployés. Met hun levendige gezichten en hun keurige pakken leken ze er niet op hun plaats. Ze keken om zich heen, verbaasd als nieuwsgierige toeristen, en zagen niet de vastberaden in het niets starende blikken van de andere forenzen op weg naar kantoor.
'Ik had nooit gedacht dat we hier heelhuids zouden aankomen,' zei Chris. 'Ik kan nog niet geloven wat je daar straks deed, Duncan.'
'Ik zweer je, ik heb het ze zien doen op de tv,' protesteerde de lange, roodharige jongeman achter hem met een licht Schots accent. 'New York is een ruige stad.'
'Weet je, Duncan,' zei Ian, het laatste lid van het trio op het perron, 'ik vraag me af of het misschien Tokio was dat je hebt gezien?'
'Nee, zeker niet,' zei Duncan. 'Jij hebt het niet gezien. Hoe weet je het dan?'
'Ik durf te wedden dat het Tokio was,' herhaalde Ian, met een zelfverzekerde grijns.
Duncan fronste. 'O,' zei hij en hij begon te twijfelen.
Toen ze op Grand Central waren overgestapt in de ondergrondse had Duncan besloten de opeengepakte forenzen verder de volle wagon in te persen, om plaats te maken voor hen drieën. Chris en Ian moesten hem terugtrekken, en als op dat moment de deuren niet dicht waren gegleden, zou Duncan gelyncht zijn.
'Hoe dan ook, laten we dat niet meer proberen, hè?' zei Chris en hij duwde zich door de uitgang van het draaihek. 'Ik ben het met Ian eens. Ik weet vrij zeker dat de inboorlingen hier er niet op gesteld zijn.'
Ze beklommen de trappen van het station van de ondergrondse. Wall Street liep als een nauw ravijn van de heuvel naar beneden, met de beroete voorgevel van de Trinity Church aan top. Ze zochten zich een weg door de kramen met hotdogs en *pretzels*, langs de klassieke zuilen van Federal Hall en de massieve ingang van de New York Stock Exchange, totdat ze een smalle straat bereikten, waar het schemerig was door de hoge gebouwen die aan weerszijden oprezen. Daar, iets verder in de straat, stond een glimmend zwart kantoorgebouw met de naam

'Bloomfield Weiss' in keurige gouden letters boven de toegangshal. Een rij kantoorbedienden liep het gebouw in, als mieren die terugkeerden naar hun nest.

Ze maakten zich bekend bij de ploeg beveiligingsbeambten aan de receptiebalie en gingen op weg naar de drieëntwintigste verdieping. Daar was de alombekende bedrijfsopleiding van Bloomfield Weiss gevestigd. In september van het vorige jaar, zes maanden geleden, was Chris gaan werken voor het kantoor van Bloomfield Weiss in Londen. Hij kwam direct van de universiteit, zoals de meesten van de andere negen afgestudeerde stagiairs. Zeven van hen waren direct naar New York vertrokken. Zij waren juist aan het einde gekomen van hun opleidingstijd. Chris, Ian Darwent en Duncan Gemmel waren in april gestuurd voor de tweede lichting van dat jaar. Jonge bankmensen uit kantoren van Bloomfield Weiss over de hele wereld zouden daar bijeenkomen om vijf maanden van hun leven bezig te zijn met het zwaarste opleidingsprogramma van de branche.

Ofschoon ze erg van elkaar verschilden, hadden de drie Engelsen elkaar gevonden tijdens hun zes maanden rondrommelen onderaan de ladder van het kantoor in Londen. Duncan was van nature vriendelijk, maar Ians houding verraste Chris vaak. Hij had hem vaag gekend op de universiteit, ze volgden hetzelfde college, maar hun wegen hadden zich daar zelden gekruist. Ian was een oud-leerling van Eton, zoon van een onderminister in het kabinet, en lid van een reeks eetclubs met obscure, klassieke namen. Hij werd op het universiteitsterrein vaak gezien met telkens een ander weelderig blondje aan zijn arm. Chris kwam uit Halifax. Ofschoon Ian in die drie jaar mensen als Chris nauwelijks een blik waardig had gegund, leek hij te beseffen dat, nu ze allen in dienst waren van Bloomfield Weiss, dat alles tot het verleden behoorde. Chris was niet van plan daar wrok over te koesteren: ze hadden elkaar nodig.

Toen ze op de drieëntwintigste verdieping uit de lift stapten, werden ze opgevangen door een kleine, blonde vrouw in een strak mantelpakje en haar haar naar achteren getrokken in een knotje. Ze zag er niet veel ouder uit dan zij, maar ze was een heel ander type.

Ze stak haar hand uit. 'Hallo. Ik heet Abby Hollis. Ik ben de cursuscoördinator. En jullie zijn?'

Ze noemden hun namen.

'Heel goed. Jullie zijn bijna te laat. Daarginds zijn jullie bureaus. Laat je spullen hier en loop de klas in. We staan zowat op het punt te beginnen.'

'Jawel, juffrouw,' zei Chris met een ironische blik naar Ian en Duncan. Abby Hollis fronste haar wenkbrauwen en keerde zich naar de volgende groep die uit de lift kwam.

Het klaslokaal was een groot, rond auditorium, met bureaus die in vijf rijen oprezen vanaf een centrale plek voor een reeks didactische hulpmiddelen: een computer, een groot projectiescherm, een flipover en zelfs een schoolbord van zeker zeven meter op wieltjes. Er waren geen ramen. Je hoorde er alleen het zachte zoemen van de airco die frisse lucht van buiten binnenbracht. Boven en onder hen zwoegden honderden beleggingsbankiers om van geld meer geld te maken. Hier, in het hart van het gebouw, bijna precies halverwege, waren de stagiairs voorlopig beschermd tegen de gevaren en de verleidingen van de miljarden dollars die buiten rondwentelden.

Het vertrek zat al vol met mannen en vrouwen van allerlei maten en kleuren. Chris bekeek de naamplaatjes. Dit keer paste zijn eigen naam eindelijk een keer bij die van zijn exotische buren. Szczypiorski klonk niet vreemder dan Ramanathan of Ng of Němečková. Hij ging zitten tussen een lange, blonde, duidelijk Amerikaanse man die Eric Astle heette, en een zwarte vrouw, genaamd Latasha James. Duncan zat vlak achter hem. Ian aan de andere kant van het klaslokaal.

'Oké, allemaal even luisteren!' kondigde een grove stem aan. Het werd stil. Een lange man van middelbare leeftijd, zijn zwarte haren met gel achteruit gestreken over zijn kalende schedel, vulde de lege plek voor de klas. 'Mijn naam is George Calhoun, en ik ben verantwoordelijk voor het opleidingsprogramma hier bij Bloomfield Weiss. Het is iets waar ik erg trots op ben.'

Hij zweeg even. Hij had hun aandacht gevangen.

'Zoals jullie weten is Bloomfield Weiss de meest gevreesde en gerespecteerde investeringsbank van Wall Street. Hoe hebben we dat bereikt? Waarom brengen we als syndicaatleiders, jaar in jaar uit, meer aandelen- en obligatie-emissies uit dan wie van onze concurrenten ook? Wat maakte ons tot de besten? Welnu, een van de antwoorden ligt hier voor ons. Deze cursus. Dit is de zwaarste opleiding in de branche.' Hij sprak het uit als '*brunschj*', dat kende Chris al als de echte stoere binkenmanier van Bloomfield Weiss. 'We gaan jullie niet alleen alle hulpmiddelen bijbrengen die jullie nodig zullen hebben: portefeuilleanalyse, bedrijfsfinanciering, al die nuttige onderwerpen. We gaan jullie leren dat de kerel die het meest zijn best doet, die het hardst werkt, die weigert als tweede te eindigen, dat die als winnaar uit de bus komt.' Calhouns stem zakte tot een gefluister en zijn ogen fonkelden. 'Wall Street is een jungle en jullie zijn allemaal roofdieren. Daarbuiten,' en daarbij zwaaide hij vaag met zijn arm naar de buitenwereld, ergens achter de raamloze muren, 'daarbuiten loopt jullie prooi rond.'

Hij pauzeerde om diep adem te halen en trok zijn maag in. 'Nu heb ik goed nieuws en slecht nieuws. Het slechte nieuws is dat jullie het niet allemaal zullen halen. Vanaf deze cursus introduceren we een nieuw beleid. De zwaksten onder jullie, het onderste kwartiel, zullen afvallen. Ik weet dat jullie allemaal hard hebben gewerkt om hier te komen, dat je je door de beste scholen heen hebt geworsteld, honderd andere kandidaten voor jullie baan achter je hebt gelaten, maar jullie gaan de komende vijf maanden harder werken dan je ooit in je leven hebt gedaan. En de meest gewieksten, de hardsten onder jullie zullen verdergaan, om in de toekomst Bloomfield Weiss op te bouwen.'

Hij zweeg en keek het lokaal rond om te zien wat voor uitwerking hij had gehad op zijn gehoor. Allen waren ze verbijsterd.

'Nog vragen?'

Stilte. Chris keek om zich heen naar zijn medestagiairs. Ze leken even onthutst als hij.

Toen ging er een eenzame hand de lucht in. Hij was van een slanke, opvallende vrouw met kort wit haar. Op haar naamplaatje stond 'Lenka Němečková'.

Calhoun draaide zich met een frons naar de hand, een frons die bijna verzachtte tot een verlekkerde blik toen hij zag aan wie de hand toebehoorde.

'Ja, eh, Lenka?'

'Ik begrijp het slechte nieuws,' zei de vrouw met een schor Oost-Europees, licht Amerikaans gekleurd accent. 'Kunt u ons nu het goede nieuws geven?'

Even was Calhoun in de war. De klas kon zien dat hij zich probeerde te herinneren, net als zij allen, wat het goede nieuws was. Chris hoorde achter zich iemand lachen: Duncan. Zijn lach kabbelde door het auditorium en verjoeg de spanning die door de toespraak van Calhoun zo zorgvuldig was opgebouwd.

Calhoun was er niet gelukkig mee. 'Het goede nieuws mevrouw, is dat jullie in de komende vijf maanden niets anders zullen eten, slapen en dromen dan Bloomfield Weiss.' Hij stak zijn kin naar haar uit alsof hij haar wilde uitdagen daarop te antwoorden.

Lenka glimlachte lief. 'O ja, dat wordt écht leuk.'

De rest van de dag werd doorgebracht met een beschrijving van het vele werk dat hun te wachten stond en vervolgens werd hen dat werk uitgedeeld. De zestig stagiairs kwamen om vijf uur duizelig naar buiten, met in hun handen de opdrachten die ze in de loop van de volgende week moesten afmaken. Abby Hollis wachtte hen op met drie dikke pillen over portefeuilleanalyse, economie en kapitaalmarkten. Ze deelde ook linnen tassen uit, met *Bloomfield Weiss* er in discrete letters op. Er was te veel materiaal voor de dunne, modieuze aktetassen die de meeste stagiairs in hun eerste maanden van hun baan hadden gekocht.

'Tjonge!' zei Duncan met een verschrikt gezicht. 'Ik heb een biertje nodig.'

Dat leek Chris en Ian een prima idee. De altijd vriendelijke Duncan wendde zich tot een gedrongen man met een lange, spitse neus, die netjes zijn opdrachten in zijn tas aan het stoppen was. Hij heette Rudy Moss. 'Kom je mee?'

Rudy keek even naar zijn uitpuilende linnen tas en schudde toen vol zelfmedelijden zijn hoofd. 'Ik denk van niet,' zei hij en verdween.

'Mogen wij met jullie mee?' vroeg een stem achter Duncan. Het was Eric Astle, de Amerikaan die naast Chris had gezeten en met wie hij in de loop van de middag een paar ongelovige blikken had gewisseld. Bij hem stond een kleine, donkere man, met een lichte schaduw van stoppels op zijn kaken. Eric stelde hem voor als Alex Lubron.

'Natuurlijk,' zei Duncan. 'Weten jullie hier in de buurt een tent?'

'Je hebt hier Jerry's,' zei Alex. 'Kom maar mee. We zullen het jullie laten zien,' en hij loodste de kleine groep naar de lift.

Ze liepen Lenka voorbij die eenzaam tussen het rumoer van kakelende stagiairs stond, alsof ze allemaal te nerveus waren om een gesprek met haar aan te knopen.

Duncan aarzelde. 'Zin in een kleintje?' vroeg hij, zijn Schotse accent overdrijvend.

'Pardon?'

'Wil je misschien met ons wat gaan drinken?' vroeg hij met een vriendelijke glimlach.

Lenka lachte ook. 'Waarom niet?' zei ze en ze pakte haar spullen bijeen. 'Kom op, we gaan.'

'Verrek, geloven jullie wat ze zeiden over het onderste kwartiel?' vroeg Duncan de groep die op een kluitje rond een tafeltje zat, terwijl een kelner glazen koud bier ronddeelde. Jerry's was een kelderbar om de hoek van Bloomfield Weiss. Het zat er vol stevig gebouwde handelaren die napraatten over hun wapenfeiten van de dag. 'Dat kunnen ze toch niet menen? Of wel soms?'

'Dat kunnen ze,' zei Chris.

'Maar we hebben zo hard gewerkt om zo ver te komen; het lijkt het stomste wat er is om nu iemand eruit te gooien,' zei Duncan.

'Dat is het ook. Dat doen ze niet. Maak je niet dik,' zei Ian en hij stak een sigaret op. 'Dat gepraat over het onderste kwartiel is gewoon een manier om lui kwijt te raken die ze niet mogen. Met ons zal het goed gaan.'

'Met jou misschien wel. Van mezelf ben ik niet zo zeker.'

Ian schokschouderde, alsof Duncan iets waars zei, maar het maakte hem niet erg ongerust. Ian was elegant en zelfverzekerd, de crème de la crème. Hij had donkere, fijngesneden, gevaarlijk knappe gelaatstrekken. Hij droeg de beste pakken van hen drieën, overhemden met manchetknopen en dassen die geen enkele vlek vertoonden. In tegenstelling tot Duncan hing zijn hemd nooit uit zijn broek. Hij was er als beste van hen in geslaagd eruit te zien en te klinken als een echte beleggingsbankier. Het enige detail dat het beeld wat verstoorde waren zijn afgebeten vingernagels.

'Kan ik er ook zo een krijgen?' vroeg Lenka aan Ian, en ze wees op zijn sigarettenpakje.

'O, sorry. Natuurlijk.' Ian bood er haar een aan en zij stak die met kennelijk plezier op. 'Nog iemand?'

Ook Alex stak er een op.

'Jullie land is barbaars, zoals jullie mensen verbieden te roken,' zei Lenka. 'Ik weet niet hoe ik anders de dag door moet komen.'

Op de kantoren van de opleidingscursus mocht niet worden gerookt. Roken was bij Bloomfield Weiss niet helemaal uitgeroeid. Sommige handelaren hielden vol en rookten nog dikke sigaren op de handelsvloer, maar hun dagen waren geteld.

'Dat klopt,' zei Ian. 'Hebben mensen niet het recht om sigaretten bij zich te dragen? Of zijn dat machinepistolen; dat kan ik me nooit herinneren.'

'Vroeger hadden we dat,' zei Alex. 'Maar de hoge heren in de regering nemen ons dat recht af. Wat we nodig hebben is een rokende president, nietwaar Eric? Eric is onze politieke activist. Hij was er in zijn eentje verantwoordelijk voor dat Bush werd gekozen.'

'Bedankt, Alex,' zei Eric. 'Ik heb inderdaad voor de campagne van Bush sr. gewerkt toen ik studeerde,' legde hij de anderen uit. 'Enveloppen vullen voor de goede zaak.'

'O, het was veel meer dan dat,' zei Alex. 'George heeft hem regelmatig gebeld met de vraag wat hij met Saddam Hussein moest.'

Eric rolde met zijn ogen.

Ze vormden een onwaarschijnlijk duo. Eric was lang, recht, met vierkante kaken, keurig gekapt en met een glimlach die perfecte, glanzende tanden liet zien. Alex was zeker vijftien centimeter kleiner, had krullend haar en stoppels die suggereerden dat hij zich die morgen niet had geschoren. Zijn das hing scheef en het bovenste knoopje van zijn overhemd stond open. Zijn bruine ogen twinkelden van humor en intelligentie onder zijn dikke, donkere wenkbrauwen. Chris mocht ze allebei graag.

'Ik mocht die professor Waldern niet erg,' zei Duncan en hij bracht het gesprek weer op wat hem dwarszat.

'Ik ook niet,' zei Chris. Waldern was een beweeglijke, vurige man met een grijzende baard en heldere kraaloogjes; hij had er echt plezier in geschept hun te vertellen hoeveel werk hun te wachten stond, en hoe hard hij degenen zou aanpakken die dat niet aankonden. Hij werd verondersteld tot de faculteit te behoren van een deftige economische universiteit, maar Chris dacht dat hij zijn meeste tijd besteedde aan het doceren van portefeuilleanalyse en kapitaalmarkten aan stagiairs van Bloomfield Weiss. Hij werd er waarschijnlijk vet voor betaald.

'Ze zeggen dat het een harde is,' zei Eric. 'Dat hij een volwassen man aan het huilen kan maken.'

'Dat kan ik geloven,' zei Duncan. Hij wendde zich tot Eric en Alex. 'Jullie hebben waarschijnlijk een beter idee hoe de cursus werkt. Gaat het echt zo slecht worden?'

'Ik denk van wel,' zei Eric. 'Calhoun heeft zowat zes maanden geleden deze opleiding overgenomen. Er wordt gefluisterd dat hij de zaken wil veranderen. Meer volgens de leer van Darwin. Het idee is de verliezers eruit te halen voordat ze zelfs aan het echte werk beginnen. Kennelijk heeft het managementcomité de zaak besproken en besloten hem zijn gang te laten gaan. Ik denk dat wij de proefkonijnen zijn.'

'Ik zou me niet te veel zorgen maken,' zei Alex. 'Net als bij alles hangt het ervan af wie je kent. Als er een directeur is die jou op zijn afdeling wil hebben, kan niemand je op straat zetten. Maak je niet dik.'

'En is er zo iemand?' vroeg Duncan.

'Ik werkte mijn eerste zes maanden op de handelsafdeling voor hypotheken,' zei Alex. 'Ik viel in de smaak bij die kerels daar. Met mij zal het goed gaan.'

Daar werd Duncan nog ongeruster van. 'En jij?' vroeg hij Eric.

'Och, ik weet niet zeker waar ik terechtkom,' antwoordde hij. 'We zullen moeten afwachten wat er gebeurt.'

'Jij komt terecht waar je wilt,' zei Alex. 'Ze zijn gek op jou.'

Eric trok zijn schouders op. 'Laten we eerst maar eens de volgende vijf maanden zien door te komen.'

Niets van dit alles beviel Duncan. 'Ik geloof niet dat er in Londen iemand is die het wat kan schelen wat er met mij gebeurt.'

Chris kende het gevoel. Alle drie waren ze in het kantoor doorgesluisd als ongewenste, verdwaalde kinderen, terwijl de andere Londense stagiairs al in New York aan het werk waren. Zij waren het onderste uit de kan.

'Och, kom op, jongens,' zei Ian met zijn beste kostschoolaccent. 'Laten we nu niet in paniek raken. We zijn vijf maanden in New York op het salaris van beleggingsbankiers. Laten we er maar van genieten.'

'Daar drink ik op,' zei Lenka. Ze hief haar glas dat al bijna leeg was. 'Proost!'

Allen hieven ze hun glazen naar haar op.

'Duncan,' zei Lenka. 'Als de zaken ooit echt lastig worden, weet je wat je dan moet doen?'

'Wat?'

'Hier komen en bier met ons drinken. Dat is de Tsjechische manier. Die werkt.'

Duncan dronk glimlachend zijn glas leeg. 'Je hebt me overtuigd. Laten we nog maar iets bestellen.' Hij greep een passerende kelner bij de arm die hem kwaad aankeek maar wel hun nieuwe bestellingen opnam.

'Jij komt dus uit Tsjecho-Slowakije?' vroeg Chris. 'Ik wist niet dat Bloomfield Weiss een kantoor had in Praag?'

'Ja, ik ben Tsjechische. Maar ik ben door New York aangenomen. Nu het ijzeren gordijn omlaag is gekomen, willen de investeringsbanken ook Oost-Europeanen. Dus vroegen ze mij of ik alles kon vertellen over Oost-Europa. Ze zeiden dat ze me een boel geld zouden betalen. In feite weet ik enkel alles over Keats en Shelley, maar dat heb ik hun niet verteld.' Haar Engels was vloeiend en zelfverzekerd, maar ze had een vrij zwaar accent.

'Heb je Engels gestudeerd?' vroeg Alex.

'Ik heb op de Karels-universiteit in Praag Engels en Russisch gestudeerd. Daarna ben ik gaan afstuderen op Yale. Maar al die structuralistische onzin werd me te veel. In Amerika draait alles om geld, daarom dacht ik dat ik er maar beter iets over kon leren. Ik ben pas twee weken geleden bij Bloomfield Weiss gekomen.'

'Heb je helemaal geen economie gehad?' vroeg Alex.

'Ik denk niet dat het soort economie dat ze in mijn land doceren Bloomfield Weiss erg zou imponeren. Maar ik heb een paar Amerikaanse boeken over het onderwerp gelezen. Ik red me wel.'

Ze draaide zich naar Chris. 'Hoe zit het met jou, meneer Szczypiorski? Ben jij een Pool?'

Chris glimlachte toen ze zijn onuitspreekbare naam zo handig uitsprak. 'Nee,' antwoordde hij. 'Mijn ouders komen daar natuurlijk vandaan. Maar ik kom uit Halifax, in Noord-Engeland. Ik ben maar één keer in Polen geweest. En ik spreek Pools met een accent uit Yorkshire.'

'Ieie, wel verdomdski,' zei Duncan.

Chris glimlachte vaag. Grappen over zijn accent of zijn Poolse naam maakten hem al jaren niet meer aan het lachen.

'Dat is me nogal een naam die je daar hebt,' zei Alex. 'Wat is het... Zizipisky? Dat is zelfs in het Amerikaans een hele mond vol.'

Chris deed geen moeite de uitspraak te verbeteren. 'Dat weet ik. Ik heb erover gedacht hem te veranderen in Smith of zoiets, maar het is allemaal te ingewikkeld.'

'Daar hadden we destijds Ellis Island voor,' zei Alex. 'Gooi er een paar klinkers in, haal de zetten weg en je hebt een oerdegelijke Amerikaanse naam.'

Op de universiteit had Chris er zo genoeg van gekregen zijn naam bij elke ambtelijke gelegenheid tweemaal te moeten spellen, dat hij zo ver was gegaan de formulieren aan te vragen die nodig waren om hem te veranderen. Maar hij was gestopt op het moment dat hij de nieuwe naam invulde: 'Shipton' had hij gekozen. Szczypiorski was de naam van zijn vader en hij had toch al zo weinig van hem. Hij moest het er maar mee doen. In elk geval kon hij zijn voornaam van Krzysztof gemakkelijk genoeg veranderen in Chris.

'Wie is die Rudy Moss?' vroeg Duncan. 'Heb je gezien hoe hij naar me keek toen ik voorstelde wat te gaan drinken? Het was net of ik hem had gezegd dat zijn zuster lesbienne was.'

'Hij is een hufter,' zei Alex. 'Er zijn een paar lui zoals hij op de cursus. Hij is gewoon de ergste. Let maar niet op hem.'

'Wat bedoel je?' vroeg Duncan.

'We hebben zes maanden met hen doorgebracht,' zei Alex. 'Er zitten veel bruinwerkers bij. Ze denken dat ze de beste baan krijgen als ze de juiste kont likken. En dat is het niet alleen, ze willen de éérste zijn om die kont te likken. Dat is Rudy's specialiteit.'

Duncan trok een gezicht.

'Er heerst hier een sfeer van concurrentie,' legde Eric uit. 'We worden allemaal verondersteld met elkaar te concurreren om de beste banen en de beste resultaten op de cursus. Kerels als Rudy Moss houden zich met dat alles bezig.'

'Maar jij niet?' vroeg Chris.

'Ik geloof dat ik meer een teamspeler ben. Ik werk graag samen met mijn collega's, in plaats van tegen hen.'

'Wat doe je dan in hemelsnaam bij Bloomfield Weiss?' vroeg Ian. 'Dat lijkt niet erg op het bedrijfsbeleid.'

Eric trok glimlachend zijn schouders op. 'Calhoun had gelijk. Bloomfield Weiss is de beste in de branche. Ik doe met de besten mee, maar ik zal het op mijn manier doen.'

Ze knikten allen plechtig, alleen Alex lachte. 'Je moet niet zo lullen. "Op jouw manier doen" betekent om drie uur 's morgens ladderzat thuiskomen en pas de volgende dag om twaalf uur opstaan.'

'Die houding staat me wel aan!' zei Lenka enthousiast.

Eric grijnsde. 'Hé, je hebt het hier wel over een beleggingsbankier van Bloomfield Weiss.'

Duncan dronk zijn bier op. 'Zo, ik geloof dat we maar beter kunnen opbreken als we iets willen doen aan al dat werk dat ze ons hebben gegeven.'

Ze vertrokken, elk via zijn eigen kleurtje van het ondergrondse netwerk naar zijn woonwijk. Chris, Ian en Duncan liepen terug naar het appartement dat ze deelden in de Upper East Side. Dit keer was Duncan heel voorzichtig om niet een hele wagon vol forenzen aan te pakken. Hij bracht het grootste deel van de reis door met peinzen over Lenka's charmes. Ze had duidelijk indruk op hem gemaakt. Chris begreep Duncan, maar hij was vastbesloten trouw te blijven aan Tamara, zijn vriendin thuis in Londen. Doelloos hunkeren naar Lenka zou niet helpen.

De kille avondlucht prikkelde Chris' wangen en hielp de verwarrende financiële ideeën uit zijn hersenen te vegen waarop hij de afgelopen drie uur had zitten blokken. Het was eind april, en de lente werd verondersteld dichtbij te zijn, maar Chris had het gevoel dat er vorst in de lucht zat. Hij dook diep in zijn oude leren jack en stak een zijstraat over naar First Avenue en Central Park. Aan beide zijden van de straat staken straatluifels uit boven een warme gele gloed van de marmeren lobby's erachter, waar portiers in uniform nietsziend het donker in staarden.

Het werk stapelde zich al op en Chris had moeite om alles te begrijpen. Hij had geprobeerd de spinnenwebben af te stoffen van de wiskunde die hij op school had geleerd, maar het was niet voldoende. Gedisconteerde cash flow, modified duration, internationale winstcapaciteit; wat betekende dat allemaal? En hoe kon hij daar vóór woensdag allemaal achterkomen?

Hij had zijn mond gehouden toen Duncan ongerust over het opleidingsprogramma had gesproken. Hij had zijn eigen angsten maar voor zich gehouden. Ian had de kunst van het zelfvertrouwen geperfectioneerd en van wat hij tot dusver had gezien van de stapel werk, wist hij zeker dat dat een van de sleutels tot succes was. Als je het niet weet, doe dan of je het wel weet en hoop dat niemand erachterkomt.

Maar op de cursus zouden ze het merken. Professor Waldern zou het de volgende morgen ontdekken, als hij Chris vroeg uit te leggen wat modified duration inhield. Of Calhoun zou erachterkomen na de examens die hij hun had beloofd. Duncan had gelijk. Het zou doodzonde zijn als hij er na al dat geworstel zou worden uitgegooid.

Chris had hard gewerkt om naar New York te mogen. Verrekte hard. Het was begonnen toen hij elf was. Hij was, met lange uren hulp en aanmoediging van zijn moeder, met zijn hakken over de sloot van de middelbare school gekomen. Hij had met moeite zijn einddiploma gehaald en was zelf verbaasd geweest over de cijfers die hij had gekregen. Hij had gesolliciteerd naar een plaats op Oxford, om geschiedenis te gaan studeren. Dat had hij eerst niet willen doen, hij vond het tijdverspilling, maar Tony Harris, zijn geschiedenisleraar, had hem overgehaald. Tot zijn grote verbazing had de Poolse jongen met het accent uit Yorkshire een plaats aangeboden gekregen in Lady Margaret Hall. Zijn moeder was dolgelukkig. Ze had gezegd dat ze altijd wel had geweten dat hij het kon, dat hij de hersenen had van zijn vader. Hij wist dat dat niet helemaal waar was, maar hij voelde aan dat zijn vader, waar hij ook was, trots op hem zou zijn. En dat gaf Chris een heel goed gevoel.

Oxford en nog meer werk. Vervolgens het grote probleem werk te vinden. De recessie begon zich te doen gelden: werkgevers beknibbelden op hun budgetten voor afgestudeerde stagiairs. Sommige vaste werkgevers namen zelfs de moeite van het rekruteren niet.

De concurrentie was groot. Chris wist weinig van de bedrijven die de universiteit bezochten, maar hij solliciteerde bij vijftien van hen, ook bij Bloomfield Weiss. De meeste wezen hem af, vele zelfs zonder hem voor een gesprek op te roepen. Op zijn somberste momenten gaf hij de schuld aan de naam Szczypiorski, al had hij ook niet de serie buitenschoolse activiteiten of het zorgvuldig samengestelde cv van iemand als Ian Darwent. Maar bij Bloomfield Weiss ging hij voluit. Uiteindelijk vroegen ze hem naar het deftige kantoor van de firma in Broadgate in de City te komen, en werd hij doorgezaagd door vijf verschillende bankmensen. Hij kon merken dat ze hem allen mochten. Het feit dat hij uit Halifax kwam beviel hen, zijn Poolse naam beviel hen en de vastberadenheid waarvan ze wisten dat die in hem gedijde beviel hen. Toen hij op een morgen naar de portiersloge was gegaan en de brief had gevonden met in reliëf de woorden *Bloomfield Weiss* erop, wist hij al wat erin zou staan. Ze wilden hem hebben. En hij wilde hen hebben. Ofschoon het de enige baan was die hem werd aangeboden, was het precies het werk waarnaar hij het meest verlangde.

Nu was hij een van de zestig die meer presteerden dan men verwachtte. Zestig mannen en vrouwen die als hoogste waren geëindigd bij wat ze moesten presteren. Zestig winnaars, winnaars als Ian Darwent, Eric Astle, Alex Lubron of die afschuwelijke Rudy Moss. En uit die zestig winnaars zou deze opleiding vijftien verliezers persen. Een van hen zou best Duncan kunnen zijn. Een andere zou Chris kunnen zijn.

Hij bereikte de lage muur aan Fifth Avenue die Central Park insloot. Hij keek eroverheen in het mysterieuze donker van het park, met de heldere lichten van de hoge gebouwen in Manhattan eromheen. Hij moest teruggaan en wat gaan slapen. De volgende dag zou er veel te leren zijn. Zuchtend besefte hij dat er de volgende vijf maanden elke dag veel te leren zou zijn. Nou ja, hij zou zijn twijfels voor zich houden, zich gedeisd houden en zijn uiterste best doen te zorgen dat hij niet een van die vijftien verliezers was.

2

Het was hard werken. Ze pasten de 'casusmethode' toe, die was uitgevonden op de Rechtenfaculteit van Harvard en die door bedrijfseconomische opleidingen in het hele land was overgenomen. Het betrof het lezen van een 'casus': een gedetailleerd verslag van een realistisch probleem in een bedrijf, uitgekozen om een bepaald financieel begrip te illustreren. Deze werd vervolgens tijdens de les besproken. De professor koos een ongelukkig iemand uit om de discussie te beginnen, en bombardeerde vervolgens hem of haar met vervolgvragen. In het gunstigste geval kon dit een fascinerende manier zijn om de kwesties te bestuderen. In het ergste geval was het een reeks openbare vernederingen voor de betrokkenen.

De moeilijkheid was niet alleen de avond tevoren de casussen door te nemen. Om ze te kunnen begrijpen, moesten de stagiairs diverse pagina's van zware studieboeken doorworstelen. Er werd van hen verwacht dat ze elke avond minstens één gecompliceerd concept onder de knie kregen.

In de eerste maanden van de opleiding doceerde professor Waldern twee van de cursusvakken: kapitaalmarkten en portefeuilleanalyse. Dit waren toevallig ook de twee belangrijkste onderwerpen. Een goed begrip van portefeuilleanalyse was van vitaal belang, wilde je later obligaties gaan verhandelen of verkopen. Waldern was een uitstekende docent: hij kon de meest alledaagse financiële principes interessant en opwindend doen lijken. Hij kon vage indrukken van de oplossing lospeuteren uit verschillende mensen in de klas, en vervolgens leken de concepten onder zijn leiding op hun plaats te vallen. Chris vond zijn colleges intellectueel stimulerend en uitputtend.

Maar Waldern was ook een bullebak. Duncan was vanaf het begin doodsbenauwd dat hem gevraagd zou worden de les op gang te brengen, en dat gebeurde inderdaad op de derde dag. Chris wist dat Duncan de avond tevoren urenlang had geblokt op de casus. Deze ging over een luchtvaartmaatschappij die moest beslissen of ze geld moesten lenen via een obligatie-uitgifte met vaste koers, of via een lening met zwevende koers. Maar Duncan had het niet begrepen. Hij begon te wauwelen, herhaalde de introductie van de casus zelf en Waldern rook bloed. Hij deed er twintig minuten over om Duncan, zichzelf en de rest van de klas te bewijzen dat Duncan de meest fundamentele principes van de werking van een obligatie met vaste koers niet had begrepen. Natuurlijk was Duncan daarna een wrak. Sommige stagiairs, zoals Rudy Moss, zaten te giechelen bij het schouwspel. Chris was woedend. Hij probeerde een paar antwoorden voor te zeggen, maar Waldern was daar niet van gediend.

Professor Waldern was niet de enige boeman van de cursus. Abby Hollis was een kleine Hitler. Je kon haar altijd rond zien scharrelen, vóór of na de les, links en rechts mensen lastig vallend.

Lenka's wantrouwen jegens Abby veranderde in minachting na een voorval in de tweede week van de cursus. Lenka kleedde zich opvallend. Ze vermeed de hoekige mantelpakjes van de meeste Amerikaanse vrouwen; ze droeg modieuze jurken, korte rokken, strakke blouses, kasjmier truien en elegante zijden sjaals. Ze zag er meer uit als een Parisienne dan een Newyorkse. De mannen op de cursus vonden het natuurlijk allemaal prachtig, maar veel van de vrouwen voelden zich geïntimideerd. Chris hoorde enkelen van hen erover speculeren hoe ze zo'n garderobe verzameld kon hebben met het salaris van een stagiair.

Op een morgen stond Lenka in de gang bij het klaslokaal met Chris en Duncan te praten, toen Abby eraankwam. Lenka droeg een broekpak. Het was onopvallend lichtgrijs en misschien de meest conservatieve kleding die ze tot dan toe had uitgeprobeerd.

'Lenka, kan ik je even spreken?' zei Abby en ze pakte haar bij de arm. Ze mompelde iets tegen haar dat Chris en Duncan niet helemaal konden verstaan. Maar ze hoorden wel Lenka's antwoord: 'Mijn kleren zijn ongepast? Wat bedoel je met ongepast?'

Abby keek even naar Chris en Duncan. 'Volgens mij hoor je te weten dat het niet gepast is bij Bloomfield Weiss een broek te dragen,' zei ze. Lenka snoof verachtelijk. 'Dat is absurd! Moet je Chris en Duncan zien. Die hebben ook een broek aan. De meeste mensen op de cursus dragen een broek. Sidney Stahl, onze directievoorzitter, draagt een broek. Waarom ik niet?'

'Je weet heus wel wat ik bedoel,' zei Abby. Haar gezicht was rood aangelopen, maar nu ze eenmaal zo ver was gegaan, kon ze niet meer terugkrabbelen. 'Het is ongepast voor vróuwen om een broek te dragen.'

'Mannen kunnen het dus wel, maar vrouwen niet, bedoel je dat? En wiens idee is dat? Van een vrouw wil ik wedden.'

'Ik weet niet wiens idee het was,' zei Abby. 'Maar hier dragen vrouwen gewoon geen broek.'

'Nou ja, nu wel,' zei Lenka en ze beende het klaslokaal in.

Tijdens de pauze kwam ze bij Chris en de anderen bij het koffiezetapparaat staan. 'Ik kan die vrouw gewoon niet geloven,' zei ze. 'En hebben jullie dat pakje gezien dat ze droeg en dat afschuwelijke bloesje met ruches? Dát hoort verboden te worden.'

'Weet je dat zij verleden jaar nog een van ons was?' zei Alex.

'Hoe bedoel je?'

'Ze was stagiaire, net als wij. Kennelijk heeft ze het niet goed genoeg gedaan. Ze kon na de cursus geen benoeming krijgen, daarom werd ze ten slotte cursuscoördinator. Naar men zegt, moet ze zich voor George Calhoun bewijzen om hieruit te ontsnappen en een behoorlijke baan te krijgen.'

'O, mijn god,' kreunde Duncan. 'Als mij dat nu eens overkomt? Dat zou mijn dood zijn.'

Even was het stil in het groepje en ze dachten aan het lot dat degenen onder hen beschoren zou zijn als ze niet uit dat onderste kwartiel kwamen.

'Voor de meesten is het oké,' zei Alex. 'Ze zijn allemaal afgestudeerd in bedrijfswetenschappen; veel van deze stof kennen ze al van vroeger. Maar ik moet toegeven dat ik het vrij zwaar vind.'

'Moet je mij vertellen,' zei Duncan.

'Het is gewoon zo veel,' zei Chris, blij dat Alex had toegegeven wat híj niet had durven doen. 'Ik bedoel maar, op het moment dat je het ene concept snapt, krijg je weer twee andere op je dak.'

'Luister, willen jullie vanavond met ons meegaan? Als we elkaar helpen, kunnen we dit misschien oplossen.' Alex keek Eric aan, die instemmend knikte.

'Geen gek idee,' zei Chris.

'Ik ben ervoor,' zei Duncan.

'Ik ook,' zei Ian.

'Laten jullie vrouwen in broek toe?' vroeg Lenka.

'Gewoonlijk niet,' zei Alex, 'Maar in jouw geval willen we wel een uitzondering maken.'

De flat van Eric en Alex lag ver in de West Side. Hij was groot, maar slecht onderhouden. Kennelijk was de huur ervan vastgezet en daarom was het onderhoud voor de huisbaas niet interessant. Het meubilair was eenvoudig en de kamer lag vol typische studentenrommel. Maar wat hen allen bij het binnenkomen vooral opviel, waren de muren.

In de hele kamer hingen een stuk of vijf grote schilderijen, elk met petrochemische fabrieken of olieraffinaderijen op verschillende tijden van de dag en nacht. Pijpen, rijbruggen, cilinders, torens en schoorstenen waren geschilderd in vreemde hoeken en vormden ingewikkelde meetkundige netwerken. Oranje schijnsels, felrode vlammen en doordrin-

31

gend witte halogeenlampen droegen bij tot het mysterie van de massale chemische processen die erbinnen plaatsvonden. De totaaluitwerking was onverwacht mooi.

'Wat geweldig,' zei Lenka. 'Wie heeft die geschilderd?'

'Ik,' zei Alex.

'Jij?' Lenka draaide zich met duidelijke herwaardering naar hem om. 'Ik wist niet dat jij kon schilderen.'

'Na mijn studie heb ik een paar jaar geprobeerd met schilderen mijn brood te verdienen. Ik had een paar tentoonstellingen, verkocht wat schilderijen, maar het bracht nauwelijks voldoende op om van te leven. Het idee van een leven in armoede stond me niet aan. Daarom ben ik hier.'

'Wat jammer,' zei Lenka.

Alex trok zijn schouders op. 'Daarom zijn we allemaal hier, nietwaar?' Zijn stem klonk wat verdedigend: Lenka had kennelijk een gevoelige snaar geraakt.

'Het spijt me; ik denk dat je gelijk hebt. Maar het is een vreemd onderwerp. Waarom?'

'Ik kom uit New Jersey,' zei Alex. 'Daar heb je veel raffinaderijen. Toen ik jong was keek ik er altijd naar vanuit het autoraampje als we voorbijreden. Het fascineerde me. Later op de universiteit dacht ik: waarom zou ik ze niet schilderen? Het werd een soort obsessie.'

'Ze zijn ongelooflijk,' zei Lenka. Ze liep de kamer rond. 'Je gaat me toch niet vertellen dat dit New Jersey is?'

Ze stond voor een dramatisch schilderij van een installatie die oprees uit het zand en zijn vlammen opwierp in een weidse woestijnhemel. Het contrast van het vijandige, ruige landschap met de dramatisch opgebouwde structuren en de variaties in het natuurlijke en kunstmatige licht, gaf een effect dat verrassend was in zijn pracht.

'Dat is de Industrial City of Dubai in Saudi-Arabië,' zei Alex. 'Een chemisch bedrijf zag mijn werk en sponsorde me om daarheen te gaan. Alle schilderijen die ik daar heb gemaakt, heb ik verkocht – op dit ene na.'

'Het verbaast me niets,' zei Lenka.

'Ik wilde dat ik er meer van had achtergehouden.'

'Ondertussen heb ik het gevoel dat ik in een verdomde fabriek woon,' zei Eric. 'Verrek, wat mankeert er aan zonnebloemen?'

'Burgerlijke barbaar,' mompelde Alex.

'Ze bevallen me wel,' zei Duncan. 'Heb je ooit een brouwerij geschilderd?'

'Nog niet,' zei Alex. 'Maar ik begrijp eruit dat je een biertje wilt hebben.'

'Ik dacht dat je het nooit zou vragen.'

Die avond en verscheidene avonden in de maanden die volgden, studeerden ze samen met z'n zessen, meestal in de flat van Eric en Alex. Het werd al snel duidelijk wie er hoeveel wist. Eric leek alles wat hem voor de voeten kwam op te pakken en direct te begrijpen. Voor Duncan was alles een worsteling. Alex en Chris lukte het ten slotte ook, Chris met meer moeite dan Alex. Ian gedroeg zich alsof hij alles begreep en hij snapte de principes inderdaad snel. Maar als het om puur cijferwerk ging, was hij hopeloos. Dat was een geheim dat hij op de een of andere manier kans zag te verbergen voor iedereen in de klas, buiten de studiegroep, die zijn best deed hem daarin te dekken. Lenka leek een bijna even snel begrip te hebben als Eric, ofschoon ze geneigd was met absurde oplossingen te komen voor wat de rest zag als simpele problemen. In de groep hielpen ze elkaar en, met uitzondering van Duncan op die derde dag, redden ze zich.

Alex was niet de enige van de stagiairs met een ongewone achtergrond. Er waren verscheidene blanke Angelsaksen met een diploma Bedrijfswetenschappen, maar Bloomfield Weiss had ervoor gezorgd niet uitsluitend uit die bron te putten. Er waren vrouwen zowel als mannen; Indiërs, Afrikanen en Japanners. Er waren er nogal wat van de leeftijd van Chris, maar de meesten waren een paar jaar ouder: sommigen al in de dertig. Onder de Amerikanen bevond zich een beroepsgokker, een vrouw die haar eigen postorderzaak in modieuze computeraccessoires had opgezet en verkocht, en een profvoetballer met een mank been. Onder de buitenlanders was een man van de Franse marine die op onderzeeërs had gediend, een superkoele Japanse man die graag Tex werd genoemd en die bij elke gelegenheid zijn zonnebril ophield, een Arabier die wist dat hij niet ontslagen kon worden en daarom niets uitvoerde, en een oudere Italiaanse vrouw die moeite had het snelle Engels te begrijpen dat om haar heen werd gesproken, en die haar best deed de cursus te blijven volgen terwijl ze ook nog voor haar drie jaar oude dochter zorgde.

Iedereen werd gelijkwaardig behandeld, wat hun achtergrond ook was, met uitzondering van Latasha James, de Amerikaanse zwarte vrouw die naast Chris zat. Alle professoren, zelfs Waldern, namen de moeite haar altijd met respect en beleefdheid te bejegenen. Latasha werd er gek van. De zaak wilde haar onderbrengen op de afdeling Gemeentefinanciering, waar ze Bloomfield Weiss kon verkopen aan zwarte ambtenaren. Ze wilde net als iedereen behandeld worden.

Eric en Alex kregen gelijk: bruinwerken kwam vaak voor. De zestig stagiairs die ineengedoken achter hun bureaus zaten als Waldern college gaf, kwamen met een ruk in actie als een van de afdelingsdirecteuren met hen kwam praten. Die mensen stonden aan het hoofd van de verschillende afdelingen van het bedrijf en tussen de meer formele lessen door hielden ze voordrachten over wat hun afdelingen deden. Zij waren het die de stagiairs zouden aannemen als ze door de cursus heenkwamen. Dat waren de mensen waarop je indruk moest maken. Als je zag hoe zestig jonge investeringsbankiers allen tegelijk probeerden indruk te maken op één menselijk wezen, werd je misselijk. Chris wist dat hij mee hoorde te doen, maar hij kon er zich niet echt toe brengen. Ian stelde nu en dan op zijn laconieke, nonchalante manier een vraag, die het voordeel had dat hij opviel. Eric beperkte zich tot eenmalige, enorm scherpzinnige vragen, gericht aan de directeuren van de voornaamste afdelingen van de firma. Duncan brabbelde nu en dan wat. Lenka hoefde zich niet op de voorgrond te dringen, zij stelden háár vragen. Het was zielig om te zien hoeveel mannen van middelbare leeftijd haar uitkozen, zogenaamd willekeurig, om een zaak te benadrukken die ze naar voren wilden brengen.

Het ergste was natuurlijk Rudy Moss. Op een slechte dag kon Rudy de rest van de klas doen kokhalzen. De ergste dag kwam toen Sidney Stahl met hen kwam praten.

Stahl had juist de post van directievoorzitter van Bloomfield Weiss aanvaard. Hij was een kleine man met een bruuske stem en een enorme sigaar, die hij opgewekt rookte terwijl hij met de groep sprak. Chris vond hem inspirerend. Hij wist kennelijk van aanpakken, had weinig tijd voor onzin. Toen hij zei dat het hem niets kon schelen wie je was of waar je vandaan kwam, zolang je maar geld verdiende voor de zaak, geloofde Chris hem. Stahl was net klaar met een verhaal over hoe Bloomfield Weiss alleen de beste zaak in de branche kon blijven als ze zo veelzijdig mogelijk was, toen hij vroeg of er vragen waren. Chris kreunde inwendig toen Rudy Moss zijn hand opstak.

'Meneer Stahl, Rudy Moss.'

'Wat wil je weten, Rudy?'

'Wel, meneer Stahl. Ik luisterde naar wat u zei en vroeg me af welke vaardigheden de kernbekwaamheden vormen die ons een voorsprong bezorgen op zo veel nieuwe medewerkers?'

Stahl keek hem alleen maar aan en trok diep aan zijn sigaar. Rudy glimlachte hoopvol. Stahl rookte. Rudy bloosde licht. Stahl bewoog zich niet. Zestig stagiairs wilden wel de grond inkruipen.

Rudy bezweek het eerst. 'Ik bedoel de oligopolie onder de grootste bedrijven begint af te brokkelen, de barrières om in onze branche binnen te komen zijn lager en we zullen moeten overleven door te vertrouwen op onze kernbekwaamheden. Ik vroeg me alleen maar af welke die volgens u zijn?'

34

Stahls ogen glommen. Dat deed ook het uiteinde van zijn sigaar.
'Jongen, ik zal je eens vertellen hoe we overleven. De meesten van jullie gaan geld voor me verdienen. Een boel geld. Dan houd ik jullie. Sommigen van jullie gaan tegen mij ouwehoeren. Dan vlieg je eruit. Wie van de twee zul jij zijn, Rudy?'
Overal werd geglimlacht. 'Ik zal geld voor u verdienen, meneer,' piepte Rudy.
'Goed. Zijn er nog meer vragen?'
Gek genoeg waren er geen vragen meer.

3

Het examen voor portefeuillebeheer was in de vierde week van de cursus. Het was een van de belangrijkste toetsen van het hele curriculum – George Calhoun had ervoor gezorgd dat ze dat allemaal begrepen. Chris blokte er tot negen uur op, maar toen voelde hij dat zijn vermoeide hersenen dienst weigerden. Hij had zin Tamara in Londen te bellen, maar hij had haar al eerder eens om twee uur 's nachts gewekt, en dat was geen goed idee geweest. Hij besloot de andere twee te vragen of ze zin hadden snel een biertje te gaan drinken in het Ierse café aan First Avenue waar ze vaak kwamen. Hij moest zich ontspannen voordat hij naar bed ging.

Hij klopte op Duncans deur. Geen antwoord. Hij klopte nog eens.

'Binnen.'

Duncan lag op zijn bed naar het plafond te staren. Zijn bureau zag eruit alsof het gebombardeerd was, vol aantekeningen en open studieboeken.

'Zo bereik je hier niet veel,' zei Chris. 'Laten we een biertje pakken.'

'Ik... nee, ik bedoel... O, jézus...,' stamelde Duncan en tot verbazing van Chris begon hij te snikken.

'Wat is er, Duncan?'

'Verrek, wat denk je dat er is? Het is dat verdomde examen.'

'Het is niet meer dan een toets.'

'Het is geen toets. Het is mijn hele loopbaan. Morgen zal alles voorbij zijn. Ze sturen me terug naar Londen en dan kan ik bij Barclays achter een loket gaan zitten.'

Chris ging op zijn bed zitten. Duncans wangen waren rood. Hij hield zijn handen voor zijn ogen, maar een enkele traan ontsnapte en biggelde langs zijn wang.

'Nee, dat gebeurt niet,' zei Chris zacht. 'Je hebt ervoor gewerkt. Je zult slagen voor dat examen.'

'Da's gelul, Chris. Ik weet geen flikker. Mijn hoofd is helemaal leeg.' Hij snikte opnieuw en snotterde. 'Ik ben nog nooit eerder voor een examen gezakt.'

'En dat zul je nu ook niet doen,' zei Chris. 'Luister, je ziet dit totaal buiten proportie. Ze proberen alleen maar te controleren of je weet hoe je koersen van obligaties en opties moet uitrekenen. Het stelt niet veel voor. De rotzakken willen je alleen maar meer onder druk zetten om te zien of je knapt.' 'Nou ja, ik ben aan het knappen,' snoof Duncan. 'Natuurlijk niet,' zei Chris. 'Ga nu eens achter je bureau zitten, dan nemen we alles door wat je niet begrijpt. Net zolang totdat je het doorhebt.'

Ze zaten daar meer dan twee uur, en Chris probeerde begrippen uit te leggen die hemzelf pas in de week tevoren duidelijk waren geworden. Hij was geduldig en zijn rust drong ten slotte door tot Duncan. Tegen middernacht kon Duncan eindelijk de koers van een eenvoudige optie berekenen. Dat moest voldoende zijn.

Toen hij bij Duncan wegging, was Chris uitgeput. Hij was op weg naar zijn bed, toen hij vanachter de deur van Ians kamer muziek hoorde klinken. Hij stak zijn hoofd naar binnen. Ian zat in een leunstoel een sigaret te roken en naar UB40 te luisteren, met naast zich een halve fles whisky.

'Ik ben net bij Duncan geweest,' zei Chris. 'Hij is in paniek over morgen.'

'Die jongen maakt zich veel te druk,' zei Ian.

'Maar hij heeft geen ongelijk. Ik heb een groot stuk van de optietheorie met hem doorgenomen. Hij mag van geluk spreken als hij slaagt.'

Ian trok zijn schouders op. 'Er zullen morgen een paar mensen zakken, en er is echt niets wat jij of ik kunnen doen om hen te helpen.'

Chris staarde Ian aan. Dat was niet waar. Hij wilde dat Duncan het zou halen, en hij had zijn best gedaan om hem te helpen. Hij hoopte dat het genoeg zou zijn.

'Ga jij het halen?' vroeg Chris. Het zou voor Ian moeilijk zijn zijn gemis aan een wiskundeknobbel te verbergen in een toets die was gewijd aan obligatieberekeningen.

Ian keek op en glimlachte vaag. 'Ik? O, het zal prima gaan met mij.' Hij schonk zich nog een whisky in en staarde ergens rechts van Chris naar de muur. Chris liet hem alleen.

Duncan slaagde, en Ian ook, maar met de hakken over de sloot. Tot zijn verrassing deed Chris het vrij goed. Maar de grote sensatie was de ontmaskering van twee stagiairs die spiekten. Abby Hollis betrapte Roger Masden erop dat hij zijn werkstuk liet zien aan Denny Engel, de vroegere profvoetballer. Beiden werden ze het klaslokaal uitgestuurd en die middag zag niemand hen meer. De volgende dag verschenen ze evenmin. Voordat de les begon gaf George Calhoun de rest van de stagiairs een preek over de hoge normen van Bloomfield Weiss, en hoe van hen allen werd verwacht dat ze daaraan voldeden. Hij waarschuwde iedereen veel aandacht te schenken aan de cursus ethiek die de volgende maand gegeven zou worden. Hij noemde niet één keer de namen van Roger en Denny.

Maar de rest deed dat wel. Het lot van de beide stagiairs was de hele dag het enige onderwerp van gesprek, zodat de vier pechvogels die waren gezakt zich wat opgekikkerd voelden.

'Daar gaan de eerste twee,' zei Duncan bij de lunch in de kantine.

'Het is zielig,' zei Ian. 'Je reinste schijnheiligheid. Bloomfield Weiss mag helemaal niet klagen over bedrog. Ze zijn er berucht om. Toen ik in Londen was, heb ik hen hun klanten links en rechts zien belazeren.'

'Ze reageren overdreven,' zei Alex. 'Het moet wat te maken hebben met het onderzoek naar Phoenix Prosperity van verleden jaar.'

Het jaar daarvoor was Dick Waigel, een employé van Bloomfield Weiss, gearresteerd en beschuldigd van het uitvoeren van een ingewikkelde zwendel betreffende buitenlandse trusts en een failliete spaarbank in Arizona. Het had slechte publiciteit opgeleverd.

'En weet je nog die kerels in Aandelenverkoop die betrapt werden op het leveren van cocaïne aan hun klanten?' zei Duncan. 'Laten we eerlijk zijn, onze werkgever heeft een verre van schoon blazoen.'

'Daarom maakt Calhoun zich zo druk,' zei Eric. 'Het hoort allemaal bij het beleid de cursus veel zwaarder te maken dan hij hoeft te zijn. Door hoge normen te eisen en ons onder druk te zetten, maakt hij van het bedrijf een beter bedrijf.'

'Dat kan dan wel waar zijn,' zei Alex, 'Maar ik hoor dat het sommige mensen behoorlijk nijdig maakt.'

'Goed,' zei Duncan.

'Waarom?' vroeg Chris aan Alex.

'Het heeft het bedrijf veel geld gekost om die twee mensen aan te nemen. Roger is slim en je kunt er zeker van zijn dat er op de handelsvloer een paar kerels teleurgesteld zullen zijn dat ze geen voetbalvriendje hebben om een borrel mee te drinken. Bloomfield Weiss barst van de lui die in hun situatie hetzelfde gedaan zouden hebben. Ze zouden er goed bij gepast hebben. Het was stom om hen te ontslaan.'

'Dat zul je allemaal aan Calhoun moeten uitleggen,' zei Duncan.

Toen ze in een groepje van de kantine naar het leslokaal terugliepen, trok Duncan Chris even terzijde. 'Tussen haakjes,' zei hij. 'Bedankt voor de hulp. Ik zou nooit geslaagd zijn als jij me gisteravond geen opkikker had gegeven.'

Chris glimlachte. 'Jij zou hetzelfde voor mij doen, makker.'

De lente leek hen te overvallen. De ene dag doken ze diep in hun overjassen en leunden tegen een schrale wind die rond de hoge gebouwen loeide, en de volgende dag scheen de zon, stonden de bomen vol bloesem en werd het park groen. Het tempo van de cursus werd wat trager na het examen portefeuillebeheer en ze kregen zelfs een paar middagen vrij. Een aantal van de niet-Amerikanen begon een zaterdags partijtje voetbal op het grote gazon midden in het park. De drie Engelsen deden regelmatig mee. Duncan was een echte sportman, met een goed coördinatievermogen, en zelfs in een vriendschappelijk partijtje rende hij zich rot. Het ging er luidruchtig aan toe, daar zorgden Faisal, de Saudi, en een paar Brazilianen voor. Ze hadden er plezier in. Eric en Alex speelden ook, net als Lenka en Latasha James. Latasha was goed, ze had op de universiteit gevoetbald. Lenka was dat niet maar niemand klaagde. De mannen stonden in de rij om haar de bal door te geven en haar vervolgens te tackelen.

Na een zo'n partij haalden Lenka en Latasha Duncan, Chris, Ian en Alex over met hen mee te gaan naar Zabar's, een delicatessenzaak aan de West Side. Ze kochten er een paar draagzakken vol lekkernijen: broodjes, patés, kazen en een exotische fruitsalade. Lenka werd heel uitgelaten door het eten dat ze van thuis herkende en stond erop dat ze wat Hongaarse salami en augurken meenamen, heel veel augurken. Ze was ook gefascineerd door Zabar's collectie gedroogde paddenstoelen. Ze beweerde dat alle Tsjechen experts in paddenstoelen waren; ze had een groot deel van haar jeugd doorgebracht met door de bossen struinen om ze te zoeken. Ten slotte trokken de anderen haar weg, stopten even bij een drankwinkel om wat flessen wijn te kopen, en slenterden ze terug naar het park. Ze liepen langzaam, genoten van de lentezon en keken naar de joggers, rolschaatsers, fietsers, verliefde stelletjes en geschiften die de speelplaats van New York druk bevolkten. Toen ze langs het standbeeld van koning Jagiello te paard liepen, die met twee zwaarden boven zijn hoofd zwaaide, bleef Lenka staan.

'Is het niet fijn om een van jouw koningen midden in de grote stad te zien?' vroeg ze Chris. 'Het is net of hij vanuit de middeleeuwen recht hierheen is gereden.'

'Een van mijn koningen?' vroeg Chris.

'Och, toe nou. De man die de Duitse Orde versloeg in de slag van Tannenberg? Vertel me nou niet dat je niets Pools meer in je hebt.'

Chris glimlachte. 'Je hebt gelijk. Mijn grootvader zou hier blijven staan om voor hem te salueren. Maar mijn vader zou de andere kant op kijken. Ik denk dat ik het me gemakkelijk maak en net doe of ik een Engelsman ben.'

'Ik dacht dat Polen de meest nationalistische mensen in de hele wereld waren,' zei Lenka.

'Mijn grootvader wel,' zei Chris. 'Hij was de vader van mijn moeder; hij vluchtte in 1939 naar Engeland. Hij was gevechtspiloot, een held. Hij heeft in de Battle of Britain gevochten. Hij zou zijn leven voor Polen hebben gegeven, dat heeft hij me herhaaldelijk verteld. Maar mijn vader geloofde in niets van dat alles. Hij was socialist. Geen communist, maar een rasechte socialist. Hij geloofde dat nationalisme de mensen verdeelde. Hij hield niet van koningen. Ik weet zeker dat hij deze afgekeurd zou hebben.'

'Wat deed hij in Engeland als hij socialist was?'

'Hij had de pest aan het stalinisme. En Engeland leek niet zo'n slecht land om naartoe te gaan. Het was 1965 en de Labourpartij had net de verkiezingen gewonnen. Hij vond Harold Wilson een betere socialist dan de sovjetapparatsjiks in Warschau. Hij schaakte, hij was een internationale meester. Hij vroeg asiel tijdens een schaaktoernooi in Bournemouth. Hij had neven in Halifax, daar ging hij heen, ontmoette er mijn moeder en hier ben ik dus.'

'Ik wed dat je grootvader hem niet erg hoog had zitten.'

'Daar heb je volkomen gelijk in.' De kloof tussen de familie van zijn moeder en zijn vader had Chris als jongen in verwarring gebracht. De hele Poolse gemeenschap in Halifax leek trouwens achterdochtig wat zijn vader betrof. Hij mocht dan overgelopen zijn, hij was van het nieuwe regime afkomstig en daarom niet helemaal te vertrouwen. Hij ging 's zondags niet eens naar de kerk. Ook al was hij nog jong, Chris had dat wantrouwen aangevoeld en had zich eraan gestoord.

'Ik hoorde dat je in de verleden tijd over je vader praat.'

Chris zuchtte. 'Hij is gestorven toen ik tien was.'

'Wat erg.'

'Niet zo erg. Het was lang geleden.'

'Toch vind ik het erg.' Ze glimlachte. 'Nou ja, ik vind het heerlijk dat er hier een Slavische held staat. Misschien richten ze op een dag ook nog wel een standbeeld op voor Václav Havel.'

'Dat zou pas goed zijn.'

Ze vonden een lege plek in het gras bij de kleine botenvijver. Ze ontkurkten de wijn, aten, dronken en brachten zo de middag door. Lenka had veel te veel augurken gekocht om allemaal op te eten. Duncan en Alex gingen haar ermee bekogelen en spoedig begon er een augurkengevecht. Het was allemaal een beetje kinderlijk en Chris miste de energie om mee te doen, maar het was goed om te zien dat iedereen een tijdje vergat dat ze beleggingsbankiers waren. Chris ging languit in het gras liggen en staarde omhoog naar de blauwe hemel, omrand door de hoge gebouwen van Fifth Avenue. Hij voelde de druk van de cursus uit hem wegvloeien. Het was eigenlijk heel fijn in New York, concludeerde hij. De wijn maakte hem slaperig en hij sloot zijn ogen. Hij werd gestoord door een druppel water op zijn gezicht. Toen nog een. De zon scheen nog, maar een inktzwarte wolk hing boven hun hoek van het park. De wolk opende zich en ze renden in het rond om de resten van de picknick bijeen te graaien. Latasha, Eric en Alex zagen kans in de enige lege taxi op Fifth Avenue te springen, maar Chris, Ian, Duncan en Lenka haastten zich terug om te schuilen in hun appartement, waarbij Duncan Lenka met zijn jas tegen de stortbui beschermde.

Toen ze helemaal doorweekt aankwamen, zette Chris wat thee. Lenka nam eerst een douche en leende wat droge kleren van Duncan. Daarna gingen Chris en Ian om beurten onder de douche. Op de een of andere manier glipten Duncan en Lenka bij al dat gedoe alleen naar buiten om ergens wat te gaan drinken.

Chris en Ian keken elkaar aan toen de deur achter hen dichtsloeg.

'Wat denk je?' vroeg Chris.

'Vergeet het maar,' zei Ian. 'Zij past helemaal niet bij hem.'

'Hij is best knap,' zei Chris, 'een soort reusachtige jonge hond.'

Duncan was niet klassiek knap, maar hij had een groot gezicht met sproeten, krullend rood haar, blauwe ogen en een uitnodigende glimlach, die leek te zeggen: 'word mijn vriendje'. Chris had de uitwerking ervan al eerder gezien, op een paar vrouwen bij Bloomfield Weiss in Londen. Hij kon zich voorstellen dat Lenka er de voorkeur aan gaf boven, bijvoorbeeld, de uitgesproken knapheid van Eric.

'Ze is veel ouder dan hij. Ze moet minstens vijfentwintig zijn,' protesteerde Ian.

'Dat is niet veel ouder,' zei Chris. 'Jij mag haar wel, nietwaar?'

Ian trok zijn schouders op. 'Niet echt,' probeerde hij nonchalant te zeggen. 'Ik vind dat ze er goed uitziet.'

Chris lachte, 'Arme meid. Zo'n hele klas die over haar kwijlt.'

'Ze is er gek op,' zei Ian.

'Je hebt waarschijnlijk gelijk.'

Duncan keerde die avond om ongeveer half twaalf terug in het appartement. Chris en Ian waren nog net wakker.

'En?' zei Chris.

Duncan haalde een flesje bier uit de koelkast, liet zich op de sofa vallen en legde zijn benen over de armleuning. 'Ze is verrukkelijk,' zei hij grijnzend.

'En?' vroeg Chris.

Duncan opende zijn flesje en nam een slok. 'We zullen zien.'

4

'Carla, heb je wel iets gehoord van wat ik de afgelopen twee weken heb verteld?'

'Ja, professor, dat heb ik.'

Waldern had slechte zin. Hij had Ian het vuur aan de schenen gelegd aan het begin van de les, maar die had hem goed het hoofd geboden. Daarom had Waldern zich gewend tot Carla Morelli, een gemakkelijker slachtoffer.

'Dan hoor je me te kunnen vertellen wat een repo is.'

'Oké, oké,' zei Carla. Ze slikte even. De rest van de klas wachtte af. Walderns baard priemde naar voren en hij keek haar strak aan. Een paar tellen was het stil.

Carla mompelde iets.

Waldern hield zijn hand achter zijn oor. 'Ik kan je niet horen.'

'Het spijt me,' zei Carla en haar stem brak. 'Het spijt me,' zei ze met luidere stem. 'Een repo is als een cliënt een obligatie die hij niet heeft, aan Bloomfield Weiss geeft.'

'Een obligatie die hij niet heeft? Wat wil dat zeggen?' zei Waldern en hij keek ongelovig de klas rond. 'Hoe kun je iemand iets geven wat je niet hebt? En in financiën geeft niemand iets weg. Ze kopen, verkopen, lenen of geven geld te leen.' Hij ijsbeerde op en neer en had er plezier in. 'Mensen die deelnemen aan de markt verdienen geld, ze investeren geld, ze geven het nooit weg.'

Carla bloosde. Chris voelde medelijden met haar. Lenka had hem verteld dat ze alles heel moeilijk vond. Ze had de kinderjuf moeten ontslaan die voor haar kind zorgde en probeerde wanhopig vervanging te vinden. Ze verstond maar vijftig procent van wat er in de les werd gezegd en moest voortdurend een woordenboek opslaan als ze haar portie voor die avond las.

'Het spijt me,' zei ze. 'Ik zal het nog eens proberen. Een repo is als de cliënt een obligatie verkoopt die hij niet over heeft...'

'Nee, nee, nee, nee, nee!' Waldern tuitte gefrustreerd zijn lippen. 'Nu zal ik mijn vraag opnieuw stellen. Heb je wel een woord opgevangen van wat ik de laatste twee weken heb gezegd?'

'Dat heb ik, meneer,' zei Carla met een trillende lip. 'Maar het is moeilijk voor mij. Mijn Engels is niet zo goed.'

'Dat accepteer ik niet,' zei Waldern. 'Dit is een Amerikaanse bank. Als je hier je beroep wilt uitoefenen, moet je goed genoeg Engels spreken om de concepten te begrijpen. Dat is een eerste vereiste als je naar een opleiding komt. Wat is nu een repo?'

Carla snoof. Ze opende haar mond. Er biggelde een traan over haar wang.

'Een repo is een overeenkomst van verkoop en terugkoop,' zei een stem vanaf de andere kant van het lokaal. De klas draaide zich om en keek. Het was Lenka. 'Eén tegenpartij verkoopt een obligatie aan een andere partij en komt overeen die terug te kopen op een bepaalde datum en tegen een bepaalde prijs.'

Waldern keek Lenka woedend aan. 'Ik vroeg het Carla hier. Val me alsjeblieft niet in de rede.' Hij wendde zich weer tot Carla, wier wangen glommen van de tranen. 'Zo, Carla, waarom zou iemand een repo aan willen gaan?'

Voordat Carla iets kon zeggen, had Lenka alweer geantwoord. 'Het is een goedkope manier om geld te lenen om obligatiebezit te financieren. De repokoers is meestal lager dan de koers van de geldmarkt.'

Waldern draaide zich snel om. 'Ik heb je gevraagd om me niet te onderbreken. Ik wil dat Carla hier mijn vragen beantwoordt.'

'U kunt zien dat ze niet in staat is uw vragen te beantwoorden. Dus doe ik het voor haar,' zei Lenka. 'Wat zou u nog meer willen weten?'

'Ik probeer iets duidelijk te maken,' mompelde Waldern met opeengeklemde kaken. 'Het gaat erom, ik verwacht dat mijn studenten luisteren naar wat ik in de les zeg.'

'U probeert duidelijk te maken dat u de absolute macht heeft in dit leslokaal en dat Carla die niet heeft.' Die opmerking kwam van achterin het lokaal. Het was Alex. Het werd doodstil in de klas.

Waldern liep rood aan en hij opende zijn mond om iets te roepen, maar hij bedacht zich en sloot hem weer. 'Ik beslis wat hier in de klas gebeurt. En ik zal geen enkele twijfel aan mijn gezag tolereren.'

'Dat is duidelijk,' zei Alex, 'maar als u uw macht gebruikt om te intimideren, in plaats van te doceren, dan is uw autoriteit niet echt meer.'

De juistheid van die opmerking drong tot allen in het lokaal door.

Waldern haalde diep adem. 'Lenka. Alex. Kom met me mee.'

Het was even stil terwijl Lenka en Alex elkaar aankeken. Daarna stonden ze beiden op en liepen achter Waldern aan het vertrek uit. Toen de deur achter hen dichtviel, explodeerde de klas.

Lenka en Alex mochten terugkomen in de klas voor de middagzitting, een voordracht door de groep Edele Metalen. Maar ze moesten om kwart over vijf op het kantoor van George Calhoun komen.

De anderen wachtten hen op bij Jerry's.

'Er was lef nodig voor wat ze daar deden,' zei Duncan.

'Het was stom,' zei Ian.

'Nee, dat was het niet,' zei Chris. 'Iemand moest Waldern trotseren. Wat hij met Carla deed, was onvergeeflijk. Ze behandelen ons als kinderen, maar dat zijn we niet. We zijn beroepsmensen, in hemelsnaam. Het was juist dat Alex daarop wees.'

'Voor Bloomfield Weiss was zoiets normaal,' zei Ian. 'Carla zal er een keer aan moeten wennen. Dat kan ze net zo goed nu doen. Als ze het niet kan bolwerken, is ze beter af als ze hier weggaat. Liever nu dan later.'

'Nee.' Chris schudde zijn hoofd. Hij voelde zijn wangen warm worden. 'Waldern wordt verondersteld ons iets te leren, niet ons te beledigen. Alex had gelijk: als hij zo met mensen omgaat, verliest hij alle respect. Hij heeft in elk geval het mijne verloren.'

'Waarom zei je dan niets?' vroeg Ian.

Chris zweeg. Hij had iets moeten zeggen. Hij had Lenka en Alex moeten steunen. Maar dat had hij niet gedaan. Hij overwoog Ian te zeggen dat hij te verbijsterd was om iets te zeggen, maar hij deed het niet. Hij wist dat het niet helemaal waar was.

'Je hebt niets gezegd omdat je je baan niet wilde riskeren,' zei Ian met een kwaadaardige grijns.

'Dat is gelul!' snauwde Chris. Maar hij wist dat Ian gelijk had. Ians grijns werd breder. 'Je bent een cynische rotzak.'

Ian schudde zijn hoofd. 'Ik wil alleen mijn baan niet verliezen, hetzelfde als jij.'

De waarheid van die opmerking deed Chris pijn. Hij draaide zich naar Eric. 'Wat vind jij ervan, Eric? Hadden we iets moeten zeggen?'

Eric zweeg even. 'Waldern had ongelijk toen hij deed wat hij deed, maar hem zo rechtstreeks uitdagen in de klas zal nooit de manier waarop hij zich gedraagt veranderen. Calhoun zal Waldern altijd steunen. Dat moet hij wel.'

'Alex had dus zijn mond moeten houden?' vroeg Chris.

Eric haalde zijn schouders op. 'De rest van ons heeft dat gedaan.'

'Nou, ik wou nu dat ik iets had gezegd,' zei Chris.

Duncan stak een arm omhoog en zwaaide. 'Daar zijn ze.'

Lenka en Alex zagen Duncans arm en zochten zich een weg door de mensen naar de tafel waaraan de anderen zaten. Beiden keken gespannen.

'Hoe ging het?' vroeg Duncan.

'We hebben er behoorlijk van langs gekregen,' zei Alex. 'Vooral ik. Maar we houden onze baan.'

'Hoe heb je dat voor mekaar gekregen?' vroeg Chris.

'Tom Risman kwam uit Calhouns kantoor toen wij naar binnen gingen.'

'De directeur van Hypotheekhandel?' vroeg Chris.

'Klopt,' zei Alex. 'Calhoun zei dat Risman wilde dat ik bleef. Maar ik heb een ernstige waarschuwing gekregen. "Nog eens zoiets en je vliegt eruit".' Hij imiteerde vrij nauwkeurig Calhouns stem.

'En jij?' vroeg Chris aan Lenka.

'Ik zei hem dat wij gelijk hadden en Waldern ongelijk,' zei ze. 'Ik zei dat ze hem moesten ontslaan, en niet ons. Hij zei me mijn mond te houden en weg te gaan.'

'Volgens mij zat Calhoun achter mij aan,' zei Alex. 'Waldern hamerde maar op de manier waarop ik zijn gezag in twijfel had getrokken.'

'Nou ja, ik ben blij dat jullie beiden er nog zijn,' zei Duncan en hij stak zijn bierflesje op. 'Ik zal eens wat voor jullie halen.' Hij draaide zich om en zocht naar een kelner.

'Ik had het geluk dat Tom Risman ontdekte wat er gebeurd was, anders had ik pech gehad,' zei Alex. 'Hoe kwam dat, tussen haakjes?' Hij keek de tafel rond. Eric zat stil te glimlachen. 'Was jij dat?'

Eric knikte. 'Risman zei dat hij altijd de pest had gehad aan Waldern. Hij was blij te kunnen helpen.'

'Bedankt, makker,' zei Alex. 'Waar blijft dat bier nou?'

Het was druk op Newark Airport. Het was vrijdagavond en iedereen wilde voor het weekend ergens anders zijn. Chris was direct na de les ontsnapt en hij had zich met de ondergrondse en de bus hierheen geworsteld. Hij had zich niet hoeven haasten. Hij had drie kwartier staan wachten en ze was nog niet langs de douane. Haar vlucht was een half uur te laat en ze wachtte waarschijnlijk nog steeds op haar bagage.

'Chris!'

Op de een of andere manier had hij haar gemist. Ze liet haar tas vallen en omhelsde hem vurig.

'Tamara! Wat geweldig jou weer te zien.'

Ze kuste hem snel op de lippen en nestelde haar hoofd tegen zijn borst. Hij haalde zijn handen door haar blonde haren. Het was fantastisch haar weer bij zich te hebben.

Ze lieten elkaar los en liepen naar de uitgang.

'Hé, waar ga je heen?' zei ze.

'De bussen zijn deze kant uit.'

'En de taxi's zijn die kant uit.'

'De bus is heel gemakkelijk.'

'O, Chris, jij bent zo zuinig. Ik betaal wel,' en ze beende naar de rij taxi's.

Chris volgde haar en spoedig kropen ze richting de Holland Tunnel en Manhattan.

'Zo, wat gaan we vanavond doen?' vroeg Tamara.

'Ik dacht dat we uit eten konden gaan. En dan zouden we naar een feestje kunnen gaan.'

'Een feestje! Dat klinkt leuk. Dan kan ik al jouw aardige nieuwe vrienden ontmoeten. O, maar zal die afschuwelijke Duncan erbij zijn?'

'Hij is niet afschuwelijk. En ja, hij zal er ook zijn. Je weet dat we samen een appartement hebben, dus je zult het met hem moeten doen. Maar Ian Darwent zal er ook zijn. Je mag hem wel, is 't niet?'

'O ja. Hij is gaaf. Ik neem aan dat er veel Amerikanen zullen zijn?'

'New York ligt in Amerika, Tamara,' zei Chris glimlachend. 'Ik verwacht dat er een paar zullen zijn.'

Tamara zuchtte. 'Ik neem aan dat ze niet allemaal slecht zijn. Ik zal geduldig met hen moeten zijn.'

'Eric en Alex zullen je wel bevallen, de kerels die het feest geven.'

'Goed. Kom nu eens hier.' Ze knuffelde hem en streek met haar hand in zijn overhemd over zijn borst. 'Dit gaat een heel fijn weekend worden.'

De taxi vocht zich een weg door Manhattan en bereikte ten slotte het appartement van Chris. De rekening was enorm en op de een of andere manier betaalde Chris die toch.

Ze praatten druk onder het eten, Chris over de opleidingscursus en Tamara over hun brede kring van kennissen in Londen. Ze hadden elkaar al gekend in Oxford maar hadden pas na de examens in het laatste jaar iets met elkaar gekregen. Tamara was slank, blond en mondain. Chris had altijd naar haar verlangd, maar hij had nooit gedacht dat hij een kans had. Hij was verbaasd toen ze de laatste week van het semester na een feestje in bed waren geëindigd, en nog verbaasder dat ze nog steeds met hem wilde omgaan nadat ze beiden naar Londen waren verhuisd: hij naar Bloomfield Weiss en zij naar Gurney Kroheim, een zeer Engelse handelsbank. In het halve jaar dat volgde, had de relatie zich verdiept, maar nog niet zo ver dat ze samen waren gaan wonen. Maar ze was enthousiast over haar bezoek aan hem in New York en daar was hij dankbaar voor.

Om ongeveer elf uur kwamen ze weer in het appartement. Uit Ians kamer klonk luide muziek. Hij was weg geweest toen Tamara en Chris zich eerder die avond hadden omgekleed, daarom had Tamara hem nog niet gezien. Ze rende recht zijn slaapkamer in, zonder te kloppen. Chris kwam achter haar aan. Hij maakte zich geen zorgen dat ze Ian zou storen bij het omkleden. Ian zou er niets om geven en Tamara zou het spannend vinden.

Ian was volledig gekleed, maar hij was verrast. Hij boog zich net over een kleine spiegel op het bureau, waarop een dun streepje wit poeder lag. Hij draaide zich om naar de indringers en zijn gezicht werd meteen rood.

'Oh Ian, jij bereidt je zeker voor op het feestje?'

Ian keek van Chris naar Tamara. 'Uh...,' was alles wat hij kon uitbrengen.

'Dag schat,' zei Tamara, die duidelijk schik had in zijn verlegenheid. Ze presenteerde haar wang voor een kus, likte aan het topje van haar vinger, doopte het in het poeder en wreef het op haar tandvlees. 'Lekker. Kan ik wat mee krijgen?'

'Eh... hallo, Tamara. Ja, ja, natuurlijk,' zei Ian en hij keek Chris wat onzeker aan.

Tamara lachte. 'Kom op, Chris. Ik weet zeker dat Ian voor jou ook nog wel wat heeft.'

Chris staarde, niet zeker hoe hij moest reageren. Na een paar tellen draaide hij zich om en verliet de kamer. Hij deed de deur van zijn eigen slaapkamer achter zich dicht en keek uit zijn raam naar de drukke straat, twaalf verdiepingen lager.

Hij was kwaad. Hij gebruikte geen drugs en hij nam aan dat zijn vrienden dat ook niet deden, zeker niet zijn vriendin. Wat dacht Tamara wel? Drugs gebruiken, dat deden domme mensen. Ian was een verrassing, maar begrijpelijk toen Chris erover nadacht. Maar hoe kon Tamara zo dom zijn?

Het probleem was dat hij degene was die zich dom voelde en dat maakte hem nog kwader. Natuurlijk wist hij dat mensen drugs gebruikten. Op de universiteit had hij nu en dan mensen voor dat doel zien wegglippen. En als je de pers moest geloven, was de financiële wereld er vol mee. Maar hij had drugs altijd gemeden, of om juister te zijn, drugs hadden hem altijd gemeden. En dat maakte dat hij zich stom voelde. Hij was een naïeve Poolse boerenpummel. Wat kon hij anders verwachten voor een feestje, en nog wel in New York City?

Beheers je, zei hij tegen zichzelf. Blijf kalm. Hij haalde een paar keer diep adem en verliet de slaapkamer. Tamara kwam giechelend uit Ians slaapkamer. Ze bleef staan toen ze Chris zag.

'O, Chris, wat zie je er geschrokken uit.'

'Ik wist niet dat jij drugs gebruikte, Tamara.'

'Dat doe ik ook niet. Niet echt. Alleen nu en dan. Je kunt me nauwelijks een junkie noemen, Chris.'

Hij haalde zijn schouders op. Hij kon er niets aan doen, maar hij lette op tekenen van het effect van de drug. Tamara's ogen zagen er normaal uit; ze zagen er zelfs precies hetzelfde uit als een tijdje geleden. Natuurlijk was dat zo; hij was weer stom.

'Je bent zo gespannen,' zei ze. 'Je zou het eens moeten proberen.'

Chris schudde zijn hoofd.

Ze trok hem naar zich toe en kuste hem lang en diep. 'Beter?' zei ze, toen ze weer uit elkaar gingen. 'Luister, ik zou het niet gedaan hebben als ik had geweten dat het je zou storen. Zullen we gaan? Ian, ben je klaar?'

Ze namen een taxi naar de Upper West Side. Chris zat er zwijgend bij terwijl Tamara geanimeerd met Ian praatte, die haar met zijn charme bewerkte. Toen ze aankwamen, was het feest al in volle gang. Eric begroette hen aan de deur. Hij had een meisje bij zich. Hij stelde haar voor als Megan. Chris was nieuwsgierig. Dit was dus de mysterieuze vriendin die in Washington ofzo woonde, die hij nog niet had ontmoet. Het verbaasde hem niet dat ze knap was, maar niet op de opvallende manier die hij van Erics vriendin had verwacht. Ze had lang zwart kroeshaar, een bleek intelligent gezicht, een mopneusje en helderblauwe ogen. Ze leek erg jong, nauwelijks achttien, maar ze had iets waardoor ze wijs voor haar leeftijd leek. Chris mocht haar direct.

Hij stelde Tamara voor en na wat gepraat te hebben, stuurde Eric hen de menigte in en zei dat het bier in het bad stond.

'Hij is erg aardig,' zei Tamara terwijl ze door het gedrang naar de badkamer liepen.

'Hij is bezet,' zei Chris. 'Dat meisje is zijn vriendin, geloof ik.'

'Echt waar? Ik nam aan dat ze een jonger zusje was.'

'Ik vrees van niet.'

'Je hoeft niet jaloers te zijn, Chris,' zei Tamara en ze kneep in zijn hand. 'Ik ben heel gelukkig met wat ik heb.'

Chris glimlachte. Ze probeerde het duidelijk weer goed te maken en hij wilde het weekend niet bederven door knorrig te blijven zijn.

'Bovendien bevalt me zijn smaak in kunst niet,' zei Tamara en ze keek fronsend naar het schilderij van Alex van de petrochemische fabriek in de woestijn.

'Ik wel,' zei Chris.

'O Chris, wat ben je toch technisch.'

Ze vonden het bier. Inderdaad in het bad, dat vol ijs lag.

'Wat apart,' zei Tamara. 'Dit moet een oude Amerikaanse gewoonte zijn.'

'En een hele praktische,' zei Alex die uit het gedrang was opgedoken. 'Maar ik weet dat jullie Engelsen je bier graag lauw hebben. Ik kan dat van jullie wel in de oven zetten, als je dat liever hebt?'

Tamara glimlachte vaag. 'Ik geloof dat ik graag een glas witte wijn heb,' zei ze op bijtende toon. Chris kromp ineen.

'Natuurlijk, er is wat in de keuken. Ik ben Alex Lubron, tussen haakjes.'

'Hoe gaat het met je,' zei Tamara en keek over zijn hoofd heen.

'Dit is Tamara,' zei Chris.

'Ik heb veel over je gehoord, zei Alex glimlachend.

'Mm,' zei Tamara.

Alex zweeg en kneep zijn ogen halfdicht. 'Oké. Geniet er maar van.' Hij draaide zich van Chris en Tamara naar Tetsundo Suzuki, die net was binnengekomen. 'Hé, Tex, hoe is 't met jou?' riep hij en gaf de Japanse stagiair een *high five*.

'Wie was dat mannetje?' vroeg Tamara huiverend.

'Alex is een vriend van mij,' zei Chris. 'Dat schilderij dat jou niet beviel, is van zijn hand.'

Tamara hoorde het toontje in zijn stem. 'Luister, het spijt me, maar dat gedoe dat Engelse mensen van lauw bier houden is zo'n cliché. Kun je nu een glas wijn voor me pakken?'

Chris had geen plezier in het feest. Hij had met zijn nieuwe vrienden willen pronken tegenover Tamara, maar nu voelde hij zich verlegen bij elke introductie. Na een half uur werd ze wat toeschietelijker door de alcohol en de drug die ze had genomen, en genoot zij waarschijnlijk meer dan hij. Hij probeerde de cocaïne te vergeten, maar dat lukte hem niet.

'Hé, Chris dáár zit je!' Lenka's schorre stem klonk boven het lawaai uit. Zij en Duncan baanden zich een weg naar Chris en Tamara. Lenka legde haar arm om Chris heen en kuste hem. Ze was nogal dronken. 'Dit is dus Tamara? Hallo, Tamara. Welkom in New York.'

Ze keek glimlachend neer op Tamara, die zeker twee decimeter kleiner was.

'Hallo,' zei Tamara kil.

'Je bent hier om Chris wat te ontspannen. Je bent wel aan wat ontspanning toe, nietwaar, Chris?' zei Lenka en pakte hem steviger vast. 'Hij werkt te hard, weet je.'

'Dat geloof ik best,' zei Tamara. 'Jullie Amerikaanse bankmensen nemen je werk zo serieus. Ik geef de voorkeur aan de Engelse benadering. Wij houden ons niet bezig met dat gedoe van financiële analyses. Maar we redden het best.'

'Het heeft zin,' zei Duncan, en hij meende het. 'Volgens mij zouden alle handelsbanken hun eigen opleiding moeten hebben. Ik zie niet in hoe ze zich anders in de moderne wereld staande kunnen houden. Op een bepaald moment komt het neer op zowel wat je weet, als wie je kent.'

Tamara's wangen kregen een lichte blos. Chris herkende de symptomen en kromde zijn tenen.

'Dat is niet helemaal eerlijk, Duncan,' zei ze. 'Er zitten bij Gurney Kroheim een paar hele goede mensen.'

'O, daar ben ik zeker van,' zei Duncan. 'Ik denk alleen dat die mensen profijt zouden hebben van een goede opleiding.'

'Net zoals jij nu krijgt,' zei Tamara met een lichtje in haar ogen.

'Ja,' zei Duncan, wat achterdochtig.

'Jij vindt de opleidingscursus van Bloomfield Weiss dus niet zo moeilijk?'

'Och, nee,' zei Duncan onzeker. 'Ik bedoel, hij is wel zwaar, maar ik kan het aan.'

'Ik heb wel anders gehoord.'

'Wat bedoel je?' Duncan keek van Tamara naar Chris, die weinig op zijn gemak van de ene voet op de andere stond te wippen.

'Och, een systeem dat sommigen van zijn stagiairs zo onder druk zet dat ze eronderdoor gaan, lijkt me nu niet precies ideaal. Maar ik weet zeker dat jij het zult halen.'

Duncan stond op het punt wat te zeggen, maar beet op zijn lip. Hij wist dat Tamara hem niet mocht, en hij was nog voldoende nuchter om geen ruzie te willen maken. Maar Lenka was dat niet.

'Hoe kun je zo grof zijn tegen mijn vriend?' zei ze.

'Ik ben niet grof,' zei Tamara. 'In elk geval niet opzettelijk. Duncan begon. Ik ging gewoon door met het gesprek.'

Lenka wankelde licht. 'Chris. Wat een vreselijke vrouw. Ik kan niet geloven dat jij zo'n afschuwelijke vriendin hebt.'

Chris had het gesprek wat angstig gevolgd en wist dat het tijd werd tussenbeide te komen.

'Lenka,' zei hij resoluut. 'Ik weet dat je veel heb gedronken. Maar zulke dingen hoor je niet te zeggen.'

'Dat hoor ik wel,' zei Lenka. 'Want het is waar. Jij bent een fijne kerel, Chris. Je verdient iemand die veel beter is.'

'Chris!' hijgde Tamara geshockeerd. 'Zeg dat ze haar excuus aanbiedt.'

De mensen die om Tamara en Lenka heen stonden, waren nu allemaal stil en keken naar Chris.

'Lenka, ik weet zeker dat je niet meende wat je zojuist zei. Wil je alsjeblieft je excuus aanbieden?'

'Vergeet 't maar,' zei Lenka en ze staarde Tamara aan.

'Hier,' zei Duncan en hij trok aan haar arm. 'Kom hier. We gaan wat frisse lucht happen.'

Lenka aarzelde en liet zich toen door Duncan achteruit trekken. Iedereen keek zwijgend toe toen ze de kamer verlieten en begonnen vervolgens luid te kwetteren.

'We gaan,' zei Tamara resoluut.

'Laten we Eric en Alex even goedendag zeggen,' zei Chris.

'Nee. We gaan nu.'

Dus vertrokken ze. Toen ze de stille straat opliepen zagen ze de gedaanten van Lenka en Duncan om de hoek verdwijnen. Chris hield een taxi aan en ze reden zwijgend terug naar het appartement.

'Tot ziens, Chris. Het was leuk. Ik zal je missen.'

Ze stonden voor de toegang van de vertrekhal op Newark Airport. Het was zondagavond; het weekend was voorbij.

'Bedankt dat je hierheen bent gekomen,' zei Chris.

'Het was de moeite waard.'

'Denk je dat je nog eens kunt komen?'

'Dat zou ik graag doen,' zei Tamara. 'Misschien met Bank Holiday, eind mei. Als ik een goedkoop ticket kan krijgen.'

'Dat weekend verhogen ze waarschijnlijk de prijzen.'

'Ik zal het in elk geval proberen,' zei Tamara. Chris trok haar stevig tegen zich aan, ze kusten elkaar en toen liet hij haar gaan. Hij keek naar haar terwijl ze in de rij voor de metaaldetector stond. Ze draaide zich om toen ze de lange gang naar haar gate in begon te lopen en zwaaide. Hij zwaaide terug en toen was ze verdwenen.

Chris nam de bus terug naar de Port Authority. Buiten was het donker en de oranje lichten van de olieraffinaderijen van New Jersey straalden door de raampjes van de bus. De dubbele torens van het World Trade Center staken uit boven de kronkelende stroken van een autowegknooppunt. Het deed Chris aan een van de schilderijen van Alex denken.

Ofschoon het weekend rampzalig was begonnen, was het verder niet slecht verlopen. Tamara had beseft dat ze Chris van zijn stuk had gebracht en had haar best gedaan het goed te maken. Zaterdag en zondag hadden ze buiten het appartement doorgebracht. Het was prachtig weer geweest. Ze hadden door Central Park gewandeld, de Frick en het museum voor moderne kunst bezocht en een uur of twee doorgebracht in Bloomingdale's en Lord and Taylor. De seks was ook fantastisch geweest. Maar Chris bleef in zijn mond de zure nasmaak van vrijdagavond proeven.

Tamara kon grof zijn, dat wist iedereen. Maar meestal had ze ook wel humor. Die humor kon soms scherp zijn, maar ze meende niet alles wat ze zei. Dat nam Chris in elk geval aan. Maar ze had hartelijker moeten zijn voor zijn vrienden, ze had meer haar best kunnen doen.

En het waren zijn vrienden. Hij mocht Duncan graag. En ofschoon hij Alex en Lenka pas een paar weken kende, mocht hij hen ook. Natuurlijk kende hij Tamara veel langer en hij wist dat hij haar terecht had verdedigd tegen Lenka. Maar het was hem niet bevallen te moeten kiezen tussen zijn nieuwe vrienden en zijn vriendin, en hij nam het Tamara kwalijk dat ze hem daartoe had gedwongen.

Hij dacht terug aan Lenka's woorden dat ze niet goed genoeg voor hem was, en glimlachte. Hij wist zeker dat Lenka het meende, maar hij wist dat ze ongelijk had. Hij bofte dat hij iemand als Tamara had. Ze was knap, je kon met haar lachen en ze had klasse. En ze was goed in bed. In dat opzicht was Chris niet zo ervaren als hij graag had gewild, maar hij wist dat seks met Tamara fantastisch was. Hij hoopte dat ze nog een keer naar New York zou komen.

Toen hij terugkwam in het appartement, zat Duncan op hem te wachten. Chris had hem sinds vrijdagavond niet meer gezien, en voor het eerst vroeg hij zich af hoe Duncan het had klaargespeeld hem met zoveel succes het hele weekend te ontwijken.

'Zin in een borreltje?' zei Duncan nerveus.

Chris glimlachte. 'Oké.'

Ze liepen naar de Ierse bar om de hoek. Ze spraken uitsluitend over koetjes en kalfjes, totdat de glazen Guinness voor hen op tafel stonden. Duncan zuchtte diep. 'Het spijt me,' zei hij.

'Nee, het spijt mij,' zei Chris.

'Ik had dat niet moeten zeggen over Engelse handelsbanken. Het was stom. Ik wist dat het Tamara op stang zou jagen.'

'Dat heeft het ook gedaan.'

Duncan kuchte. 'Ja, inderdaad.' Hij dronk nog wat van zijn bier. 'Luister, ik weet dat Tamara mij niet mag, en ik denk niet dat dat ooit zal veranderen, maar je bent voor mij een goede kameraad geweest en dat wil ik niet verpesten.'

Chris glimlachte. 'Maak je daarover geen zorgen, Duncan. Tamara kan soms vervelend doen. Het spijt me dat je die onzin van haar moest nemen. Ik had haar niet moeten vertellen over dat examen voor portefeuilleanalyse.'

'Het beroerde is dat het waar is wat ze zei,' zei Duncan. 'Ik kan die opleidingscursus niet aan.'

'Geen gejammer nu, Duncan. Waar heb je trouwens het hele weekend gezeten?'

Duncan nam een slok bier. Hij probeerde een grijns te onderdrukken, maar dat lukte niet. Uiteindelijk gaf hij het op.

'Is het waar?' vroeg Chris.

'Ja.'

'Wat, na het feestje?'

'Ja.'

'Geweldig.'

'Ja.'

'Kijk niet zo zelfvoldaan,' zei Chris. 'Ik wil bijzonderheden. Vertel me alle details.'

'Nou ja, toen we weggingen, was Lenka aardig van streek. Dat waren we beiden eigenlijk. Dus liepen we een tijdje zonder iets te zeggen. Toen begonnen we te praten over jou en over Tamara. En daarna praatten we over andere dingen.' Duncan zweeg even en glimlachte vaag. 'We kwamen bij Columbus Circle en begonnen naar een taxi uit te kijken en toen zei ik dat ik met haar mee zou lopen naar haar appartement.'

'In de Village?'

'Dat klopt.'

'Maar dat is kilometers!'

'Ja. Maar dat leek het niet. Ik bedoel, het leek eeuwig te duren, maar we werden niet moe of zo. Het was heel romantisch. Toen kwamen we in haar straat en ze vroeg me mee naar boven te gaan naar haar appartement. Ze zei dat ik niet gewoon om kon draaien en teruglopen.'

'En toen?'

'En toen...' Duncan glimlachte.

'Je moet het me vertellen.'

'Nee, dat moet ik niet.'

'Oké, dat hoef je ook eigenlijk niet,' gaf Chris toe. 'Maar ik neem aan dat je het hele weekend in haar appartement bent geweest?'

'Het leek veiliger dan in ons appartement.'

'Dat is waar.'

'Heb je niet gemerkt dat ik er niet was?'

'Nee, niet echt. Ik dacht gewoon dat je in je kamer zat te kniezen of zo.' Chris nam een slok bier. Duncan en Lenka. Dat beviel hem wel. 'Gefeliciteerd,' zei hij.

'Dank je. We kunnen het echter maar beter stilhouden voor de anderen in de cursus. Je weet nooit hoe Calhoun daarover denkt.'

'Hij kan barsten,' zei Chris. 'Maar goed dan, ik zal het voor me houden. Maar Ian zal er wel achterkomen. En Alex en Eric.'

'Als dat zo is, oké,' zei Duncan. 'O, tussen haakjes, Lenka zegt dat ze er spijt van heeft. Over wat ze tegen Tamara zei.'
'Oké.'
'Ze zegt dat ze nog steeds meent wat ze zei, maar dat ze het gewoon niet had moeten zeggen.'
Chris glimlachte. 'Zeg haar maar dat dat ook oké is.'

5

Het werd zomer. Het was warm in New York, die juni en juli, zo warm dat het onplezierig was om buiten te zijn. De Engelsen waren er niet op gekleed: hun wollen pakken van Marks and Spencer waren niet geschikt voor dit klimaat. De vochtigheid was zo erg, dat ze al doornat bezweet waren na meer dan een huizenblok te hebben gelopen. In het klaslokaal was het heerlijk koel, maar de ondergrondse was een blakerende hel. De airco op de Lexington-lijn kon niet op tegen een wagonvol zwetende forenzen. Soms stapten Chris, Duncan en Ian uit op Forty-Second Street, namen een koud biertje in een nabijgelegen bar en doken dan weer onder de grond voor de tweede etappe. Natuurlijk zag Lenka kans de hele tijd koel te blijven, in kleding die Abby Hollis wantrouwig bekeek, maar waar ze geen commentaar op durfde leveren.

Het werk hield niet op. Behalve Walderns kapitaalmarkten, die een gebed zonder einde leken te vormen, kregen ze vakken als bedrijfsfinanciering, boekhouden, internationale economie, kredietanalyse en ethiek. Ze werden toegesproken door mensen uit alle hoeken en gaten van Bloomfield Weiss, van Tokio tot Chicago, van Mondiaal Beheer tot Beleggingsderivaten. Het tempo wisselde bij vlagen, maar de druk werd nooit minder, daar zorgde George Calhoun wel voor.

Tot zijn grote verrassing merkte Chris dat de cursus hem echt begon te interesseren. Naarmate de begrippen duidelijker voor hem werden, en meer verband kregen met elkaar, nam zijn interesse toe. Hij hoorde bijzonder graag de handelaren praten. Dat waren populaire lessen bij de stagiairs: Bloomfield Weiss was tenslotte een handelshuis. Het inzetten van miljarden dollars, de bonken van kerels met hun grote mond, de machotaal van wilde seksuele avonturen en het fysieke aan stukken rijten, dat alles trok een bepaald type stagiair aan. Maar dat was niet wat Chris aansprak. Hij was gefascineerd door de wisselende relaties van markten, hoe vraag en aanbod uitliepen in koersbeweging, en hoe risicokapitaal zo werd beheerd dat verliezen werden afgesneden en winsten mochten doorlopen. Hij was minder geïnteresseerd in de indianenverhalen van Cash Callaghan, een van de beste verkopers van het kantoor in Londen, die opschepte over 'obligaties met de zweep voortjagen', en had meer belangstelling voor de rustige overwegingen van Seymour Tanner, een negenentwintig jaar oude ster van de afdeling Eigendomsrecht, van wie werd gezegd dat hij het vorige jaar tweehonderd miljoen dollar had verdiend voor de zaak. Chris begon zich voor het eerst thuis te voelen bij Bloomfield Weiss. Er was daar een baan die hij aankon, als ze hem toelieten.

George Calhoun was eropuit de concurrentie aan te wakkeren. Hij wilde zijn stagiairs stimuleren, ze hongerig maken, hun iets geven waarop ze konden mikken. Hij stelde een classificatielijst op van één tot zestig, of liever achtenvijftig, na het vertrek van Denny Engel en Roger Masden. De classificeringen waren gebaseerd op de geïntegreerde scores van de verschillende toetsen die tijdens de cursus werden afgenomen. Om de zaak een beetje te kruiden, had hij een dikke rode lijn getrokken tussen nummer vijfenveertig en nummer zesenveertig, het beruchte onderste kwartiel. En hij kondigde ook aan dat de bovenste drie stagiairs aan het eind van de cursus een bonus zouden krijgen.

Op nummer een stond Rudy Moss. Nummer twee was Eric Astle. En nummer drie was Lenka, tot grote woede van Calhoun. Aan het andere uiteinde zweefde Duncan rond de vijftig, met andere woorden in het onderste kwartiel, maar met een kans eraan te ontsnappen. Na zijn slechte prestaties in het examen voor portefeuilleanalyse, stond Ian op tweeënveertig, maar hij steeg snel. Alex stond twee plaatsen hoger en Chris stond tot zijn verrassing op de vijfentwintigste plaats. Ondanks de verschillen in bekwaamheden, of misschien juist daardoor, bleef de studiegroep samenwerken. Allen waren ze trots op het succes van Eric en Lenka, en allemaal wilden ze ervoor zorgen dat Duncan en Alex de cursus beëindigden boven de demarcatielijn.

Er was echter één vak dat Chris niet beviel. Ethiek. Ian noemde het bedrijfshuichelarij en die naam bleef het houden. Het was een cynische poging de terugslag te verwerken die Bloomfield Weiss had ondervonden, zowel van het schandaal rond Phoenix Prosperity, als van de vervolging van de in drugs handelende verkopers. Het contrast tussen Martin Krohl, die de ethiek behandelde, en de opeenvolging van directeuren die tot in de kleinste bijzonderheden beschreven hoe ze hun klanten bedonderden, zou grappig zijn geweest, als het niet zo serieus was. Ian werd eerste bij het examen, wat niemand verbaasde. Hij was intelligent, aan ethiek kwam geen cijfer te pas en zijn aangeboren cynisme was volmaakt geschikt voor het onderwerp zoals het bij Bloomfield Weiss werd gedoceerd. Lenka zakte. Ze legde uit dat ze een paar van haar antwoorden had moeten 'verhelderen' en ze vermoedde dat Krohl daar niet van gediend was. De ironie dat Ian als eerste eindigde en Lenka bijna als onderste bij een ethiekexamen van Bloomfield Weiss, ontging Chris en Duncan niet, die zich beiden een beetje schaamden dat ze het zo goed hadden gedaan.

De relatie van Lenka en Duncan bloeide. Ze waren er heel professioneel in. Er was niets van te merken in de klas of waar de andere stagiairs bij waren. Zelfs wanneer ze bij Eric, Alex, Chris en Ian waren, gedroegen ze zich meer als goede vrienden dan als een stel. Vaak zaten ze naast elkaar in een bar of restaurant, en werd er veel geplaagd, maar er was niets te merken van die allesomvattende, naar binnen gerichte intimiteit waarmee een stel soms een groep vrienden uiteen kan rukken.

Wel brachten ze veel tijd met elkaar door. Duncan bleef meestal bij Lenka in de Village, kwam dan vaak na middernacht terug, of in de weekends helemaal niet. Ze gingen samen naar Cape Cod in het weekend van Memorial Day. Duncan kreeg niet veel slaap, maar hij gedijde eronder. Hij was gelukkig, en het zelfmedelijden over zijn werk, dat Chris en Ian was gaan irriteren, verdween. Ook Lenka scheen tevreden over haar leven, al leek dat voor haar veel meer een normale gang van zaken. Ian vroeg zich nu en dan af wat ze in hemelsnaam in Duncan zag, maar zelfs hij kon niet klagen over Duncans goede humeur.

Bovendien had Ian het naar zijn zin. Vaak ging hij 's avonds tussen negen en tien op avontuur. Nu en dan werd Chris verrast door een onbekende vrouw, als hij 's morgens naar de badkamer liep. In de loop van de zomer zag hij er zo vier of vijf. De meesten waren Amerikaansen, maar een van hen was een au pair uit Frankrijk. Ze was de enige die Chris meer dan één keer zag. Allemaal waren ze knap.

Het verbaasde Chris niets dat Ian succes had bij de vrouwen; dat was op Oxford al groot geweest, maar in New York kwam het nog meer tot uiting. Hij maakte volledig gebruik van zijn accent en om de een of andere reden, die Chris niet kon begrijpen, schenen vrouwen zijn arrogantie aantrekkelijk te vinden in plaats van ontmoedigend. Geen van hen die midden in de nacht met hem naar het appartement kwam, dacht dat ze aan het begin stond van een mooie relatie. Maar, redeneerde Chris, misschien waren ze juist daarom daar. Ians succes was des te opmerkelijker omdat het aids-alarm in die tijd erg actueel was in New York. Ian vond het risico voor heteroseksuelen overdreven en zijn nieuwe vriendinnen waren het waarschijnlijk met hem eens. Duncan werd extra voorzichtig bij het afwassen.

Alex had het moeilijk. Zijn moeder was ziek. Heel ziek. Ze had leukemie en het werd erger. Hij had het voor iedereen verborgen gehouden, behalve voor Eric, maar toen haar toestand veranderde van stabiel naar verslechterend, meende Alex dat hij zoveel mogelijk tijd met haar moest doorbrengen. Ze lag in een ziekenhuis in New Brunswick, in de buurt van haar huis. Hij ging er ieder weekend heen en vaak 's avonds na de les. Hij nam zoveel mogelijk tijd vrij, maar het was niet verwonderlijk dat Calhoun daar niets voor voelde. Alex ging tot het uiterste, maar ten slotte maakte Calhoun hem duidelijk dat hij eruit zou vliegen als hij nog één dag vrij nam.

De vader van Alex was drie jaar geleden gestorven en spoedig daarna was zijn broer aan een wereldreis begonnen. Hij werkte nu als bemanningslid op een zeilboot in Australië. Tot afschuw van Alex zei zijn broer dat hij niet terug kon komen naar Amerika om zijn moeder te bezoeken. Daarom lag alle verantwoordelijkheid bij Alex, die dat zwaar opnam. Ze had pijn wanneer ze niet onder de medicijnen werd gehouden en Alex voelde haar pijn ook. Het was moeilijk zo vaak daarheen te gaan om iemand op te zoeken die nauwelijks kon praten en duidelijk zoveel pijn leed. Hij had er een hekel aan bij haar te zijn, en er een hekel aan niet bij haar te zijn. Lenka vergezelde hem een paar keer en dat leek hem op te vrolijken. Maar zijn werk leed eronder, hij gleed af en nam Duncans plaats over in het vierde kwartiel.

Tamara kwam nog een keer naar Amerika. Ze kwam in het weekend van de Fourth of July. Dit keer vloog ze naar Washington en Chris nam de trein om haar daar af te halen. Ze hadden een geweldig weekend. Ze zagen het vuurwerk op Capitol Hill, luisterden naar de 'Ouverture 1812' en verkenden de broeierig hete stad en zijn restaurants. Chris voelde zich veel meer ontspannen: Tamara kon onvriendelijke opmerkingen maken over Amerikanen zonder dat iemand die hij kende haar hoorde, en hij hoefde zich geen zorgen te maken dat ze zijn vrienden beledigde.

Duncans geluk haalde het einde van de zomer niet. Het viel in duigen op een hete, vochtige zaterdagavond, twee weken voor het einde van de cursus. Chris sliep rusteloos, verward in een laken op zijn bed, toen hij wakker schrok van de klap van een dichtslaande deur in het appartement. Hij keek op zijn wekker. Kwart over een. Hij hoorde grommen. Duncan. Hij liet zich omrollen. Meestal deed Duncan zachtjes als hij terugkwam van Lenka. Terwijl hij langzaam wakker werd, besefte Chris dat er nog iets vreemds was: meestal bleef Duncan 's zaterdags bij Lenka. Hij hoefde helemaal niet midden in de nacht terug te komen naar het appartement.

Een harde dreun. Duncan die vloekte. Weer een gegrom. Het lawaai van een omvallende stoel. Dat klonk niet goed. Chris kroop uit bed en trok zijn kamerjas aan. Duncan stond zwaaiend op de gang. Zijn gezicht zag bleek onder de heldere lamp.

'Alles oké met je, Duncan?'

Duncan blies zijn wangen op en keek Chris aan. 'Ik heb net een borreltje gepakt,' zei hij langzaam. 'Ga naar bed. Voel me niet lekker.'

Hij was zo zat als een aap. De manier waarop Duncans borst op en neer ging beviel Chris niet; het leek alsof hij iets probeerde tegen te houden. 'Kom, we gaan naar de badkamer, Duncan,' zei Chris en hij pakte hem vast.

'Nee. Bed,' zei Duncan, maar hij liet zich toch wegleiden door Chris. Zodra hij de wc-pot zag schoot hij eropaf. Chris hield hem vast terwijl hij zijn maag leegde.

Hij hoorde Ian achter zich. 'Verrek,' zei hij. 'Stomme hufter. Ik hoop dat hij dat wel opruimt.'

'Volgens mij kan hij dat niet.'

'Nou ja, ik doe het niet,' zei Ian, hij trok zich terug in zijn kamer en sloot de deur achter zich.

Chris maakte het toilet schoon en Duncan. Hij trok hem de meeste kleren uit en legde hem op bed. Duncan viel direct in slaap.

De volgende morgen keek Chris laat bij Duncans kamer binnen. Hij lag op zijn rug met zijn ogen wijd open. De kamer stonk naar verschaalde alcohol.

'Hoe voel je je?' vroeg Chris.

'Belazerd,' zei Duncan met schorre stem. 'Zou je wat water voor me willen pakken, Chris?'

Chris kwam terug met een vol glas dat Duncan opdronk. 'Mijn god, wat doet mijn kop zeer.'

'Ik heb je nog nooit eerder zo dronken gezien,' zei Chris.

Duncan schudde zijn hoofd. 'Ik herinner me niet eens dat ik hier terug ben gekomen. Heb jij me naar bed geholpen?'

Chris knikte.

'Bedankt.' Duncan tastte met zijn tong zijn mond af. 'Jesses. Ik heb vannacht overgegeven, nietwaar?'

'Inderdaad. Wat is er gebeurd?'

'We hadden ruzie.'

'Jij en Lenka?'

'Ja.'

Chris wachtte af. Hij wist dat Duncan het hem zou vertellen.

Die vertrok zuchtend zijn gezicht. 'Die koppijn is afschuwelijk. Het is voorbij, Chris.'

'Nee! Weet je het zeker?'

'Weet ik het zeker? Natuurlijk weet ik het zeker.'

'Waarom? Wat is er gebeurd?'

Duncan zweeg even. 'Het is mijn schuld. Ik heb te veel bij haar aangedrongen.'

'Waarover?'

Hij zuchtte. 'Ik stelde voor te gaan samenwonen. De cursus is over twee weken voorbij en ik kon de gedachte niet verdragen terug te gaan naar Londen en haar hier te laten. Ik besefte dat zij het belangrijkste in mijn leven is. Mijn loopbaan bij Bloomfield Weiss is naar de knoppen, zoveel is duidelijk. Daarom zei ik haar dat ik weg zou gaan en met haar hier in New York zou gaan wonen. Het zou niet zo moeilijk zijn aan Wall Street een baan te vinden. Of anders kon zij bij mij intrekken in Londen. Of we zouden beiden naar Tsjecho-Slowakije kunnen gaan. Het kon me niet schelen. Ik wilde haar gewoon niet verlaten.'

'En wat zei ze?'

'Eerst niets. Ze werd stil alsof ze nadacht. Maar ik wist meteen dat ik het had verpest.' Duncan zweeg en vertrok weer zijn gezicht, Chris kon niet zeggen of het door zijn hoofdpijn kwam of door de herinnering aan zijn gesprek van gisteravond. 'Toen zei ze dat zij ook over het eind van de cursus had nagedacht. Ze zei dat ze me graag mocht, maar dat ze niets voelde voor een verplichting om met iemand samen te wonen. Ze zei dat het voor ons beiden beter was als we er een eind aan maakten.'

'O jezus.'

'Moet je mij vertellen. Toen sloeg ik door. Ik zei dat ik van haar hield. Ik houd ook echt van haar, Chris. En ik dacht dat als ik haar dat zei, en het echt meende, dat zij dan moest zeggen dat ze van mij hield. Maar dat deed ze niet. Ze werd doodstil. Ze zei niet hoe ze over mij dacht. Ze zei alleen dat het het beste was als we niet meer met elkaar omgingen.' Duncan nam een slok water.

'Die gedachte kon ik niet verdragen. Ik heb nog maar twee weken in New York; ik wil al die tijd bij Lenka zijn. Dus zei ik haar dat we met elkaar moesten blijven omgaan, en voorlopig de toekomst moesten vergeten. Maar daar voelde ze niets voor. Ik bleef het haar zeggen, maar ze wilde niet luisteren. Ten slotte zette ze me min of meer buiten.'

'En toen ging jij drinken?'

'Ik kon niet geloven wat er gebeurd was. Dat kan ik nog niet. We hebben iets heel speciaals, zij en ik. Ze is de meest fantastische persoon die ik ooit heb ontmoet. Ik zal toch nooit meer iemand zoals zij ontmoeten?'

'Lenka is uniek,' zei Chris voorzichtig.

'Natuurlijk is ze dat,' zei Duncan. 'Het ene moment denk ik nog dat we samen door het leven zullen gaan, en het volgende...'

'Het moet hard zijn geweest.'

'Dat was het. Dat is het. O, god.' Chris werd verlegen toen de tranen over Duncans wangen begonnen te biggelen. Hij had geen idee wat hij moest zeggen. Lenka wist precies wat ze wilde en als zij het uit had gemaakt, dan was het uit. Duncan moest gewoon proberen eroverheen te komen. Maar dat zou niet gemakkelijk zijn.

'Als je ervoor voelt gaan we wat wandelen in het park. Kunnen we nog wat meer praten,' zei Chris.

'Dat is een goed idee,' zei Duncan. 'Ik sta zo op.'

Chris liep naar de woonkamer. Ian zat de zondageditie van de *New York Times* te lezen.

'Wat is er met hem aan de hand?' vroeg Ian, zijn ogen op de krant gericht.

'Lenka heeft hem laten vallen.'

'Ik wist wel dat ze niet bij hem paste.' Hij legde de krant neer en kreunde. 'Ik weet niet zeker of ik dat geweeklaag aankan. Het zal behoorlijk erg worden.'

Het was inderdaad vrij erg. Duncan was ontroostbaar. Hij sliep niet. Tot laat in de nacht dronk hij whisky bij Ian, en als die op was, ging hij voor zichzelf drank kopen. Hij belde Lenka op onregelmatige tijden, overdag en 's avonds, totdat ze niet langer opnam. Hij bracht de klas in verlegenheid door opvallend neerslachtig te doen waar zij bij was en te weigeren iemand te vertellen wat eraan schortte. Sommige andere stagiairs maakten zich zorgen en vroegen Chris en Ian wat hem mankeerde. Chris en Ian vonden dat ze net moesten doen of ze niets wisten over Duncans problemen, iets wat Ian gemakkelijker afging dan Chris.

Chris probeerde zoveel mogelijk sympathie te tonen maar zelfs hij raakte geïrriteerd door Duncan. De cursus begon in een kritiek stadium te komen. Het eindexamen zou een toets van vier uur over kapitaalmarkten zijn, en iedereen wist dat Waldern het hen niet gemakkelijk zou maken. De hele klas studeerde er hard op, met uitzondering van Duncan. Chris maakte zich daar zorgen over. Duncan stond op de eenenveertigste plaats, slechts vijf plaatsen boven het gevreesde kwartiel en het examen over kapitaalmarkten telde zwaar mee. Als Chris en Ian 's avonds zaten te blokken, zat Duncan ergens in een kroeg, of nog erger, op zijn kamer met een fles whisky.

De studiegroep kwam nog regelmatig bijeen in het appartement van Eric en Alex, maar Duncan liet zich er nooit zien. Ofschoon de anderen zich ongerust maakten over hem, waren ze blij zijn slechte humeur uit de weg te kunnen gaan. Lenka kwam nog wel. Ze leek wat ingetogener dan normaal, maar voor de rest scheen ze veel beter in vorm te zijn dan Duncan.

Chris ging op een avond vroeger weg, de donderdagavond nadat het was uitgeraakt. Lenka kwam hem haastig achterna gelopen. Samen liepen ze Columbus Avenue af.

'Hoe is het met Duncan?' vroeg ze.

'Niet best.'

'O.' Zwijgend liepen ze verder. Toen zei Lenka: 'Ik mag hem graag, weet je. En ik maak me ongerust over hem. Jij zorgt toch wel voor hem, hé?'

'Ik probeer het,' zei Chris. 'Maar het is lastig.'

'De moeilijkheid is, als ik zelf aardig tegen hem probeer te zijn, dan moedigt hem dat aan. Hij moet weten dat het afgelopen is. We moeten radicaal breken. Anders doet het later nog veel meer pijn. Begrijp je dat?'

'Ik geloof van wel.' Chris wilde geen partij kiezen, daarom probeerde hij zich zo neutraal mogelijk op te stellen. Maar hij dacht dat Lenka waarschijnlijk gelijk had; bij Duncan zou een 'misschien' fataal zijn.

'Ik heb hem niet misleid, moet je weten,' zei Lenka. 'We hadden het gewoon lekker met elkaar. Ik dacht niet dat het bijzonder serieus was; ik dacht dat we dat beiden begrepen. Maar toen hij zei dat hij zijn baan eraan wilde geven om met mij te gaan samenwonen, besefte ik dat hij onze relatie heel anders zag dan ik. Daarom maakte ik er een eind aan. Het zou verkeerd zijn geweest het te laten voortduren.'

'Zag je niet dat Duncan straalverliefd op je was?'

Lenka zuchtte. 'Nee. Dat probleem heb ik altijd met mannen. Ik begin een relatie met een aardige man, we beleven er plezier aan en dan op een dag worden ze serieus. Ik dacht dat Duncan anders zou zijn, aan de opleidingscursus komt tenslotte een eind. Het had een ingebouwde scheidingsdatum. Maar dat wil Duncan niet accepteren.'

'Wat is er dan fout aan een serieuze relatie?'

'Die heb ik één keer gehad. In Praag. We waren verloofd en zouden gaan trouwen. Hij was student Medicijnen en ik hield echt van hem. Maar na de Fluwelen Revolutie, toen ik de kans kreeg dat saaie land van ons te verlaten en iets van de wereld te zien, wilde hij me niet laten gaan.'

'Wilde je niet laten gaan? Hoe kon hij je dan tegenhouden?'

'Hij had een vastgeroest idee over onze relatie. Tsjechische vrouwen trouwen veel jonger dan West-Europese of Amerikaanse. Zijn idee was dat we zouden trouwen, hij zou zijn artsexamen doen en ik zou hem volgen waar hij ook een baan zou krijgen. Net zoals mijn moeder met mijn vader had gedaan. Wist je trouwens dat hij dokter is?'

'Nee, dat wist ik niet.'

'Nou ja, ik dacht dat ik twee dingen kon doen. Ik kon het nieuwe leven in het Westen ervaren, of ik kon op mijn vijfentwintigste een saaie Tsjechische moeder zijn. Het was een moeilijke beslissing. Ik hield echt van Karel, maar uiteindelijk was slechts één keuze de juiste voor mij. Naar Amerika gaan.'

'En sindsdien?'

'Het laatste waaraan ik nu behoefte heb, is een serieuze relatie.'

'Waarom niet?' vroeg Chris. 'Dat is het enige waar een boel mensen naar uitkijken.'

Lenka dacht zorgvuldig na voordat ze antwoord gaf. 'Ik geloof dat ik niet weet wie ik in werkelijkheid ben, of wie ik wil worden. Voor jou is het moeilijk je voor te stellen hoe het onder de communisten in Tsjecho-Slowakije was. Amerika is zo anders en de meeste verschillen bevallen me. Ik weet dat ik aan het veranderen ben, maar hoe weet ik niet precies. Ik wil geen Amerikaanse worden, ook al woon ik hier een tijdlang. Ik zal altijd Tsjechische blijven en op een dag zal ik terugkeren naar mijn land en er iets voor doen, misschien door de vaardigheden toe te passen die ik hier leer.'

'Ik snap het.'

'Ik ben dus totaal ongeschikt voor een langdurige verbintenis met Duncan. Om te beginnen zou Duncan niet weten met wie hij zich had verbonden.' Lenka beet op haar lip. 'Ik weet dat ik Duncan heb gekwetst en dat wilde ik niet doen. Maar Karel en mezelf heb ik nog veel meer pijn gedaan. Dat wil ik niet nog een keer doen.'

'Ik begrijp het,' zei Chris.

'Echt waar?' vroeg Lenka en ze keek hem doordringend aan. 'Begrijp je dat echt?'

'Ik geloof van wel.'

'Kun je dat Duncan aan zijn verstand brengen?'

Chris zweeg even. 'Ik weet het niet. Waarschijnlijk niet. Duncan denkt op het moment niet erg rationeel.'

'Dat kun je wel zeggen. Een paar avonden geleden probeerde ik met hem te praten en ik schoot er niets mee op. Maar dit kan zo niet doorgaan. Hij gedraagt zich alsof we getrouwd zijn en ik er met een andere man vandoor ben gegaan. Hij belt me op onmogelijke tijden op, overdag en 's avonds, hij zet zichzelf voor gek waar de hele klas bij is. Hij volgt me. Hij stuurt me brieven die ik nooit lees. Hij fluistert me toe dat het leven voor hem niet meer de moeite waard is. Ik moet hem doen beseffen dat het voorbij is.'

'Ik zal doen wat ik kan,' zei Chris.

'Dank je,' zei Lenka. 'Want ik ben het zat. Iemand moet het hem aan zijn verstand peuteren.'

Chris besloot de volgende dag met Duncan over Lenka te praten. Ze lunchten samen in de kantine op de twaalfde verdieping en Chris stelde voor even door Battery Park te wandelen. Ze lieten hun jasjes achter en liepen de paar straten naar het park. Het was weer een warme, vochtige dag. Toeristen slenterden lui langs de souvenirverkopers en het kantoorpersoneel dat hun sandwiches zat te eten. Alleen de zeemeeuwen waren actief en onderzochten elk voedselrestje dat op de grond viel. De lucht was heet en zwaar, vergeven van stadsstof. In de haven wees het Vrijheidsbeeld omhoog in een trillend waas.

'Ik heb gisteren met Lenka gepraat,' begon Chris.

'O ja?' Duncan spitste meteen de oren.

'Ze zegt dat er geen enkele kans is dat jullie tweeën weer bij elkaar komen. Ze zegt dat ze geen vaste relatie wil met wie dan ook.'

Het sprankje hoop in Duncans ogen verdween onmiddellijk en iets bitters kwam ervoor in de plaats. 'Wat dan nog?'

Zijn reactie bracht Chris in verwarring. 'Het heeft dus niet veel zin haar achterna te blijven zitten.'

'Ik weet wat ze zegt,' zei Duncan en hij klonk geïrriteerd. 'Daar gaat het juist om. Maar ze heeft ongelijk en dat moet ik haar duidelijk maken. Als ik ophoud met haar achterna te zitten, zal me dat nauwelijks lukken, nietwaar? Ik moet haar laten zien hoeveel ik van haar houd en haar doen toegeven dat zij ook van mij houdt. Ik weet dat dat zo is, wat ze ook zegt. Ik weet het gewoon.' Hij keek Chris kwaad aan en daagde hem uit hem tegen te spreken.

'Heeft ze je verteld over die man met wie ze verloofd was in Tsjecho-Slowakije? Hoe ze met hem heeft gebroken? Ze wilde zich niet vastleggen en dat wil ze nu ook niet doen.'

'Dat was anders,' zei Duncan. 'Hij wilde dat ze alles voor hem opgaf. Ik wil alles opgeven voor háár.'

Chris hield zich in. Hij had geweten dat het geen zin had te proberen Duncan te overtuigen. Hij had het niet eens moeten proberen. Toen zag hij vanuit zijn ooghoek twee mensen die hij herkende. Ze kwamen vanaf het Oorlogsmonument, diep in gesprek, op Chris en Duncan aflopen. Lenka en Alex.

'Oké, jij doet maar wat je wilt,' zei Chris en hij greep Duncan bij de arm. 'Laten we teruggaan naar kantoor.'

Maar Duncan had hen al gezien.

'Verrek. Moet je daar zien.'

'Duncan,' zei Chris en hij trok hem aan zijn mouw.

Duncan schudde zich los. 'Ik kan het niet geloven. Moet je zien wat ze doen.'

'Ze praten, meer niet. Het zijn vrienden. Het zijn onze vrienden.'

'Ja, maar moet je zien hóe ze praten,' zei Duncan en hij liep snel op hen af.

Lenka zag hem. Ze fronste haar wenkbrauwen en bleef staan.

'Wat doe je daar?' vroeg Duncan.

'Ik praat met Alex,' zei Lenka rustig.

'Hoe kun je dat doen? Waarom kun je niet met mij praten?'

Lenka ontplofte. 'Ik kan praten met wie ik wil, Duncan. Ik kan wandelen met wie ik wil. Ik kan slapen met wie ik wil.' Ze zette een stap dichter naar Duncan en priemde een vinger tegen zijn borst. 'Ik mocht je graag, Duncan. We hebben samen een fijne tijd gehad. Maar ik hoef al dat gedonder niet te verdragen. Jij kunt mij niet vertellen wat ik moet doen, begrijp je me? Het is afgelopen tussen ons, Duncan. Uit!'

Duncan schrok zo van die uitbarsting dat hij sprakeloos was. Ten slotte zag Chris kans hem weg te trekken. Duncan keek over zijn schouder. 'Kreng!' riep hij.

'Rotzak!' luidde Lenka's antwoord. Chris en Alex keken elkaar aan en daarop duwde Chris Duncan resoluut terug in de richting van Bloomfield Weiss.

Tijdens een pauze in de klas kreeg Chris Lenka te pakken. Ze keek nog steeds kwaad.

'Dat was heel onplezierig,' zei hij.

'Heb je met hem gepraat?'

'Ja.'

'En geeft hij het op?'

'Nee.'

Lenka zuchtte. 'Dat dacht ik al. Maar zie je nu wat ik bedoel als ik zeg dat hij zich gedraagt of ik zijn bezit ben? Natuurlijk is dat niet zo en ik moet hem dat aan zijn verstand peuteren. Ik mag hem echt, ondanks dat hij zo stom doet, maar als ik het alleen door zijn harde kop kan krijgen dat het afgelopen is tussen ons door hem uit te schelden, dan moet dat maar.'

'Hij is jaloers. Hij denkt dat er iets is tussen jou en Alex.'

'Misschien is dat wel zo goed. Dan krijgt hij in elk geval door dat het voorbij is.' Lenka zag de twijfel op het gezicht van Chris. 'Heb jij soms een ander idee?'

Daarop beende ze terug naar het klaslokaal.

6

De laatste week voor het eindexamen was een hel. Iedereen was gespannen. Ze wisten allen dat Waldern hun het vuur aan de schenen zou leggen. Het was een schriftelijke test van vier uur over kapitaalmarkten, al had Waldern hun beloofd dat hij er elementen in zou verweven van alles wat ze eerder in de cursus hadden geleerd. Ze moesten dus alles repeteren. De angst om in het onderste kwartiel te eindigen had zich van de meeste stagiairs meester gemaakt. De rest maakte zich zorgen of ze wel bij de hoogsten zouden eindigen. Rudy Moss stond nog bovenaan, met Eric als tweede. Latasha James was derde; Lenka was afgegleden naar de tiende plaats na haar rampzalige ethiekexamen. Duncan stond net boven de demarcatielijn, Alex net eronder. Zelfs Chris, op de zesentwintigste plek voelde dat het onderste kwartiel binnen bereik lag als hij in paniek raakte. Dus was hij in paniek om in paniek te raken, zoals Ian het zei.

Alex werkte hard en Lenka hielp hem vaak. De anderen wisten allen zeker dat hij het zou halen. Wat Duncan betreft hadden ze echter min of meer de hoop opgegeven. Chris had alles geprobeerd: aanmoediging, schelden, vitten, sarcasme, maar niets hielp. Duncan was uit op zelfvernietiging.

Het examen was een klereklus. Het ging over een denkbeeldig Amerikaans bedrijf voor kabeltelevisie, met een nogal riskante boekhouding, dat speculatieve leenbewijzen wilde uitgeven om een acquisitie in Frankrijk te financieren. Chris moest toegeven dat het slim was bedacht: je moest verstand hebben van boekhouden, krediet, fusies over de grens en acquisities, en natuurlijk van kapitaalmarkten om de hele transactie te organiseren en te omschrijven. Alleen al het lezen van de casus duurde drie kwartier.

Chris worstelde zich erdoorheen en na drie uur had hij het grootste deel opgelost. Zijn hoofd liep om van vermoeidheid en adrenaline. Nog één uur. Hij zou het halen. Hij kwam aan het eind van een pagina en rekte zich uit. Het was stil in het klaslokaal, op het geritsel van papier na en het krassen van pennen. Abby Hollis zat vanaf haar plaats in het midden ongeïnteresseerd naar de klas te staren.

Hij wilde juist weer aan het werk gaan toen Eric, die naast hem zat, zijn papieren bijeenschoof en door het middenpad naar Abby Hollis liep.

Hij was al klaar! Abby was al even verbaasd als Chris en begon zacht met Eric te praten.

Chris hoorde gefluister achter zich. Hij verstijfde.

'Chris.'

Het was Duncan die vlak achter hem zat.

'Chris, knik even als je me hoort.'

Chris keek snel even naar Abby die haar hoofd naast dat van Eric gebogen had.

Hij knikte.

'Laat me je werk zien.'

Chris bewoog zich niet.

'Duw het opzij.'

Chris bleef roerloos zitten.

'Och, toe nou, Chris. Ik heb hulp nodig. Alsjeblieft.'

Chris voelde zich ineens kwaad worden. Hij ging slagen voor dit examen. Dat wist hij. En hij had hard gewerkt om het te halen. Waarom zou hij Duncan laten spieken? Duncan wist dat Denny en Roger juist om zoiets eruit waren gegooid. Als Duncan in de puree zat, was dat helemaal zijn eigen schuld.

'Toe nou, Chris. Laat me de eerste pagina zien.'

Langzaam en opzettelijk pakte Chris zijn pen en boog zich over zijn werk. Duncan moest het zelf maar rooien. Hij moest een examen afmaken.

'Chris! Rotzak die je bent!'

Dit keer fluisterde Duncan te hard. Abby hoorde het en keek fel naar Duncan. Chris sloeg zijn ogen neer en keek naar zijn werk.

'Klootzak!' siste Duncan een paar tellen later, toen Abby haar aandacht weer op Eric richtte.

Calhoun stond op hen te wachten toen ze helemaal kapot terugkeerden van het examen. Hij zei tegen de Amerikaanse stagiairs dat ze snel hun bloed en urine moesten laten testen voor hun ziektekostenverzekering. Chris, Duncan en Ian waren te vermoeid om het te merken. Ze wilden alleen maar zo snel mogelijk het gebouw uit.

'Ga je mee naar Jerry's?' zei Ian tegen Chris.

'Jazeker.' Chris draaide zich naar Duncan. 'Ga jij ook mee?'

Duncan zag bleek en huilde bijna. Hij negeerde Chris en liep naar de lift.

Ian trok zijn wenkbrauwen op. 'Wat heeft hij?'

Chris zuchtte vermoeid. 'Vergeet 't maar. Laten we een biertje gaan drinken.'

Het was nog vroeg en Jerry's was bijna leeg. Maar Eric zat er al een tafel en een kan bier te bewaken.

'Waarom ben je zo vroeg weggegaan?' vroeg Chris.

'Ik was klaar. Ik kon het daar niet langer uithouden. Daarom ben ik hierheen gegaan voor een vroeg biertje.'

'Wat gemeen.'

'Laat maar,' zei Ian. 'Schenk er mij maar eentje in.' Hij trok zijn das los en dronk zijn glas in één teug leeg. Eric schonk hem er nog een in.

'Hoe heb jij het gedaan?' vroeg Chris.

Eric glimlachte. 'Laten we die vraag maar niet stellen. Het is afgelopen. Alles is voorbij. Laten we ons gewoon bezatten.'

Dat deden ze dus.

Het einde van de cursus was een anticlimax. Vier dagen leefden ze in doodsangst terwijl het werk werd nagekeken. Chris was verbaasd dat Waldern zoveel lange testen zo snel kon beoordelen. Volgens de theorie van Ian liet hij dat doen door zijn afgestudeerde leerlingen.

Nadat Duncan in het begin kwaad was geweest op Chris, vergaf hij hem. Hij wist dat hij het had verknald, hij gaf toe dat het zijn eigen schuld was dat hij zich onvoldoende had voorbereid. Maar het schuldgevoel drukte nog op Chris. Niet omdat hij meende dat hij Duncan had moeten helpen, die had niet het recht te verwachten dat Chris hem zou laten spieken, en dat wist hij. Wat hem dwarszat, was zijn motivatie waarom hij Duncan bij het examen had genegeerd. De filosofie van Bloomfield Weiss voor jezelf te zorgen en het aan je collega's over te laten hun eigen problemen op te lossen, had hem eindelijk te pakken gekregen. Hij had niets willen doen om zijn eigen kansen van slagen in gevaar te brengen. Op zijn somberste momenten dacht hij dat hij Duncan expres had willen laten zakken. Dat zat hem dwars. Bloomfield Weiss was hem aan het veranderen en nu hij tientallen succesvolle bankmensen van Bloomfield Weiss had gezien, wist hij zeker dat dat hem niet beviel.

Alex was ongewoon stil. Hij liep rond met een norse uitdrukking op zijn gezicht en sprak nauwelijks met hen. Ze namen aan dat hij wist dat hij het slecht had gedaan, maar dat hij er niet over wilde praten, daarom lieten ze hem met rust.

De examenresultaten werden opgeteld bij de uitkomsten van alle andere toetsen die ze tijdens de cursus hadden gemaakt, om één geheel te vormen. Deze lijst werd op de donderdagmorgen van de laatste week aan de muur buiten het klaslokaal opgehangen. De stagiairs verdrongen zich om Abby Hollis om hem te zien. Eric werd eerste, Rudy

Moss tweede en Latasha James derde. Lenka was vierde. Tot zijn grote voldoening perste Chris zich in het eerste kwartiel als veertiende. Ian was tweeëndertigste en Alex haalde het net boven de demarcatielijn als tweeënveertigste. Duncan was kansloos gezakt als zevenenvijftigste. Er stond maar één man onder hem. Faisal, die het allemaal niets kon schelen.

Een uur later hing er een andere lijst om naar te kijken: de baantoewijzingen voor de Amerikaanse stagiairs. Eric had de baan waar hij om had gevraagd; bij Fusies en Acquisities. Ofschoon Alex in theorie veilig was, werd hem geen baan toegewezen. Dat leek hem niet te bevallen; de inspanning van de cursus en de ziekte van zijn moeder schenen hem eindelijk te pakken te krijgen. Rudy Moss kreeg de baan die hij graag wilde hebben op de afdeling Activabeheer, maar ondanks Latasha's hoge plaats in het programma kwam ze terecht op Gemeentefinancieringen. De stagiairs van de buitenlandse kantoren moesten wachten tot ze thuis waren om te ontdekken welke banen ze hadden gekregen, of in gevallen als die van Duncan en Carla, voor een officiële bevestiging dat hun er geen was toegewezen.

De rest van de dag werd besteed aan diverse bijeenkomsten, het invullen van formulieren en verdere presentaties door onbelangrijke afdelingen. Er werd aan één stuk door geroddeld en gekletst. De meeste mensen waren blij dat ze het net hadden gehaald. Degenen die gezakt waren, reageerden verschillend. Sommigen vatten het stoïcijns op, sommigen probeerden er grapjes over te maken, sommigen keken kwaad, zoals Duncan, en sommigen huilden stil, zoals Carla. Niemand wist wat ze tegen die pechvogels moesten zeggen. Mensen als Rudy Moss negeerden hen. Zij waren bij Bloomfield Weiss verleden tijd, ze waren mislukkelingen, geen knip voor de neus waard. Waarom zou hij tijd aan hen verspillen?

Het breekbare gemeenschapsgevoel dat tussen de zestig jonge bankmensen in de voorgaande vijf maanden was ontstaan, viel uit elkaar, nu iedereen uitkeek naar een nieuw leven, in of buiten Bloomfield Weiss. Er was geen afscheidsfeest, alleen korte gesprekken terwijl men voorbereidingen trof; de Amerikanen om meer te ontdekken over hun nieuwe banen en de buitenlanders om naar huis te gaan.

Eric en Alex waren oorspronkelijk van plan geweest zelf nog een feest te geven voor alle stagiairs. Maar naarmate het einde naderde en de cursus om hen heen uiteenviel, veranderden ze van gedachte. Ze besloten de drie Engelsen en Lenka uit te nodigen met hen mee te gaan op de boot van Erics vader, die lag afgemeerd aan de noordkant van Long Island. Iedereen vond dat een geweldig idee, zelfs Duncan. Dus namen ze na de laatste les van de cursus allemaal de forenzentrein naar Oyster Bay. Ze keken uitgelaten uit naar de avond die voor hen lag, een avond die hun leven voorgoed zou veranderen.

7

De boot gleed langzaam door het rustige water van de baai, deskundig bestuurd door Eric. Het was een slank wit vaartuig voor sportvissen, zowat tien meter lang, met kajuit op het achterdek, een verhoogde brug en een voordek. Eric stuurde richting de zon, die langzaam achter de beboste rug van Mill Neck zakte. Het was een heerlijke avond, het was in weken niet zo koel geweest. De nacht ervoor had er een onweer gewoed, dat de vochtige damp uit de lucht had verdreven, waarna er een heldere hemel overbleef, met kleine wolkjes en een zachte bries. Het eind van de drukkende zomer was nabij; nog een week en het was alweer september.

De spanningen van de opleidingscursus waren verdwenen en de alcoholvoorraden die ze hadden meegenomen werden door iedereen aangesproken. Er waren koelkisten met bier en Lenka en Alex hadden kans gezien de ingrediënten voor margarita's mee te brengen. Allen hadden ze zich omgekleed in een spijkerbroek en T shirt. Hun pakken lagen benedendeks. Zelfs Duncan was ontspannen, en ofschoon hij en Lenka niet met elkaar praatten, keken ze elkaar evenmin kwaad aan.

Chris nam drie flesjes bier vanuit de kajuit mee de brug op waar Eric aan het roer stond. Megan zat naast hem, gekleed in een verbleekte spijkerbroek en een oude blauwe trui; haar donkere haren waaiden in haar gezicht.

Chris trok de flesjes open en deelde ze uit. Megan maakte plaats voor hem, zodat hij bij hen kon zitten. Het was een vredige avond. Aalscholvers vlogen laag over het water, dat rode en oranje strepen vertoonde van de ondergaande zon. Oyster Bay strekte zich als een vinger een paar kilometer landinwaarts uit; aan beide kanten waren vreedzame, lage heuvels bedekt met bomen, en afgelegen landhuizen met hier en daar een steiger die uitstak in de baai. Grote en kleine boten lagen overal afgemeerd, van kleine vissersvaartuigen tot zeewaardige jachten.

'Dit was een geweldig idee,' zei Chris.

'Dat mag ik hopen,' zei Eric. 'Ik ben hier graag.'

'Doe je dit met je vader?'

'Vroeger vaak. Nu minder. Ik heb het druk. Hij heeft het druk; je weet hoe dat gaat.'

'Waar wonen je ouders? In een van deze huizen?' Chris gebaarde naar een van de reusachtige villa's die langs de kust genesteld lagen.

Eric lachte. 'Nee. Ze hebben een klein huis in het plaatsje zelf. In Oyster Bay woonden vroeger alle winkeliers die aan de grote landgoederen leverden. Zo voelt het nog steeds een beetje aan.'

Chris was verbaasd. Hij had aangenomen dat Erics vader puissant rijk was. 'Verhuis je later weer hierheen?' vroeg hij.

Eric trok zijn schouders op. 'Dat weet ik niet. Als ik ouder ben, staat me dat misschien wel aan.'

'In dat huis bijvoorbeeld?'

'Wacht, ik zal je laten zien waar ik echt graag zou wonen. Het is hier net om de hoek.'

Ze voeren een paar minuten door en Eric bracht de boot tot vlak bij de oever. Daar stond een modern wit huis met elegante, gebogen lijnen en grote ramen. Ervoor lag een vijver, het gazon liep af tot aan het water. Het was niet helemaal Chris' smaak, maar het was zeker opvallend.

'Te modern voor jou, hè?' zei Eric toen hij de reactie van Chris zag.

'Ik weet niets van architectuur.'

'Het is een ontwerp van Richard Meier.' Dat zei Chris niets en Eric zag het. 'Nou ja, hoe dan ook, ik vind het mooi,' zei hij.

Chris keek naar de villa's eromheen, ver genoeg van elkaar gebouwd om geïsoleerd te liggen, maar zo dichtbij dat elk zijn eigen stuk water had. 'Wie wonen er in die huizen?'

'Popsterren, maffiabazen en beleggingsbankiers.'

Voor het eerst drong het tot Chris door dat voor sommigen het beroep van beleggingsbankier niet alleen een paspoort naar een goed salaris was, maar zelfs de sleutel tot echte rijkdom. Hij kon niet geloven dat hij ooit in zo'n huis zou wonen, maar hij kon zich voorstellen dat Eric dat wel wilde. Hij besefte dat hij naast iemand stond die ooit heel rijk zou zijn.

'Ben je serieus geïnteresseerd in een loopbaan in de politiek, Eric, of was de verkiezingscampagne van Bush voor jou een tussendoortje?'

Eric keek Chris glimlachend even aan. 'Het is voor mij bloedserieus.'

'Maar je kunt toch zeker geen politicus en beleggingsbankier tegelijk zijn?'

'Dat ben ik ook niet van plan. We hebben in Amerika inderdaad beroepspolitici. Ze studeren rechten en brengen daarna hun tijd door met in Washington rond te hangen en mensen te leren kennen. Maar ik wil het anders doen.'

'Hoe dan?'

'Tegenwoordig heb je geld nodig om in de politiek aan de top te ko-

72

men. En dat zal alleen maar erger worden. Een campagne voeren wordt steeds duurder. Daarom wil ik eerst een sloot geld verdienen en daarna in de politiek gaan. Bloomfield Weiss lijkt me een goede plek om te beginnen.'

'Dat klinkt logisch.' En dat was ook zo, voor Eric. Je kon het wel aan hem overlaten alles tevoren te berekenen. Chris vond het onmogelijk vooruit plannen te maken, hij was blij dat hij een baan had bij Bloomfield Weiss en zou zijn best doen die vast te houden.

Eric liet de boot keren en voer terug door het kanaal, zoals ze gekomen waren. Lenka's schorre lach klonk vanuit de kajuit onder hen omhoog. 'Kun jij het overnemen, Megan?' vroeg hij. 'Ik kan beter even naar de anderen gaan kijken.'

Megan nam het roer over en Eric klom de ladder af naar de groep beneden, waar iedereen snel dronken aan het worden was. Chris bleef op de brug.

'Ben jij een ervaren roerganger?' vroeg hij.

'Nee,' glimlachte Megan. 'Eric en ik zijn samen een paar keer hier geweest. Dit hier is niet moeilijk.'

'Hoe lang ken je hem nu?'

'Vier jaar. We zaten samen op de universiteit van Amherst. Maar we gaan pas het laatste jaar of zo met elkaar om.' Ze zag de blik van verbazing in de ogen van Chris. 'Jij dacht zeker dat ik nog op de middelbare school zat?'

'O, nee, nee,' zei Chris.

'Je bloost,' zei Megan. 'Je kunt slecht liegen.'

Het was waar. Chris voelde dat zijn wangen warm werden. 'Goed dan, ik geef het toe,' zei hij. 'Je ziet er niet uit als tweeëntwintig of wat je dan ook mag zijn. Maar dat is goed, nietwaar?'

'Misschien op een dag wel. Op dit moment is het lastig. Niemand neemt me serieus. En mensen als jij vragen zich af waarom Eric met een schoolmeisje omgaat.'

'O nee, ik kan zien waarom Eric met jou wil omgaan,' zei Chris zonder na te denken.

Megan keek snel even naar hem om te zien of dit alleen een vleiende opmerking was, maar toen glimlachte ze. 'Je bloost weer.'

Chris nam een slok bier om zijn verwarring te verbergen. Hij vond haar echt heel aantrekkelijk. Ze had iets zachts en een soort rustige evenwichtigheid in zich die hem ertoe bracht verder met haar te willen praten.

'Eric is erg ambitieus, nietwaar?' zei hij.

'O ja.'

'Hij was briljant bij het opleidingsprogramma. Het was verbazingwekkend zoals hij alles in de cursus altijd direct leek te begrijpen. Volgens mij gaat hij het ver schoppen.'

'Dat weet ik zeker,' zei Megan.

'Maar hij is daarbij ook nog een aardige kerel,' zei Chris. 'Hij heeft in de cursus veel tijd besteed aan het helpen van de rest. Dat hoefde hij niet te doen.'

'Maar het schaadde zijn carrière niet, hè?' zei Megan.

'Dat hád het kunnen doen.'

'Maar dat heeft het niet gedaan?'

'Nee, dat heeft het niet gedaan.'

Megan keek recht vooruit terwijl ze om een boei heen stuurde. 'Sorry. Dat was niet eerlijk van me. Eric is heel vriendelijk en grootmoedig. Maar hij zal zijn ambitie door niemand laten blokkeren.'

Chris trok zijn wenkbrauwen op. 'Denk je dat hij echt de politiek in zal gaan?'

'O ja,' zei Megan, nog helemaal geconcentreerd op het sturen van de boot.

'Denk je dat hij het ver zal schoppen?'

'O ja,' zei ze opnieuw.

Er viel Chris iets in. 'Toch niet helemaal? President?'

Megan glimlachte alsof Chris net een geheim had ontdekt. 'Wat Eric wil, bereikt hij meestal ook. Je moet hem nooit onderschatten.'

'Tjonge.' Ze kon het niet menen. Maar iemand moest president zijn en Eric had een even goede kans als ieder ander om dat te worden.

'Zeg hem niet dat ik je dat heb verteld,' zei Megan.

'Je hebt me niets verteld,' zei Chris. 'Maar je klinkt...'

'Ja?'

'Ik weet het niet. Niet gelukkig ermee.'

'Ik mag Eric graag. Heel graag. Ik zou zelfs...' Ze zweeg. Chris wist heel goed dat ze wilde zeggen dat ze van hem hield, maar dat kon ze niet, in elk geval niet tegen een onbekende. 'Ik mag hem graag,' zei ze opnieuw. 'Neem er alsjeblieft geen aanstoot aan, maar ik ben niet wild van beleggingsbankieren. Eric heeft echt talent en ik wilde dat hij dat voor iets nuttigers gebruikte.'

'In de politiek gaan kan nuttig zijn. Als hij eerlijk is. En dat is Eric.'

'Misschien. Het probleem is dat Eric republikein is en ik niet.'

'O.'

Megan zuchtte. 'Hoe dan ook. Op dit moment gaat alles goed. Wat hij doet, doet hij graag en ik ook, en ofschoon we elkaar niet zo vaak zien als we wel willen, is het geweldig als we bij elkaar zijn.'

Het begon donker te worden. Overal om hen heen verschenen lichten van boeien, boten en huizen op de oever. Megan ontstak de lichten van de boot.

'Jij ziet er te aardig uit om beleggingsbankier te zijn,' zei ze.

'Zo erg is het niet.'

'Het klinkt afschuwelijk. Eric vertelde me dat ze besloten om het onderste kwartiel van de cursus te ontslaan. En om eerlijk te zijn, snap ik niet waarom ze echt teamwerk ontmoedigen.'

'Bloomfield Weiss gaat wel een beetje ver,' zei Chris. 'En als ik heel eerlijk ben, probeer ik dat te negeren. Het is een harde baan. Maar ik denk dat ik het aankan en dat maakt me een beetje trots.'

'Maar speculeren beleggingsbankiers niet gewoon met het geld van anderen en betalen ze zichzelf van de winst niet onfatsoenlijk hoge salarissen?'

'Zo eenvoudig is het niet.' Megan keek hem aan alsof ze dat eerder had gehoord. En dat had ze waarschijnlijk, van Eric. 'Nee, echt. Investeringsbanken bezorgen de wereld kapitaal. De wereld heeft kapitaal nodig om rijkdom en banen te creëren.'

'Dus al die lui van Wall Street vechten elke dag tegen de armoede?'

'Niet precies.' Chris was het niet helemaal oneens met haar gezichtspunt. Zijn vader zou het zeker met haar eens zijn geweest. Maar als hij het goed wilde doen bij Bloomfield Weiss, en dat wilde hij, dan zou hij zulke gedachten moeten vermijden. Hoe dan ook, hij wilde niet met haar gaan bekvechten. 'Wat doe jij? Je woont in Washington, nietwaar?'

'Ik ben aan het afstuderen op Georgetown. Middeleeuwse Europese geschiedenis. En voordat je het gaat zeggen; ik weet dat dat de derde wereld ook niet zal redden.'

'Maar je vindt het leuk?'

'Het is fascinerend. Echt waar. Maar het is echt een irritante situatie, je wordt er razend van: hoe meer ik erover lees, hoe minder ik denk het te begrijpen. We kunnen proberen de wereld van duizend jaar geleden te bevatten, maar we zullen er nooit in slagen hem helemaal te begrijpen.'

Megan vertelde Chris alles over Karel de Grote en zijn hof van geleerden en strooplikkers. Zelf had hij ook geschiedenis gehad, maar de middeleeuwen had hij vermeden als te afwijkend van de wereld die hij begreep. Als je echter Megan hoorde, ging die tijd leven. En Chris praatte gewoon graag met haar.

Toen ze de monding van de baai bereikten, kwam Eric weer naar boven om het over te nemen. Hij waarschuwde iedereen dat het wat ruw zou worden als ze buitengaats kwamen in het open water van de Sound, en dat deed het ook. De nawerking van de storm van de vorige nacht deed zich gelden op zee. Eric gaf meer gas en de boot ging sneller varen, op weg naar de lichten van Connecticut aan de overzijde van de Sound. Hij stampte als reactie op de kracht van de motoren en de beweging van de golven.

Het was nu donker, maar aan alle kanten blonken lichten: witte, rode, groene, voortdurend flitsend, bewegend, stilliggend, eenzaam en in groepen. Eric wist kennelijk wat ze allemaal betekenden. De maan stond aan de hemel, voor driekwart vol. Hij veranderde het doffe grijs van de zee in zilver en toonde de kustlijn als een zwart silhouet. Nu en dan dreef er een wolk voor de maan, zodat een mantel van diepere duisternis over het water daalde.

Chris klom de ladder af naar de kajuit, waar de anderen nu allemaal behoorlijk dronken waren. Terwijl hij slechts één flesje bier had gedronken sinds hun vertrek, hadden Lenka, Duncan, Ian en Alex verscheidene margarita's naar binnen geslagen. Ofschoon er veel werd gelachen kon Chris de spanning aanvoelen. Het klonk te luid, de beledigingen die over en weer vlogen waren te direct, er klonk een hysterische ondertoon in door.

Het duurde niet lang of alles kookte over.

Het begon onvermijdelijk met een ruzie tussen Lenka en Duncan. Duncan keek om zich heen de duisternis in. 'Dit doet me een beetje denken aan Cape Cod, vind je niet, Lenka?'

'Doe niet zo belachelijk,' zei ze, moeilijk pratend. 'Het lijkt helemaal niet op Cape Cod.'

'Jawel.' zei Duncan. 'Het is precies zo.'

'Maar het is donker, Duncan. Je kunt niets zien. En er zijn niet echt stranden. En verder heb je al overal die grote villa's. Zelfs de zee ziet er anders uit.'

'Nee, niet waar. Herinner je je dat huis waar we logeerden in Chatham, logies met ontbijt? We lagen de hele zondagmorgen in bed, alleen maar uit het raam naar de zee te kijken. Je kunt niet net doen of je dat niet meer weet. Je was erbij, Lenka.'

Lenka ontplofte. 'Wil je je bek wel eens houden!' riep ze. 'Het is voorbij. Heb je dat niet door, Duncan? Het is afgelopen. Je kunt er niet over blijven praten alsof we nog samen zijn.'

'Maar we hadden het dat weekend geweldig. Dat kun je niet uit je herinnering wissen.'

'Dat kan ik en dat zal ik!' zei Lenka met een wrede klank in haar stem.

Duncan keek haar alleen maar aan. Toen greep hij een fles bier en glipte om de brug heen naar het voordek.

'Voorzichtig, Duncan!' riep Eric van bovenaf. De boot stampte op de golven en Duncan zou gemakkelijk zijn evenwicht kunnen verliezen. Ian, Chris, Alex en Lenka zaten allen zwijgend in de kajuit. Lenka was te ver gegaan. Dat wist ze waarschijnlijk zelf ook wel, maar ze daagde ieder van hen uit het te zeggen.

Na zowat een minuut pakte Chris een paar flesjes. 'Die breng ik naar boven voor Eric en Megan,' zei hij.

'Ik ga met je mee,' zei Ian.

Met zijn tweeën beklommen ze de brug. Duncan zat voor hen op het voordek zijn bier te drinken en naar de dichterbij komende lichten van Connecticut te staren.

'Hadden Duncan en Lenka ruzie?' vroeg Eric.

'Ja,' zei Chris.

'Ik kon het zien aankomen.'

'We hadden hem niet moeten uitnodigen,' zei Ian. 'Je kon erop wachten dat hij problemen zou maken.'

'We moesten het doen,' zei Eric. 'We konden hem niet buitensluiten.'

'Bovendien,' voegde Chris eraan toe, 'was het Lenka die het versjteerde. Ze is zat.'

'Alex ook,' zei Ian. 'Wat mankeert hem trouwens? Hij is sinds het examen uit zijn humeur.'

'Ik weet het niet,' zei Eric. 'Misschien zijn moeder.'

'Of zijn baan,' zei Chris. 'Weet hij waarom hij er geen heeft toegewezen gekregen? Hij heeft zijn examen vrij goed gemaakt en ik dacht dat die hypotheeklui hem verwachtten. Weet jij waarom, Eric? Hebben ze hem gewoon vergeten?'

Eric haalde zijn schouders op. 'Hij weet niet wat er aan de hand is. Zijn moeder maakt het slecht. Ik denk dat hem dat ten slotte te pakken heeft.'

'Moet je zien,' zei Ian dringend fluisterend. Hij wees omlaag, naar de kajuit achter hen. Lenka en Alex gingen helemaal op in een dronken omhelzing.

'Och, verrek,' zei Chris.

Ze draaiden zich allen om naar Duncan. Hij was overeind gekomen en liep onzeker naar achteren. Hij bleef staan en wierp het lege bierflesje in zee. Hij kon nog niet zien wat er in de kajuit gebeurde; de brug stond in de weg.

'Lenka!' riep Chris.

Lenka keek niet op, maar stak alleen een vinger op.

Chris draaide zich naar Duncan. 'Duncan! Wacht even!'

Duncan keek op, wankelde toen er een golf tegen de boot sloeg en viel bijna overboord. 'Ik wil nog een biertje!' gromde hij en bleef doorlopen. Toen zag hij Lenka en Alex. 'Hé!' riep hij en klom de kajuit in. 'Hé!'

Hij greep Lenka bij de schouder en trok haar terug, weg van Alex.

'Raak me niet aan!' schreeuwde ze en duwde hem tegen de borst.

'Verdomme, wat denk je wel dat je aan het doen bent?' schreeuwde Duncan en hij duwde haar ook.

'Laat haar met rust,' zei Alex en kwam overeind. Hij drukte Duncan weg van Lenka.

Duncan zette een stap achteruit en haalde uit. Alex was te dronken en te langzaam om te reageren. De klap trof hem op de kin. Alex wankelde, Duncan sloeg hem opnieuw. Dit keer klapte Alex achteruit tegen de reling, juist toen de boot op een golf botste. Hij sloeg achterover en verdween overboord.

Chris vond het moeilijk precies te reconstrueren wat er daarna gebeurde. Hij wist nog dat Lenka gilde en dat Duncan met open mond staarde naar de plek waar Alex had gestaan. Eric stuiterde van de brug en dook over de zijkant van de boot.

Daarna kwam Ian aanspringen. Hij trok zijn schoenen uit. 'Niet doen!' riep Megan toen ook hij in het water dook. De boot raasde nog steeds voort door de golven. Megan, die aan het roer had gestaan, reageerde langzaam, maar nam nu gas terug. Er dreef een wolk voor de maan. Chris kon nog net Ian in het water zien spartelen, maar de andere twee waren nergens te zien.

'O, jézus,' zei Duncan en hij begon met moeite zijn schoenen uit te trekken.

'Houd hem tegen!' riep Megan. 'Houd hem in hemelsnaam in de boot, Chris!'

Lenka schreeuwde tegen Duncan in een mengelmoes van Tsjechisch en Engels. Chris sprong omlaag de kajuit in, maar hij was te laat. 'Ik moet hem redden. Ik moet hem uit het water halen,' mompelde Duncan en sprong overboord.

Lenka wierp zich hysterisch snikkend in de armen van Chris. Hij probeerde haar opzij te duwen, maar ze wilde hem niet loslaten. Daarom sloeg hij haar hard in haar gezicht. Ze keek hem geschrokken aan en hij duwde haar omlaag op een stoel in de kajuit.

Megan was bezig de boot te doen keren. 'Chris! Kom eens hier!'

Chris klauterde de brug op, maar zelfs daar, een meter of wat hoger, kon hij geen van hen zien. Zowel hij als Megan tuurden het donkere, ruwe water voor hen af. Hier, midden in de Sound, was de wind krachtiger. Schuimvlokken vlogen van de golftoppen, alsof honderd kleine zwemmers de boot omringden. Nu de maan achter een wolk zat, was het ineens heel donker. Ze leken ongeveer halverwege tussen Long Island en Connecticut te zijn, en ofschoon ze omgeven waren door de lichten van boten, was er niet één dicht genoeg bij om te helpen.

Megan gaf een beetje gas en voer langzaam terug naar de plek waar ze dacht dat Alex in het water was gevallen. Maar met het draaien, de wind en de stroom konden ze moeilijk hun juiste plaats bepalen. Vier van hen lagen in het water en Chris en Megan zagen er niet een.

'Daar!' zei Chris. 'Daar rechts!'

Het was Duncan die er onhandig rondspartelde. Chris sprong omlaag de kajuit in en greep de reddingsboei. Duncan had hen gezien en hij zwaaide. Het was erg moeilijk tot dichtbij hem te manoeuvreren en het duurde een kostbare minuut of zo, voordat Chris hem de boei had toegeworpen en hij die had gegrepen. Chris trok hard, sleepte hem door het water en sleurde hem binnenboord. Hij liet hem, koud en naar adem snakkend op het dek van de boot liggen en vloog de brug weer op om naar de anderen uit te kijken.

'Volgens mij ligt daar iemand,' zei Megan, ze gaf meer gas en voer snel naar iets wat in het water dobberde.

Het was Eric. Binnen vijf minuten lag hij ook op het dek van de boot te rillen.

'Heb je hem gevonden?' vroeg hij, zwaar hijgend.

'Nee,' zei Chris. 'Ian is er ook in gesprongen. We moeten hen beiden zoeken.'

Tegen die tijd was Lenka weer tot zichzelf gekomen. Ze stond bij Megan op de brug. Chris en Eric kwamen bij hen staan. Ze stuurden de boot in het rond, in steeds grotere kringen vanaf het punt waar ze Eric hadden opgepikt.

'Kan Ian goed zwemmen?' vroeg Megan.

'Ik geloof van wel,' zei Chris. Hij herinnerde zich dat Ian soms na het werk in Londen naar het zwembad ging. 'Hoe zit het met Alex?'

'Geen idee,' zei Eric.

'Heb je hem gezien?' vroeg Chris.

Eric snakte nog steeds naar adem, maar hij schudde zijn hoofd. Zijn tanden klapperden. 'Verrek, wat is het hier koud.'

De kringen werden wijder totdat Chris niet zeker wist of ze nog ergens in de buurt waren waar Alex overboord was gevallen.

'De kustwacht!' riep Megan uit. 'Moeten we de kustwacht niet oproepen?'

'Heb je dat nog niet gedaan?' vroeg Eric.

'Nee,' stamelde Megan. 'Ik dacht er niet aan.'

'Kanaal zestien,' zei Eric. 'Wacht, ik doe het wel.' Hij greep de microfoon voor de radio die vlak naast het roer hing en zond een SOS-bericht uit. Hij keek om zich heen. 'Er is niets bij ons in de buurt,' zei hij.

'Hoe lang zal het duren?'

'Dat weet ik niet. Tien minuten? Een half uur? Geen idee.'

'Daar!' riep Lenka en ze wees recht vooruit, iets rechts van de boot.

Chris tuurde in het donker en kon nog net een arm zien zwaaien. Megan stuurde in die richting. Juist toen ze naderden, dreef de wolk weg van de maan. Het was Ian. Hij bewoog zich zwak, maar dreef nog steeds. Ze gooiden hem de boei toe en hij had nauwelijks de kracht om de paar meters te zwemmen en hem te pakken. Chris en Lenka hesen hem aan boord. Hij was uitgeput.

'Ik zag jullie Eric oppikken,' mompelde hij. 'En ik probeerde te zwaaien en te roepen. Maar jullie zagen me niet.'

'Nu hebben we je,' zei Chris.

Ze bleven zoeken met toenemende vertwijfeling. Alex was nergens te zien. Ongeveer tien minuten na de SOS-oproep van Eric kwam een snelle politieboot hun richting op varen. Nadat ze zich snel op de hoogte hadden gesteld van wat er was gebeurd, zei de politie tegen Megan dat ze de boot naar de kust moest terugbrengen, om de anderen te laten drogen en warm te laten worden. Megan wierp tegen dat ze moesten blijven zoeken, maar de politie hield aan. Ze zeiden dat er in Oyster Bay een ambulance op hen zou wachten.

Ian en Eric trokken hun droge pak aan dat nog beneden lag. Duncan weigerde dat. Zwijgend zaten ze op de brug bij elkaar terwijl de boot snel terugvoer naar de kust, met Megan aan het roer. Nu de koortsachtige activiteit voorbij, was drong het pas goed tot hen door. Alex was er niet meer.

Duncan lag in een vochtige, slordige hoop op het dek van de brug. Lenka zat naast hem, met haar hoofd in haar handen. Ian zag er uitgeput uit en staarde met lege ogen de ruimte in. Chris voelde zich verdoofd, verbijsterd, niet in staat te geloven wat hij het laatste half uur had gezien. Het was allemaal een afschuwelijke vergissing geweest. Het moest mogelijk zijn Alex terug te vinden, dat kon gewoon niet anders. Nu de kustwacht er was, de autoriteiten, de volwassenen, zouden ze hem vinden. Chris kon niet helemaal geloven dat hij een volwassene was, dat dit geen kinderspelletje was, dat hij erbij was geweest dat de ene man de andere in zee sloeg, en dat die andere, zijn vriend, nu waarschijnlijk dood was.

'Ze zullen ons vragen hoe Alex in het water is gevallen,' zei Eric.

'Ik zal het hun zeggen,' snikte Duncan. 'Ik zal hun zeggen dat ik hem heb geslagen.'

'Nee, het was mijn schuld,' zei Lenka. 'Ik bracht je ertoe. Ik wilde dat je kwaad werd op mij. Op hem.'

Duncan schudde zijn hoofd. 'Ik heb hem gedood,' zei hij. 'Ik heb hem gedood.'

'Misschien vinden ze hem nog,' zei Chris zonder veel overtuiging. Niemand geloofde hem. Hij geloofde het zelf ook niet.

'Dit zou wel eens heel ernstig kunnen worden voor Duncan,' zei Eric.

'Dat weet ik,' zei Duncan. 'Dat verdien ik.'

'Volgens mij niet,' zei Eric. 'Je werd geprovoceerd. Je had geen opzet om hem te doden.'

'Ik zei toch dat het mijn schuld was!' zei Lenka. 'En dat zal ik hun vertellen.'

Chris zag wat Eric dacht. 'Niemand hoeft in de problemen te komen. We weten allemaal dat het een ongeluk was. We hoeven alleen maar te zeggen dat Alex dronken was en overboord viel.'

'Maar ik heb hem geslagen,' zei Duncan.

'Dat weet jij en dat weet ik,' zei Chris. 'Maar we weten ook dat je niet de bedoeling had hem te doden. Je werd, om wat voor reden ook, geprovoceerd. Maar als we dat tegen de politie zeggen, zouden ze je kunnen arresteren wegens doodslag, of moord of zoiets.'

'Volgens mij zou hij beschuldigd kunnen worden van tweedegraadsmoord,' zei Eric. 'Wat voor beschuldiging ook, het zou ernstig zijn.'

'Ik kan gewoon niet geloven dat jullie zo kunnen praten,' zei Duncan. 'Alex is dood! Begrijpen jullie dat niet? Alex is dood!'

Lenka huilde niet langer. Ze bewoog zich dichter naar Duncan. 'Alex mag dan dood zijn, maar Chris en Eric hebben gelijk. Dit kan je hele leven ruïneren.' Ze raakte zijn arm aan. 'Daar wil ik niet verantwoordelijk voor zijn.'

Zwijgend groepten ze samen op de volle brug.

Eric zei: 'Wat vinden jullie? We moeten de volgende paar minuten beslissen. Chris?'

'Ik zeg dat het een ongeluk was. Alex stond op het voordek, hij kwam nog een flesje bier halen, hij gleed uit en viel overboord.'

'Lenka?'

'Dat denk ik ook.'

'Duncan? Het gaat om jouw leven.'

'Het was het leven van Alex.'

'Ja, maar, we hebben het nu over het jouwe.'

Hij beet op zijn lip en knikte. 'Oké.'

'Ian?'

Ian was nog steeds in trance. Roerloos zat hij naar de hemel te staren.

'Ian? Als we dit verhaal gaan vertellen, moeten we allemaal meedoen.'
Ian richtte zijn blik met een ruk op Eric. Chris vroeg zich plotseling af hoe zelfzuchtig Ian was. Zou hij het riskeren tegen de politie te liegen om Duncan te helpen? Zo te zien was dat iets wat Ian ook net voor zichzelf probeerde te beslissen. Ten slotte knikte hij. 'Goed dan.'
'We zijn het dus allemaal eens.'
'Nee, dat zijn we niet.'
Het was Megan.
Eric draaide zich verrast naar haar om. 'Heb jij er een probleem mee?'
'Zeker heb ik een probleem. We moeten hun de waarheid vertellen.'
'Maar je denkt toch niet dat Duncan Alex met opzet overboord duwde?'
'Nee. Maar dat kan ik niet beslissen. Dat moet de politie doen.'
De boot naderde Oyster Bay. Ze konden op de kade de zwaailichten van minstens twee voertuigen zien.
Eric sprak zacht met Megan terwijl ze gas terugnam. 'Ik weet dat je een hekel hebt aan liegen. Ik kan je niet dwingen om te liegen. Maar dit is een vriend van mij. Kun je dit voor mij doen?'
Allen keken ze naar haar. Voor Chris was het duidelijk dat het het beste was te zeggen dat Alex per ongeluk overboord was gevallen. Hij zou niet graag liegen tegen de politie, maar ze bereikten er niets mee als ze de waarheid vertelden, behalve dat ze Duncan overleverden aan de kaken van het Amerikaanse strafrechtsysteem. Het resultaat viel onmogelijk te voorspellen. Zoals de zaken er nu voor stonden, wist hij dat Duncan de rest van zijn leven last zou hebben van wat er gebeurd was. Lenka waarschijnlijk ook. Chris respecteerde Megan dat ze eerlijk wilde blijven, maar hij hoopte dat ze van gedachte zou veranderen. Zoals Eric al had gezegd: Duncan was hun vriend.
Megan keek Eric aan, haalde diep adem en knikte. 'Oké. Maar ik ga niets verzinnen. Ik zal gewoon zeggen dat ik niets heb gezien.'
'Dat is prima,' zei Eric. 'Laat me nu de boot maar naar de kade sturen.'

De eerste klap had Alex pijn gedaan. De tweede beschadigde iets in zijn hersenen, een of ander mechanisme van het zenuwstelsel dat hem overeind en in evenwicht hield. Hij voelde dat zijn knieën het begaven toen hij achteruit werd gedwongen door Duncans klap. Hij voelde dat zijn dijen de reling raakten en hij probeerde voorover te leunen, maar het lukte hem niet, ofwel omdat hij dronken was, of omdat de boot in een onmogelijke hoek op de golven stampte. Hij voelde zijn lichaam achterover slaan en een seconde later lag hij onder water.
Het water was heel koud en het leek alle lucht uit zijn lijf te persen, maar op de een of andere manier zag hij kans iets ervan in zijn longen te hou-

den. Het was donker en het gewicht van zijn kleren trok hem omlaag, zodat hij niet kon zeggen waar het wateroppervlak was. Hij schopte paniekerig met zijn benen en zwaaide met zijn armen. Zijn longen deden pijn, maar hij slaagde er toch in zijn mond dicht te houden en geen water te happen. Toen kwam zijn gezicht op de een of andere manier in de open lucht en hij haalde diep adem, juist toen een golf over hem heen spoelde. Het zeewater deed pijn aan zijn longen en deed hem kokhalzen. Hij schopte vertwijfeld met zijn benen en kon zijn gezicht lang genoeg boven water houden om te hoesten en het water uit zijn luchtwegen te sputteren. Hij hapte opnieuw naar lucht en werd overspoeld door een volgende golf.

Als hij hard werkte met zijn armen en benen, kon hij zichzelf net boven water houden. Zijn kleren waren zo zwaar en het was zo koud. Hij keek om zich heen en zag heel even de brug van de boot die wegraasde over de golven. Hij stak zijn arm op om hun aandacht te trekken, zonk meteen weer en slikte nog meer water in. Weer stikte hij bijna.

Hij was echt in moeilijkheden; dat wist hij. Hij kon niet zo goed zwemmen en hij wist dat hij dronken was. Hij kon de boot onmogelijk zien.

Alex wilde niet sterven. Hij was te jong. Hij wilde nog zoveel doen met zijn leven. Hij zou niet sterven.

Hij zwom in de richting waar hij het laatst de boot had gezien. Hij probeerde regelmatige slagen te maken, maar het was moeilijk. Hij zwom te snel, vermoeide zich. Langzaamaan. Langzaam zwemmen. Als hij maar bleef drijven, zouden ze hem wel vinden. Ze zouden zeker al gekeerd zijn. Ze zouden zo bij hem zijn.

Hij zag iets recht voor zich uit! Iemand zwom naar hem toe. Alex stak een hand op, schreeuwde, sloeg zijn armen krachtiger uit.

De zwemmer kwam dichterbij. Godzijdank, dacht Alex. 'Hier!' schreeuwde hij. 'Hier ben ik!'

Hij greep de armen vast die naar hem werden uitgestoken. Hij probeerde zich aan een mouw vast te houden. Hij wilde zich eraan vastklampen en nooit meer loslaten. Hij kon het niet geloven! Hij was in veiligheid!

Plotseling voelde hij krachtige handen op zijn hoofd; ze duwden hem omlaag. Hij was zo verrast dat hij geen adem kon halen voordat hij onderging. Verrek, wat gebeurde er? Hij was te zwak. Hij kon zich niet verzetten. Hij stak zijn handen uit om de zwemmer vast te grijpen, om hem mee omlaag te trekken, maar zijn longen liepen al vol water. Hij kon zichzelf voelen wegglippen in het donker, in de omhelzing van de koude, koude zee.

Het lijk van Alex werd de volgende morgen gevonden, het was iets verderop langs de kust bij Eatons Neck tegen de rotsen geslagen. Chris, Ian en Duncan werden een week opgehouden in New York om met de politie te praten en de begrafenis van Alex bij te wonen. Vragen werden gesteld en met leugens beantwoord. Daarna vlogen de Engelsen terug naar Londen. Eric en Lenka gingen werken bij Bloomfield Weiss. Megan keerde terug naar Washington.

Maar Alex was nog steeds dood. En de herinnering aan hoe hij stierf, zou hen allen eeuwig bijblijven.

Deel 3

1

Chris keerde terug naar het kantoor van Carpathian in Londen, vastbesloten ervoor te zorgen dat hun bedrijf bleef bestaan. Carpathian was veel meer Lenka's kindje geweest dan dat van hem. Hij kende alle bijzonderheden: de administratie van de fondsen, de individuele effecten in de portefeuille, de boeken, de contracten voor het computeronderhoud, de mensen die het gebouw beheerden en zo meer. Maar Lenka had de visie. En ook de relaties met de beleggers.

De moord op Lenka had Chris op veel verschillende manieren verscheurd. Die afschuwelijke daad zelf. Telkens als hij zijn ogen sloot, zag hij haar bleke gelaat onder zich op de straat, voelde hij haar warme, kleverige bloed op zijn handen, zag hij haar sterven. Verder was er het schuldgevoel dat hij het niet had kunnen voorkomen. Als hij wakker lag, liet hij de aanval keer op keer opnieuw voor zich afspelen. Had hij maar een seconde eerder gereageerd op het geluid van die voetstappen, had hij die arm maar een halve seconde eerder vastgepakt. Hij fantaseerde erover hoe hij de overvaller had kunnen vastgrijpen, op de grond gooien en overmeesteren. Het had allemaal geen zin gehad, wist hij. Als hij sneller was geweest, zou hij waarschijnlijk ook neergestoken zijn.

Ook was er het oprechte verdriet om het verlies van een vriendin, van iemand die hem had geholpen toen hij dat nodig had, van iemand die hij iets verschuldigd was, van een door en door goed iemand. Hij miste haar lach, haar schorre stem die hem plaagde, de manier waarop ze direct bij het binnenkomen een ruimte kon vullen met haar vitaliteit.

En ten slotte was er de zorg over haar zaak, hun zaak. Lenka had de laatste paar jaar zoveel energie in Carpathian gestoken. Het was het belangrijkste in haar leven geworden. Nadat de eerste schok was uitgewerkt, merkte Chris dat Carpathian de kern werd van al zijn gevoelens over haar. Hij kon de moord op haar niet ongedaan maken, hij kon haar niet terughalen, maar hij kon ervoor zorgen dat haar creatie bleef bestaan.

Eerst moest hij iets doen met de twee overgebleven leden van hun team, Ollie en Tina. Ollie was een ramp. Chris en Lenka hadden hem een jaar eerder gevonden bij de ineenstortende tak van een investeringsafdeling van een Engelse bank. Hij was vierentwintig, heel slim, maar heel verlegen. Hij leek zijn leven in voortdurende angst door te brengen. Op haar meer kwaadaardige momenten had Lenka daar wreed gebruik van gemaakt. Maar zowel zij als Chris mochten hem en waren ervan overtuigd dat hij kon uitgroeien tot een waardevolle aanwinst. Intussen kostte hij niet veel en zette hij zonder klagen koffie. Tot die week was Ollies ergste nachtmerrie geweest de afwerking van een deal te verpesten, zodat Lenka tegen hem zou gaan gillen. Maar dit was zoveel erger dan dat. Hij leek de eenvoudigste taak niet meer aan te kunnen; hij kon nauwelijks praten. Toen Chris hem vertelde over Lenka's dood, huilde Ollie. Chris voelde medelijden met hem, en op een vreemde manier was hij blij dat Lenka iets voor Ollie had betekend, ondanks dat ze hem soms bespotte. Chris liet hem vijf minuten uithuilen, maar niet langer dan dat. Hij had Ollie nodig: hij was intelligent, vertrouwd met het werk bij Carpathian, er was niemand anders. Ollie moest volwassen worden. Op staande voet.

Tina was veel minder gevoelig. Ze was een uiterst bekwaam negentienjarig meisje uit Ongar, die het kopieerapparaat kon repareren als Ollie het kapot had gemaakt, en die geen onzin accepteerde van opdringerige makelaars. In de paar dagen dat Chris weg was geweest, had zij de telefoontjes van de markt opgevangen. Ze had weinig ervaring of kennis van financiën, maar Chris moest ook op haar vertrouwen. Ze leek zijn vastberadenheid om het voortbestaan van Carpathian te verzekeren aan te voelen, en deelde dat gevoel.

Met zijn drieën zaten ze in de ruimte zonder tussenwanden, waar de bureaus van Lenka en Chris uitkeken op het plein buiten. Het kantoor bestond naast deze ruimte uit een receptie, een directiekamer, die ook dienst deed als vergaderkamer, een keuken en een nis voor het kopieerapparaat, de fax en de computerapparatuur. Het was niet groot, maar het was aantrekkelijk ingericht door een Amerikaanse vriend van Lenka; luchtig, licht en professioneel. Het werk had niet veel gekost, op een reusachtige, gebogen wand in de receptie na, met een muurschildering in wervelende blauwe kleuren. Daar hadden Chris en Lenka nog ruzie over gemaakt. Lenka was er dol op, maar Chris had tegengesputterd dat het te frivool was.

We houden hem, had Chris beslist.

Hij keek naar Lenka's bureau. Opvallend oranje en paarse bloemen stonden gebogen in een kristallen vaas. Het waren paradijsvogels, zo had ze gezegd. Elke week kocht ze een nieuwe bos exotische bloemen bij de bloemist op de hoek. Chris aarzelde en gooide ze in de prullenmand. Het leek verkeerd dat ze er zo fris en levend uitzagen, alsof ze het nieuws niet hadden gehoord. Maar de vaas liet hij daar leeg staan. Onder haar bureau stonden vier paar versleten schoenen. Lenka zei dat ze het beste kon denken op blote voeten, en nu en dan ontving ze zelfs bezoekers zonder schoenen aan. Het had Chris een paar maanden gekost om te ontdekken hoe ze op kantoor zoveel paren kon laten staan; zelfs Lenka zou toch niet blootsvoets naar huis gaan? Het antwoord was natuurlijk dat ze, als de markten haar tegenwerkten, even naar Bond Street wipte en een nieuw paar kocht, dat ze prompt uittrok als ze naar kantoor terugkeerde.

Maar Chris kon zich niet veroorloven de dag te verspillen met zich te wentelen in gedachten aan Lenka. Hij keek de koersen van hun portefeuille na. De markt was zwak. De Russische minister van Financiën was midden in een corruptieschandaal afgetreden en Oost-Europa zag er nerveus uit. De grote positie Eureka Telecom was vijf punten gezakt. Chris zou moeten uitzoeken wat Lenka van plan was geweest toen ze die kocht. Maar ook dat kon wachten. Als hij het kon vermijden, was hij niet van plan de komende paar dagen handel te drijven.

Hij voerde een kort telefoongesprek met Ian Darwent. Ian werkte nog bij Bloomfield Weiss, hij was nu verkoper van Europese obligaties met hoog rendement. Van hem had Lenka de obligaties Eureka Telecom gekocht.

Het gesprek was genant. Ian had Chris de rug toegekeerd toen hij was weggegaan bij Bloomfield Weiss en Chris kon het niet helemaal over zich verkrijgen hem dat te vergeven. Ian voelde zich kennelijk even onbehaaglijk met Chris, vooral omdat Carpathian nu Europese obligaties met hoog rendement had gekocht. Ze hadden dus een stilzwijgende overeenkomst gesloten dat Ian met Lenka zou spreken. Dat zou moeten veranderen. Tina had Ian de dag tevoren verteld over Lenka, dus voorlopig wisselden ze loze deelnemingen uit over haar dood. Chris wist zeker dat het Ian echt speet wat er gebeurd was, maar hij was niet van plan Ian te helpen zijn kostschoolachtige terughoudendheid erover te praten te overwinnen. Ze beëindigden het gesprek met een belofte de volgende dag over Eureka Telecom te praten.

Chris sprak ook nog met Duncan op de verkoopafdeling van de Honshu Bank, de tweederangs Japanse bank waarvoor hij nu werkte. Chris had hem vanuit Praag gebeld om hem over Lenka te vertellen. Het was een kort gesprek geworden, Duncan was te verbijsterd geweest om veel te zeggen. Nu had hij veel vragen. Chris sprak af hem na kantoortijd in een pub te ontmoeten.

De volgende taak was de beleggers in de fondsen van Carpathian op de hoogte te brengen. Het waren er acht en ze hadden een totaal van vijfenvijftig miljoen euro geïnvesteerd. De meeste waren in Amerika gevestigd en bijna allemaal waren het Lenka's contacten uit haar tijd bij Bloomfield Weiss in New York. De grootste was Amalgamated Veterans

Life, waar Lenka's contact niemand anders was dan Rudy Moss. Hij was de enige belegger die Chris goed kende. De rest had kennisgemaakt met Chris, maar het was Lenka op wie ze vertrouwden. Toch hadden hij en Lenka kans gezien in de eerste negen maanden een rendement van negenentwintig procent voor hen te behalen, dus ze moesten tevreden zijn. Chris had besloten hun allen een e-mail te sturen, en hen die middag te bellen. Het waren moeilijke telefoongesprekken. Iedereen schrok van het nieuws. De meesten van hen leken Lenka te beschouwen als een persoonlijke vriendin. Tot grote opluchting van Chris had niemand van hen het erover hun investering in Carpathian te herzien. De enige die hij niet kon bereiken, was Rudy, die ook niet terugbelde. Chris maakte zich daar geen zorgen over: niet terugbellen was een machoachtig gebaar bij mensen als Rudy, en omdat ze elkaar kenden, was hij de belegger over wie Chris zich de minste zorgen maakte.

Ollie leek zichzelf te vermannen naarmate de dag vorderde. Chris liet hem met de markt praten, om te zien of er gevaar bestond dat de laatste Russische crisis zich ernstig zou uitbreiden naar de Midden-Europese landen waarin Carpathian investeerde. Dit soort zaken werd meestal aan Lenka of Chris overgelaten, maar Ollie bracht het er niet slecht vanaf. Chris ging die avond om acht uur weg uit kantoor, met het gevoel dat ze Carpathian toch op gang konden houden.

Tegen de tijd dat Chris bij Williams kwam, had Duncan al een pint of twee gedronken. Williams was een donkere pub in een zijstraatje van Bishopsgate. Daar hadden ze tien jaar geleden voor het eerst iets gedronken. Het was voldoende dichtbij Bloomfield Weiss om er snel te zijn, maar ver genoeg weg om collega's of bazen te ontlopen. Tot dusver had de pub kans gezien de koortsachtige renovatie te ontkomen die de buurt in de greep had gekregen, en in de loop der jaren was het de meest voor de hand liggende plaats geworden om elkaar te ontmoeten.

Chris bestelde voor zichzelf ook een biertje en voor Duncan een nieuwe en ging bij hem zitten aan het hoektafeltje. De pub was vol goedgeklede mannen van in de twintig die zich ontspanden. De dronken, te gezette ouwe zakken in hun flodderige dubbelrijs blazers die de kroeg tien jaar geleden hadden bevolkt, waren verhuisd. Chris vroeg zich soms af wat ze deden nu ze eruitgebonjourd waren door zijn generatie. Misschien kwam hij daar over tien jaar zelf achter.

'Bedankt,' zei Duncan. Hij dronk zijn vorige pint leeg en duwde het glas opzij om plaats te maken voor de nieuwe. 'Proost,' zei hij zonder veel overtuiging.

'Proost.'

'Ik kan het niet geloven,' zei Duncan. 'Ik kan het gewoon niet geloven. Wat is er gebeurd?'

'Iemand kwam achter haar aan en sneed haar de keel af,' zei Chris, zo zakelijk als hij kon. Hij ging niet graag in op de bijzonderheden van die avond.

'En jij was erbij?'

Chris knikte.

'Wie was het?'

'Ik heb geen idee. Ik kon hem niet goed zien – hij droeg een donker jack en een hoed.'

'Hoe zit het met de Tsjechische politie? Wat vindt die ervan?'

'Nou ja, ze dachten eerst aan een straatrover, een drugsverslaafde die dringend geld nodig had. Kennelijk wordt dat probleem in Praag steeds groter. Maar gezien de manier waarop het gebeurde, denken ze dat het een beroepsmoordenaar was. Hij wist hoe hij een mes moest gebruiken.'

'Maar, verrek, wie zou Lenka willen vermoorden?'

Chris zuchtte. 'Ik heb geen idee.'

'Ik neem aan dat het een soort maffia-overval is geweest,' zei Duncan. 'Er is tegenwoordig immers in Oost-Europa veel georganiseerde misdaad. Heb ik niet iets gelezen over een Amerikaanse bankier die verleden week in Moskou is doodgeschoten?'

'Ik geloof niet dat de Tsjechische Republiek even gevaarlijk is als Rusland. Al zegt de politie wel dat er een Oekraïense maffia bestaat. Op dit moment denken ze daaraan. Maar ik kan niet begrijpen hoe het soort bedrijven waarmee wij investeren bij zoiets betrokken kan zijn.'

'Je weet maar nooit,' zei Duncan. 'Ik bedoel maar, het is daar toch een reuze rotzooi?'

'Technisch is het een zootje, ja, maar dat betekent alleen dat de obligatie-emittenten beschouwd worden als van iets minder allooi. Het wil nog niet zeggen dat het misdadigers zijn.'

'Ja, maar je kunt niet altijd zeker weten wie er achter hen zit.'

Chris dronk peinzend van zijn bier. 'Nee, dat weet je niet,' gaf hij toe. Het was waar dat een bedrijf tegen de tijd dat Carpathian erin investeerde, naar westerse maatstaven gezuiverd was. In een anarchie die in al die landen de overgang van communisme naar kapitalisme had gekenmerkt, was er hebzucht, corruptie en geweldpleging geweest. Zelfs Lenka kon het niet altijd tot op de bodem uitzoeken. Dat was de reden waarom ze er zo op had gestaan kleine kantoren te openen in steden als Praag. 'Misschien had het inderdaad te maken met een van onze beleggingen.'

'Het doet er trouwens niet toe,' zei Duncan.

Zwijgend zaten ze aan Lenka te denken.

'Weet je, ze was de enige vrouw van wie ik ooit heb gehouden,' zei Duncan.

'Hoe zit het dan met Pippa?' vroeg Chris. Pippa was de vrouw van Duncan. Ze waren drie jaar getrouwd geweest en nu zes maanden uit elkaar. Duncan schudde zijn hoofd. 'Ik mocht Pippa graag. Ik vond haar aantrekkelijk. Maar ik heb nooit van haar gehouden. Dat was het hele probleem.' Hij dronk van zijn bier. 'Ik heb de laatste tijd veel aan Lenka gedacht, vanaf het moment dat de zaken fout liepen met Pippa. Al heb ik Lenka nooit helemaal uit mijn hoofd kunnen zetten. Ik weet dat we maar een paar maanden samen waren, maar dat zijn de enige maanden geweest dat ik me springlevend voelde.'

Chris vond dat Duncan overdreef, maar hij wilde hem niet tegenspreken. 'Ze was een speciaal iemand,' zei hij.

'Dat was ze echt, hè?' zei Duncan en hij glimlachte voor het eerst. 'Ze was zo warm, zo gul, zo vol leven. En ze was de meest sexy vrouw die ik ooit heb gekend. Wat ze in mij zag, weet ik niet. Het verbaast me niets dat ze me kwijt wilde.'

'Het was lang geleden,' zei Chris.

'Maar voor mij lijkt het nog als gisteren,' zei Duncan. 'Ik kan me haar aanraking, haar geur, haar lach zo duidelijk herinneren. Weet je nog dat parfum dat ze droeg? Wat was het ook alweer, Annick Goutal? Op kantoor is een Franse vrouw die het ook heeft. Steeds als ik het ruik, denk ik aan Lenka. Het brengt haar terug.' Zijn ogen werden vochtig en hij keek omlaag. 'We hadden toen echt iets. Ik weet zeker dat zij het evengoed voelde als ik. Als we na die cursus bij elkaar waren gebleven, zou mijn leven nu heel anders zijn geweest.'

Opnieuw wilde Chris Duncan tegenspreken om hem te wijzen op zijn ongerijmdheid. Zijn leven zou ongetwijfeld anders zijn geweest als hij en Lenka samen waren gebleven. En Duncan had het de laatste tien jaar niet goed gehad.

De dood van Alex had hem bijna te gronde gericht. Duncan had zo vol schuldgevoel gezeten, dat het uit elke porie leek te sijpelen. Het ruïneerde het beetje zelfvertrouwen dat hij had, het maakte hem bitter, boos, vol zelfmedelijden. De naïeve, puppy-achtige onschuld was verdwenen. Zijn levendige gezicht had plooien gekregen, hij kreeg een onderkin en boven zijn broek begon zich een buikje te vertonen. De innemende glimlach was totaal verdwenen. Hij was de meeste vrienden die hij had gehad, kwijtgeraakt. Chris was hem trouw gebleven. Het was niet alleen dat hij loyaliteit voelde jegens zijn vriend. De dekmantel van de dood van Alex had hem niet zozeer schuld doen voelen, als wel medeplichtigheid. Hij kon Duncan niet in de steek laten. Ian kon dat echter wel, die had dat ook gedaan.

Zoals te verwachten na zijn prestaties in de cursus, werd Duncan bij zijn terugkeer in Londen ontslagen bij Bloomfield Weiss. In de volgende paar jaar hinkte hij van de ene baan naar de andere, als verkoper van eurobonds bij kleine buitenlandse banken in de City. De vette bonussen van de haussejaren gingen aan hem voorbij. Hij was een van de zandhazen in de strijd om obligaties naar alle hoeken van de wereld te verspreiden, een goedkope kracht voor een nieuwe baas van een groeiende afdeling. Duncan was niet echt slecht in zijn werk. Hij was eerlijk, hij kon redelijk voorkomend zijn als hij zijn best deed, en sommige klanten kochten obligaties van hem. Maar er hing een sfeer van mislukking om hem heen, zodat zijn kop bij de reorganisaties die elk jaar bij elke bank in de City voorkwamen, altijd als eerste rolde.

Na een paar jaar zo te hebben geleefd, begon het er beter uit te zien. Hij maakte kennis met Pippa, een ongecompliceerde dealersassistente, een paar jaar jonger dan hij. Ze trouwden. Hij hield bijna vier jaar dezelfde baan bij een Arabische bank. Ze kochten een huis in Wandsworth. Hij werd weer een gezellige kerel.

Toen liep alles fout. Pippa zette hem de deur uit, Chris hoorde nooit waarom. De Arabische bank ontsloeg hem en het duurde vier maanden voordat hij een andere baan vond. En nu dan dit met Lenka weer.

Duncan was weer gevloerd. Dit keer wist Chris niet zeker of hij hem weer overeind kon helpen.

'Hoe is het in je nieuwe baan?' vroeg Chris, in een poging op een ander onderwerp over te gaan.

'Ach, het is werk. Ze hebben me een lijst van cliënten gegeven met wie ik contact moet opnemen en die me nooit terugbellen. Het bekende verhaal. We hebben geen product dat we kunnen verkopen en geen klanten om het aan te verkopen.'

'Hoe is je baas?'

'Hij is een vrij redelijke vent. Komt oorspronkelijk van Harrison Brothers, al heeft hij sindsdien nog andere dingen gedaan. Ik heb geen klachten. Ze betalen me.'

'Dat is goed,' zei Chris stuntelig.

Duncan keek hem aan. 'Er is iets waarover ik je mening wilde vragen.'

'O ja?'

'Een van mijn Arabische cliënten wil in wat Europese obligaties met hoog rendement investeren. Hij weet er niets over en alle grote beleggingsbanken verzekeren hem dat hun deals de beste zijn en dat de concurrentie alleen maar rotzooi is. Wij hebben niets wat we hem zouden kunnen aanbieden, maar ik zou hem graag helpen. Zou jij me misschien wat ideeën kunnen geven?'

'Lenka was de expert in dat soort obligaties, maar ik heb er een beetje van meegekregen,' zei Chris. 'Ik kan het proberen. Maar het zal wel allemaal Oost-Europees spul zijn.'

'Ga eens door,' zei Duncan.

Ofschoon hij lichtelijk geïrriteerd was omdat hij nu gratis advies moest geven, was het voor Chris een opluchting over iets anders te praten dan Duncans ellende. Hij noemde vier emissies die hem en Lenka bevielen. Duncan schreef ze gehoorzaam op de achterkant van een van zijn visitekaartjes.

'Hoe zit het met Eureka Telecom?' vroeg hij, toen Chris klaar was. 'Mijn cliënt zegt dat die sterk aanbevolen werden. Heel goedkoop, hoorde hij.'

Chris trok een gezicht. 'Daar ben ik niet zo zeker van. Wij hebben er wat, maar ik vrees dat het een specialiteit van Bloomfield Weiss is. Volgens mij kun je beter beginnen met het duurdere spul dat makelaars willen kopen. Vermijd het goedkope spul dat ze zo graag willen verkopen.'

Duncan glimlachte. 'Dat klinkt als een goed advies. Eureka Telecom is dus iets wat van Ian komt?'

Chris knikte. 'Ja. Ik ga er morgen met hem over praten.'

'Die hufter,' mompelde Duncan.

Chris trok zijn schouders op en keek om zich heen in de sombere pub. Met z'n drieën hadden ze jaren geleden hier heel wat lange avonden doorgebracht. 'Het is jammer,' zei hij.

'Je begint sentimenteel te worden,' zei Duncan. 'Ian Darwent heeft altijd goed voor zichzelf gezorgd. Hij kon heel charmant zijn als hij dacht dat wij hem van nut konden zijn, maar zo gauw hij besefte dat we niet nuttig meer voor hem waren, nam hij niet eens de moeite meer om met ons te praten.'

Chris zuchtte. 'Misschien heb je gelijk.'

Het was triest. Tien jaar geleden leken ze alle zes zo'n stralende toekomst voor zich te hebben. Zij zouden de humane beleggingsbankiers van de eenentwintigste eeuw worden. Maar zo had het niet precies gewerkt. Duncan was een mislukkeling. Bij Chris had het langer geduurd, maar ook hij was bij Bloomfield Weiss ontslagen en op een meer spectaculaire manier. Ian had niet helemaal aan de verwachtingen voldaan en hij was, zoals Duncan zei, een hufter. Alex, en nu Lenka, waren dood. Alleen Eric deed het goed, in de een of andere hoge baan voor bedrijfsfinanciering bij Bloomfield Weiss in New York.

Chris schudde zijn hoofd en keek naar zijn lege glas. 'Jouw rondje.'

2

Aan Tina's gezicht en aan de lichte trilling waarmee ze de fax vasthield, kon Chris merken dat het slecht nieuws was. De moed zonk hem in de schoenen. Hij had onderhand genoeg slecht nieuws gehad.
Ze gaf hem de fax zonder iets te zeggen en hij legde hem voor zich op het bureau.

Aan: Chris Szczypiorski, Carpathian Fund Managers
Van: Rudy Moss, vice-president, Amalgamated Veterans Life

Onderwerp: Investering in The Carpathian Fund

Bij deze deel ik je mede dat Amalgamated Veterans Life, met een opzegtermijn van 30 dagen, van plan is zijn investering van 10 miljoen euro in The Carpathian Fund te gelde te maken.

Vriendelijke groeten

Rudy Moss, vice-president

Chris ontplofte. 'Vriendelijke groeten! Verrek! Niets over Lenka. Niets over hoe het hem spijt te horen dat ze dood is, hoe hij ons wil steunen in deze moeilijke tijd.'
Tina schudde haar hoofd. 'Teringlijer, nietwaar?'
'Ja, Tina, dat is hij.' Chris greep de telefoon, klaar om tegen Rudy te gaan schreeuwen.
'Mag ik wat zeggen, Chris?' zei Tina terwijl hij driftig het nummer intoetste.
'Ja?' zei Chris en hij bracht de hoorn naar zijn oor.
'Waarom bel je hem niet over vijf minuten?'
Chris hoorde Rudy's stem aan andere kant van de lijn. Hij keek even naar Tina. Ze had gelijk. Schreeuwen tegen Rudy was niet de beste manier hem ertoe te brengen zijn geld in het fonds te houden. Hij legde de hoorn weer neer en glimlachte even tegen haar. 'Dank je.'
Tina liet hem alleen. Chris stond op en keek uit de ramen naar het keurige plein onder hem. Ondanks de kou zaten er verscheidene, goed in-

gekapselde kantoorbedienden op de banken een late lunch te beëindigen, bekeken door groepjes ratgrijze duiven.

Dit was ernstig. Tien miljoen euro was bijna twintig procent van het fonds. Het was nog erger dat Rudy's actie voor de andere beleggers een signaal zou zijn. De rest had zich stilgehouden, ze wachtten om te zien hoe Chris het zou redden. Tot op zekere hoogte zijn alle beleggers, zelfs de grootste, net schapen. De gemakkelijkste beslissing, het laagste risico, is altijd te doen wat iedereen doet. Gisteren bleef iedereen bij Carpathian. Maar morgen?

Waarom had Rudy besloten zijn geld eruit te halen? Hij kende Chris. Ze waren samen op de cursus geweest, waar Chris redelijk goed gepresteerd had. Chris herinnerde zich dat hij een hekel had gehad aan Rudy, maar hij dacht niet dat ze ooit ruzie hadden gehad. Hij haalde een paar keer diep adem, telde tot tien en belde Rudy's nummer opnieuw.

'Rudy Moss.'

'Rudy, met Chris van Carpathian.' Chris gebruikte zijn achternaam zo weinig mogelijk. Die stichtte alleen maar verwarring.

'O, hallo, Chris,' zei Rudy op neutrale toon.

'Ik heb je fax ontvangen.'

'Uh-huh.'

'En eerlijk gezegd verbaasde me die een beetje. Al onze andere beleggers hebben besloten bij ons te blijven en ik had verwacht dat Amalgamated Veterans hetzelfde zou doen.'

Aan de andere kant van de lijn was het even stil. 'Nou ja, Chris, ik zou graag bij je blijven, maar je moet begrijpen dat dit een heel belangrijke verandering is in de directie van het fonds waarover we nu praten. Diepte in een directie is altijd belangrijk voor ons. We vonden jullie tweeën al aan de krappe kant, maar nu ben jij het alleen... Ik vrees dat we daar gewoon niet mee kunnen leven.'

Wees redelijk, zei Chris tot zichzelf. Wees kalm. Probeer te ontdekken wat hem in werkelijkheid dwarszit.

'Ik kan je bezorgdheid begrijpen, en die respecteer ik. Ik ben in feite van plan zo snel mogelijk een andere ervaren beleggingspartner aan te trekken.' Dat was hij niet geweest, maar nu wel. Zolang hij Amalgamated Veterans maar in het fonds kon houden. 'Maar ik kan je verzekeren dat het fonds volkomen veilig is in mijn handen. We hebben alles geïnvesteerd. De markt ziet er op korte termijn wat zwak uit, maar we zijn vol vertrouwen dat hij zal herstellen. We verdienen veel geld voor je, Rudy, dat kan ik je verzekeren.'

'Wij?' Er klonk lichte spot door in Rudy's stem die Chris onmiddellijk op stang joeg.

'Ja, ik en mijn collega's.'
'En die zijn?'
'Ik heb hier twee assistenten.'
'Maar in feite sta jij aan het hoofd.'
'Ja, inderdaad,' gaf Chris toe. 'Maar ik zal iemand vinden om op korte termijn met mij samen te werken.'
'Ik ken jouw verleden,' zei Rudy en er kroop een onprettig ondertoontje in zijn stem.
'Wat bedoel je?' snauwde Chris.
'Ik bedoel dat ik weet hoe het met je gelopen is.'
'Heb je het nu over de reden waarom ik weg ben gegaan bij Bloomfield Weiss?'
'Ja, inderdaad.'
Chris zweeg.
'Ik vind dat ik het beter rechtuit kan zeggen,' zei Rudy. 'Dan weten we tenminste waar we aan toe zijn.'
'Je weet dat ik niet verantwoordelijk was voor dat verlies.'
'Dat zeg jij. Ik was er niet bij.'
'Je was er om de verdommenis niet bij!' snauwde Chris en hij had er direct spijt van. 'Lenka wist dat ik niet verantwoordelijk was. Zij vertrouwde me.'
'Lenka was een intelligente vrouw. Ik wil je best vertellen dat ik háár steunde toen we geld stopten in Carpathian. Nu ze er niet meer is...'
Chris haalde diep adem. 'Kan ik je op de een of andere manier nog op andere gedachten brengen?'
'Ik denk van niet.'
'En als ik nu eens in Hartford met je kom praten?'
'Dat zal niet nodig zijn.'
Chris nam een besluit. 'Ik kom naar Hartford. Dan kunnen we er verder over praten.'
'Ik zei dat dat niet nodig zal zijn,' zei Rudy ongeduldig.
'Luister, Rudy. Als jij je geld uit het fonds haalt, is dat wat jij zou noemen een "belangrijke verandering" voor mij en het is een belangrijke verandering die ik kan missen als kiespijn. Je moet een uur voor me uittrekken om erover te praten.'
Rudy zweeg even. 'Goed dan. Als je erop staat.'
'Ik sta erop. Ik zie je komende donderdag. Zullen we zeggen om twee uur?'
'Ik heb het de hele volgende week druk.'
'Hoe zit het met vrijdag?'
'Ik zei dat ik het de hele week druk heb. Ik zit van woensdag tot en met vrijdag in Californië.'

'Oké, de daarop volgende maandag dan? Ik zal er om negen uur zijn.'
'Negen uur haal ik niet. We hebben een ochtendvergadering.'
'Tien uur? Toe, Rudy, ik kom naar je kantoor en niets kan me daarvan weerhouden.'
Rudy zuchtte. 'Oké. Half elf.'
'Tot dan,' zei Chris en hij hing op. 'Klootzak,' mompelde hij.
Het ergste was nog dat Rudy niet één keer tijdens het gesprek ook maar een beetje spijt had betoond over het feit dat Lenka was vermoord. Niet één keer.
Hij trok zijn jasje aan en greep zijn overjas van de kapstok. 'Ik ga een stukje lopen,' zei hij tegen Tina en hij verliet het gebouw.
Hij stak Oxford Street over en liep al spoedig met grote stappen de brede avenue van Portland Place op. De wind sneed vochtig en kil door zijn kleren. Er lag wel geen sneeuw in de straten van Londen, maar het voelde kouder aan dan Praag.
Hij kon niet geloven dat de puinhoop bij Bloomfield Weiss hem opnieuw kwam kwellen. Waarom kon men het niet gewoon vergeten? Hij had zonder veel succes geprobeerd het uit zijn gedachten te bannen. Nu besefte hij dat het nooit zou verdwijnen. Ergens zou iemand zich altijd herinneren wat er gebeurd was en het gebruiken om hem te ondermijnen.
De onrechtvaardigheid van de hele zaak welde weer in hem op en hij voelde zijn lichaam warm worden van woede. Nu besefte hij de voordelen van een rechtszaak. Ondanks de enorme kosten en onvoorspelbaarheid ervan, kreeg je er een rechter door op wie je een beroep kon doen, een kans dat jouw versie van de gebeurtenissen in het openbaar bekend zou worden. Hij had erover gedacht naar de rechter te stappen, had zelfs een paar honderd pond besteed om er met een advocaat over te praten, maar zijn kansen op een overwinning waren klein, terwijl hij zo goed als zeker geconfronteerd zou worden met torenhoge advocatenrekeningen. Een groot risico. Nu wilde hij dat hij het toch had gedaan.
Bij Bloomfield Weiss was hij een goede dealer geworden. Je hebt twee soorten dealers: de gokkers en de percentagespelers. De gokkers nemen graag veel risico, met grote resultaten. De besten van hen kunnen verbijsterende winsten boeken, maar ze kunnen ook allemaal hoge verliezen lijden. De percentagespelers nemen graag minder risico, dat ze kunnen bevatten en overzien. Ze maken meestal kleine, maar wel veelvuldige winsten. Chris was zo'n tweede type. Hij boekte maand in maand uit winst, hij had zelden een negatieve maand. Het deed wonderen voor de afdeling en voor het budget. Op die goeie ouwe Chris kon je altijd vertrouwen om een paar honderdduizend aan het resultaat toe te voegen.

De bazen waren er dol op. Zijn directe baas, een magere, hyperactieve Amerikaan, Herbie Exler, was een gokker. Hij moedigde Chris aan steeds grotere deals af te sluiten. De logica was duidelijk. Als Chris kans zag tweehonderdduizend dollar te verdienen op een positie van honderd miljoen dollar, waarom zou je hem dan niet een positie van vijfhonderd miljoen of een miljard geven? Een beetje angstig vergrootte Chris de omvang van zijn deals. En het werkte.

Chris handelde in Europese staatspapieren. Hij kocht bijvoorbeeld honderd miljoen Duitse marken aan Duitse staatsobligaties, en verkocht een even groot aantal Franse staatspapieren, gebaseerd op de kans dat de relatie tussen beide landen zou veranderen. Chris had een uitstekend gevoel voor hoe de relaties tussen de Europese markten zich bewogen, en hij begreep de manier waarop het gewicht aan geld van de grote wereldwijde beleggers, van wie de meesten cliënten van Bloomfield Weiss waren, van het ene land naar het andere klotste.

Naarmate de Economische en Monetaire Unie naderde, domineerde één deal alle andere. Hij stond bekend als 'de convergentiehandel'. De theorie was eenvoudig, te eenvoudig. Het idee was dat, wanneer de valuta van Frankrijk, Italië, Spanje, Portugal, Duitsland en de rest werden overgenomen door de euro, en als de rentevoet voor de hele valutazone van de euro bepaald werd door de Centrale Europese Bank, dat dan de rentevoeten op de staatsschuld van die landen over het algemeen gelijk waren. Als dus de Italiaanse staatsobligaties twee procent meer opleverden dan de Duitse, dan kocht je Italië en verkocht je Duitsland, erop vertrouwend dat je op de geboortedag van de euro een aardige kapitaalwinst kon boeken, als de opbrengsten van de Italiaanse obligaties zouden zakken tot het niveau van de Duitse, en de Italiaanse obligatiekoersen zouden stijgen.

Het was een makkie. Chris handelde er met grote omvang in, net als iedereen op de markt. En buiten de markt ook. Vooral een groot hedgefonds in Greenwich, Connecticut. En dat deed het in de grootst voorstelbare omvang. Het leende vele malen zijn kapitaal om letterlijk voor miljarden dollars aan Europese staatspapieren te kopen.

Aanvankelijk ging alles goed. Gedeeltelijk als gevolg van het gewicht aan geld kwamen er voor Chris, voor het hedgefonds en voor de rest spoedig aardige kapitaalwinsten uit. Maar toen ze allemaal op zomervakantie waren, kon Rusland zijn schulden niet meer afbetalen, zodat er een rilling van angst door de financiële markten van de wereld liep. Dit had niet direct tot gevolg dat de kansen voor een monetaire unie in het honderd liepen, maar het veroorzaakte wat de markt noemde 'een vlucht naar kwaliteit'. Nerveuze beleggers schakelden over naar wat zij beschouwden als de veiligste investeringen. Ze kochten Duitse obligaties. Ze kochten geen Italiaanse, Spaanse, Portugese of zelfs geen Franse obligaties.

De niet gerealiseerde kapitaalwinsten werden niet gerealiseerde kapitaalverliezen. Theoretisch gezien zou dat geen probleem zijn geweest: naarmate de zenuwen bedaarden, zou de vroegere, onhoudbare beweging naar convergentie doorgaan. Maar Chris was nerveus. Hij wilde zijn verlies nemen en pas weer kopen als de zaken tot rust waren gekomen. Nu had hij een grote positie en het verlies zou verscheidene miljoenen dollars bedragen. In feite zou hij al zijn winst voor het hele jaar verspelen. Daarom sprak hij eerst met Herbie Exler.

Herbie was woedend. Hij had juist zijn eigen baas, Larry Stewart, verteld dat de winst van Chris tot op heden al in de knip zat. Herbies eigen bonus hing ervan af of Chris die cijfers zou halen. En het huis van twee miljoen pond in Kensington waarop mevrouw Exler haar zinnen had gezet, hing af van die bonus.

Herbie stelde voor te verdubbelen. Convergentie was onvermijdelijk, winst was onvermijdelijk, verdubbelen zou die winst verdubbelen en de bonus verdubbelen. Voor Herbie was dat zo klaar als een klontje.

De positie van Chris was al enorm. Hij wilde verkopen, niet kopen. Herbie en Chris hadden er een paar vinnige discussies over, waarbij Herbie Chris een schijterd noemde en Chris zich ook zo voelde. Later vroeg Chris zich keer op keer af waarom hij had toegegeven. Op dat moment waren er goede redenen. Herbie was zijn baas. Ofschoon Chris er zeker van was dat de deal kon mislukken, had Herbie ongetwijfeld gelijk dat er een kans was dat hij wel zou lukken. Maar er was nog een reden waarom Chris zwichtte, en wel een waarvoor hij zichzelf nooit kon vergeven. Ondanks zijn imposante verleden als dealer zag hij zichzelf nog steeds als die Poolse nieuwkomer uit Halifax, de jongen die zich met moeite de school, de universiteit en de beleggingswereld had ingewerkt en die van geluk mocht spreken dat hij zelfs maar dat werk mocht doen. Herbie Exler was een gewiekste obligatiedealer uit New York, door en door een man van Bloomfield Weiss, een koning van de markt. Op het laatste moment gaf Chris' vertrouwen toe. Er bestond geen enkel risico dat zoiets Herbie zou overkomen. Dus verdubbelden ze.

De zaken begonnen snel fout te lopen. Terwijl de rest van de markt unaniem meende dat de handel weer hun kant op zou komen, konden ze niet anders doen dan het zinkende schip te verlaten. Beleggingsbanken hadden honderden miljoenen besteed aan computersystemen die hun directies onmiddellijk konden vertellen op hoeveel niet gerealiseerde verliezen hun dealers zaten, en naarmate die verliezen aangroeiden, werd er beneden op de handelsvloer opdracht gegeven te verkopen. Dus verkochten ze. Natuurlijk maakte dat de koersen nog ongunstiger voor Chris. En voor het grote hedgefonds in Greenwich. Het had alles op deze deal gezet; het kon zich niet veroorloven eruit te stappen. Maar de makelaars die zich hadden uitgesloofd om er geld aan te lenen, struikelden nu over hun eigen benen om hun geld terug te krijgen. Ten slotte moest het hedgefonds dus toch verkopen.

Maar iedereen was aan het verkopen. Er waren geen kopers. De meest liquide markten in de wereld, die voor staatsobligaties, waren opgedroogd. Er heerste een wereldwijde crisis, die slechts werd verhinderd helemaal dol te draaien door de Amerikaanse Federal Reserve, die ervoor zorgde dat het hedgefonds werd gered door de grote internationale beleggingsbanken.

Het waren afschuwelijke dagen voor Chris. Zijn verliezen waren astronomisch groot geworden en hij kon er absoluut niets aan veranderen. Hij had niet eens kunnen verkopen als Herbie dat had toegestaan; de markt had nooit de omvang van zijn posities kunnen absorberen. Hij zat eraan vast.

Elke dag was als een nachtmerrie, de ene nog erger dan de andere. Elke avond voordat hij naar huis ging, keek hij naar het niet gerealiseerde verlies. Hij probeerde in bed niet aan de positie te denken, maar zonder succes. Hij kon zich niet langer dan tien minuten concentreren op een boek of een televisieprogramma en dan kwamen zijn verliezen ertussen. Hij probeerde zich een paar keer te bedrinken, maar dat hielp ook al niet. Het maakte alleen de morgen maar erger. Hij kwam aan zijn bureau en zag dat de markt, terwijl hij sliep, nog een paar miljoen had toegevoegd aan het al enorme negatieve bedrag op zijn positieverslag.

Wat hem nog het meest dwarszat, was zijn verlies aan controle. De markt had zich al eerder tegen hem gekeerd, maar hij was altijd in staat geweest om het verlies te nemen en opnieuw te beginnen. Dit was anders. Het was alsof hij in een snelle auto op een bergweg reed en op ijs slipte. De wagen tolde, de banden kregen geen vat en de rand van het ravijn kwam steeds dichterbij. Alleen duurde het dagen om er te komen, geen fracties van seconden.

Chris probeerde het als een beroepsman te verwerken. Van zeven uur 's morgens tot acht uur 's avonds liep hij rond met een stalen gezicht. Met moeite produceerde hij een glimlach voor iedereen die een mop vertelde of goedendag zei. Maar zo waren er maar weinigen. Iedereen wist wat er gebeurde. Ze wisten allemaal dat hij de ondergang tegemoet ging. En ze gingen hem uit de weg, alsof zijn rampzalige lot besmettelijk was.

Herbie voelde de druk zelfs erger dan Chris. Het grootste deel van de dag bleef hij op zijn kantoor, letterlijk naar de schermen starend in de hoop dat de cijfertjes zijn kant op zouden bewegen. Hij had wat vrienden bij het hedgefonds van Greenwich, die hij een paar keer per dag belde, en die voortdurend zeiden dat de deal elk moment hun kant op kon komen. Dat vertelde Herbie Chris uitgebreid, samen met Herbies vaststelling dat het toch zulke slimme kerels waren. Als Chris zijn twijfel uitsprak over de positie, gromde Herbie tegen hem dat het een geweldige deal was en dat hij dat maar beter kon geloven. Alle andere dealers die met Herbie over iets anders probeerden te praten, schoten daar niets mee op. Hij was prikkelbaar en gevaarlijk.

Chris kon niet begrijpen waarom de directie van Bloomfield Weiss de andere firma's in de markt niet was gevolgd en Herbie opdracht had gegeven de positie te verkopen. Het was waar dat Bloomfield Weiss de reputatie had meer lef te hebben dan wie ook. Chris nam aan dat hij het levende bewijs daarvan zag. Weer een vergissing.

Toen verscheen er een bericht in de *Wall Street Journal* dat Bloomfield Weiss op een verlies zat van vijfhonderd miljoen dollar. Toen Chris dat vroeg op een morgen aan zijn bureau las, wist hij dat het onjuist was. Zijn verliezen bedroegen in feite zeshonderdtwaalf miljoen dollar. Spoedig hingen makelaars, cliënten en journalisten aan de telefoon. De antwoorden waren allemaal dezelfde. Geen commentaar. Geen commentaar. Geen commentaar.

Herbie kwam binnen, ijsbeerde een tijdje om Chris heen en werd weggehaald om met zijn bazen te praten. Chris bracht een paar ellendige uren aan zijn bureau door. Hij kon niets doen. Hij kon niets zeggen. Geen commentaar.

Toen werd hij om twaalf uur ontboden bij Simon Bibby, hoofd van het kantoor in Londen. Bij Bibby waren Larry Stewart, het Amerikaanse hoofd voor vaste rente in Europa, en Herbie. Het hoefde niet te worden gezegd dat ze alle drie keken als mannen die meer dan een half miljard dollar hadden verloren.

Bibby was Engelsman, vijfenveertig en meedogenloos. Larry was meestal aardig voor Chris, maar nu leek dat anders. En Herbie had een bepaalde blik in zijn ogen. Een blik die Chris vertelde: 'Ik ga je naaien en je ontkomt me niet, probeer het dus maar niet.'

Bibby nam het woord. Hij zei dat hij met Sidney Stahl, de directievoorzitter, had gesproken, die onmiddellijke actie had geëist om de rotzooi op te ruimen. Vervolgens vroeg Bibby Chris waarom hij hen had misleid over de revaluatie van zijn positie. Eerst begreep Chris het niet. Toen werd het hem duidelijk dat Bibby te horen had gekregen dat de verliezen op hun rapporten niet echt waren, en dat ze gecompenseerd werden door te laag opgegeven winsten in posities van derivaten. Dat was niet juist en Chris begon uit te leggen waarom. Herbie kwam ertussen. Hij keek Chris recht in de ogen en zei hem dat hij door hem was misleid en dat hij daarom, zonder het te beseffen, zijn superieuren had misleid.

Chris protesteerde, maar Herbie was onvermurwbaar. Hij herinnerde hem aan gesprekken die nooit waren gevoerd en die hem veroordeelden. Toen Chris naar de andere twee keek, begreep hij het. Bibby zat woedend naar hem te kijken alsof hij een misdadiger was, maar Larry, die Chris graag mocht en vertrouwde, zat naar zijn handen te kijken die op tafel voor hem lagen, en expres niet naar Chris. Een van de vier mensen in dat vertrek zou de schuld moeten krijgen voor wat er gebeurd was. De andere drie hadden besloten dat het Chris zou zijn. De gemakkelijkste manier om dat te bereiken, was Herbies verhaal te geloven. Chris protesteerde nog een kwartier, totdat de bedrijfsjurist binnenkwam met een brief van twee kantjes. Bibby zei tegen Chris dat hij met onmiddellijke ingang was ontslagen, maar dat hij nog zes maanden salaris zou krijgen en dat Bloomfield Weiss niet naar de rechter zou stappen, zolang hij de brief ondertekende. Chris las hem zorgvuldig door. Volgens de inhoud beloofde hij over de ramp niet met de pers of met wie ook te praten, en geen juridische actie tegen Bloomfield Weiss te ondernemen. Bibby gaf hem een pen en zei dat hij, als Chris de brief niet direct ondertekende, gedwongen zou zijn de Security and Futures Authority, de waakhonden van de City, erbij te halen.

Ineens voelde Chris zich gebroken. Het was alsof hij dit moment had verwacht sinds hij voor Bloomfield Weiss was gaan werken. Hij was geen beleggingsbankier en dat had men ontdekt. Graag of niet, hij was de deal aangegaan. Hij had toegegeven aan Herbies eis te verdubbelen. Natuurlijk had hij Herbie niet misleid, of Bibby, of wie dan ook, maar het was zijn woord tegen dat van Herbie en hij wist dat Herbie zou winnen. Herbie was een meedogenloze straatvechter. Als er geen bewijs was tegen Chris, dan zou hij zou hij het verzinnen. En Bibby en Larry zouden hem geloven. Ze wilden de waarheid niet geloven; ze wilden een leugen geloven, hun loopbaan hing ervan af. Chris wist nu wat hij al lang vermoedde: hij was niet de geschikte man voor een beleggingsbank. Hij hoorde helemaal niet thuis in dat vertrek. Hij tekende.

Bloomfield Weiss vertelde niet in het openbaar dat hij bij hen zeshonderd miljoen dollar had verloren. Maar ze zeiden wel dat hij ontslagen was. Zijn naam verscheen in de Engelse pers. Journalisten wilden hem interviewen, zijn telefoon thuis ging aan één stuk over, mensen namen foto's. Hij hield zich aan de overeenkomst die hij had getekend; hij sprak met niemand. Maar hij was beroemd. Beroemd als de man die meer dan een half miljard had verloren.

Ironisch genoeg herstelde de deal zich uiteindelijk, er kwam een monetaire unie en de staatsobligaties convergeerden. Sommige mensen verdienden veel geld. Maar Bloomfield Weiss niet. Op aandringen van Sidney Stahl maakten ze hun borst nat, namen hun verlies en gingen verder. Chris probeerde hetzelfde te doen. Hij belde de headhunters weer die een jaar lang elke week bij hem aan de telefoon hadden gehangen. Ze wilden nu niets van hem weten. Niemand wilde iets van hem weten. Hij kon geen baan krijgen. Hij had waarschijnlijk meer zijn best moeten doen, maar het zat gewoon niet in hem. Hij wilde trouwens geen beleggingsbankier meer zijn. Dus gaf hij het op.

Ten slotte haalde Lenka hem er weer bovenop. Ze begonnen samen Carpathian en alles liep goed, totdat ineens, op een cruciaal moment, dat verlies hem weer parten speelde.

Alleen zou hij het dit keer niet nemen. Dat was hij Lenka verschuldigd, zo niet zichzelf.

Hij ging rechterop lopen en verlengde zijn pas terwijl hij via Harley Street terugliep naar kantoor. Hij zou proberen Rudy over te halen terug te komen op zijn beslissing. Maar als dat niet werkte, zou hij een manier bedenken om door te blijven gaan. Hij was vastbesloten dat te doen.

Terug op kantoor bekeek hij de portefeuille. Het fonds was zodanig opgezet dat er twee keuzes waren als een belegger zijn geld wilde zien: ofwel een nieuwe belegger vinden die zijn plaats kon innemen, of bezit verkopen om het nodige geld bijeen te krijgen. Een nieuwe investeerder vinden was uitgesloten zonder Lenka. Zij had de contacten en Chris zou onmogelijk iemand die hij niet kende kunnen overhalen om tien miljoen euro bij hem te investeren, als de helft van de directie vermoord was.

Hij zou dus wat obligaties moeten verkopen. Welke?

Ofschoon ze maar vijfenvijftig miljoen euro aan kapitaal beschikbaar hadden, was hun portefeuille veel groter. Ze hadden geld geleend en de mysteries van de repomarkt gebruikt om veel grotere posities op te bouwen. Het grootste deel van de portefeuille was zelfs samengesteld uit een nieuwe convergentiedeal, die door Chris werd beheerd. In theorie zouden de meeste Midden-Europese landen worden toegelaten tot de Europese Unie. Daarom had Chris staatsobligaties gekocht van landen als de Tsjechische Republiek, Polen, Estland, Hongarije en Slovenië. Hij liefhebberde ook wat in tweederangslanden. Aanvankelijk had hij geaarzeld zich in zo'n bekende positie te werken, maar Lenka had hem aangemoedigd en gezegd dat hij de beste man was die ze kende in de markt om zo'n deal te beheren, en had hem beloofd dat ze niet tussenbeide zou komen op welk moment hij er ook mee wilde kappen. Hij had diep adem gehaald en was gaan kopen.

Het ontslag van de Russische minister van Financiën had al die posities doen wankelen, maar Chris was ervan overtuigd dat ze in de grond sterk waren en hij wilde ze vasthouden.

De rest van de portefeuille bestond uit obligaties met hoog rendement, ook wel bekend als junkbonds. Lenka had er in Amerika kennis mee gemaakt en het idee was dat ze haar ervaring zou gebruiken om het kleine, maar groeiende aantal junkbonds die in Oost-Europa waren uitgegeven, zou analyseren. Veruit de grootste van die junkbondposities was Eureka Telecom. Het was ook de positie die het slechtste resultaat opleverde en die Chris het minst vertrouwde.

Telecom moest het dus worden.

Het kon een tijdje duren om de obligaties te verkopen. Daarom besloot Chris er direct mee te beginnen. Als hij erin slaagde Rudy zijn investering in Carpathian vast te laten houden, kon Chris het geld altijd nog ergens anders beleggen. Hij belde Ian.

'Hoe staat Eureka Telecom ervoor?' vroeg hij, zonder eerst zomaar wat te kletsen.

'Volgens mij staat de koers op vijfennegentig tot zevenennegentig,' antwoordde Ian.

'Vijfennegentig! Maar Lenka heeft ze verleden week a pari gekocht, nietwaar?'

'Ik weet het,' zei Ian en hij klonk wat onbehaaglijk. 'Maar de markt is geschrokken van het nieuws uit Rusland. En de laatste getallen van inschrijvers kwamen maandag binnen. Ze waren, eh, teleurstellend.'

'Slecht nieuws in de week nadat de obligatie was uitgegeven!' zei Chris. 'Stond dat niet in de prospectus?'

'Het was voor iedereen een volkomen verrassing,' zei Ian. 'Daarom heeft mijn dealer ze afgeprijsd.'

In theorie betekende dat dat Bloomfield Weiss bereid zou zijn de obligaties van Chris te kopen tegen een koers van vijfennegentig, en hem er meer zou verkopen tegen een koers van zevenennegentig. Lenka had haar vijfentwintig miljoen obligaties tegen a pari, of honderd tegen honderd, gekocht. In theorie kon Chris er tien miljoen van verkopen tegen een verlies van vijf procent, wat neerkwam op een half miljoen euro. Niet geweldig maar ook geen totale ramp. Deze investering beviel hem niet. Hij wilde ze meteen kwijt.

Het probleem was dat de junkbondmarkt niet liquide was. Dit betekende dat Bloomfield Weiss hun koers zou verlagen zodra Chris zei dat hij de hele positie wilde verkopen. Met hoeveel zou hij moeten afwachten.

'Wat zou je me betalen voor tien?' vroeg Chris.

Even was het stil in de telefoon. 'Vijfennegentig gold alleen voor een miljoen,' zei Ian.

'Oké, ik begrijp het,' zei Chris. 'Voor hoeveel kan ik nu tien miljoen verkopen?'

Nu was het lang stil. Ten slotte kwam Ian terug. 'Mijn dealer zou een opdracht willen nemen. Laten we zeggen tegen drieënnegentig?'

Chris voelde daar niets voor. Bloomfield Weiss wilde met zijn obligaties op de markt gaan venten om een koper te vinden, zonder risico voor zichzelf. Chris wilde ervan af en wel meteen.

'Nee, Ian. Ik wil een bod voor de tien miljoen.'

'Volgens mij zouden we de voorkeur geven aan een opdracht.'

'Ian, je hebt ons verleden week deze obligatie verkocht tegen vijfentwintig miljoen euro. Je moet er toch tien miljoen terug willen nemen.'

Ian aarzelde. 'Chris,' zei hij. 'Jij weet niet hoe deze markt werkt. Dit zijn geen staatsobligaties. De markt voor hoog rendement is niet liquide; dat weet iedereen. Laat ons maar met een opdracht werken.'

'Je moet me niet als een kind behandelen, Ian. Vraag je dealer voor hoeveel hij tien miljoen zou kopen. Nu.'

'Maar Chris...'

'Vraag het hem nu maar.'

'Oké.'

Hij moest een paar minuten wachten. Ian had gelijk. Chris was niet zo bekend met de markt voor junkbonds als met die voor staatsobligaties, maar hij ging Bloomfield Weiss daar niet van laten profiteren. Zij hadden Carpathian de obligaties verkocht; ze zouden ze terug moeten kopen.

'Chris?' Ian was er weer. Hij klonk aarzelend, nerveus. Chris zette zich schrap.

'Ja?'

'Als je de obligaties over de telefoon wilt verkopen, betalen we zeventig.'

'Zeventig!' schreeuwde Chris. 'Dat is absurd. Hoe kun je doen of de koers vijfennegentig is, als je maar zeventig wilt betalen?'

'We kunnen er geen kant mee op, Chris. De markt ziet er slecht uit, en iedereen is geschrokken van de aantallen intekenaars. Als we ze van je kopen, blijven we ermee zitten.'

Chris rekende snel. Tegen een koers van zeventig zou het verlies dat hij ging lijden bij de verkoop van tien miljoen, drie miljoen euro bedragen. Het ongerealiseerde verlies op de rest van de Eureka Telecom-positie zou nog eens vijf zijn. In de grond genomen zou Carpathian acht miljoen euro minder waard zijn dan een week geleden.

'Luister,' fluisterde Ian nu. 'Verkoop ze niet, Chris. Vertrouw mij. Ze zijn de moeite van het vasthouden waard.'

'Waarom?' vroeg Chris.

'Vertrouw me nu maar.'

Ian vertrouwen! Chris had een echt probleem, maar Ian vertrouwen was niet de beste oplossing. 'Stuur me het persbericht over de aantallen intekenaars. Ik moet deze deal wat nauwkeuriger bekijken. Ik spreek je morgen nog wel.'

Chris gooide de hoorn op de haak en legde zijn hoofd in zijn handen. Dit was een probleem. Een groot probleem.

De rest van de middag bracht hij door met het doornemen van de informatie in Lenka's dossier over Eureka Telecom. Het was een miskoop. Natuurlijk was het een ambitieus idee een netwerk voor mobiele telefoon op te zetten in Hongarije, Polen, de Tsjechische Republiek en Slowakije, met later de mogelijkheid van uitbreiding naar Roemenië en de Baltische Staten. De overeenkomsten en de licenties voor het netwerk waren er. Maar er was geen geld en heel weinig inschrijvers. De investeringsvereisten voor de komende vijf jaar waren torenhoog. Daar was de junkbond voor. Maar Eureka zou in achttien maanden door het opgebrachte geld heen zijn. Het was een raadsel waar het geld voor verdere belegging vandaan moest komen.

Ian stuurde per e-mail verdere informatie over de inschrijvingen. Die was teleurstellend. Voor een bedrijf dat verondersteld werd in de komende paar jaar een spectaculaire groeifase door te maken, was een vijf procent toename van inschrijvers over een periode van zes maanden een zielige vertoning. Geen wonder dat de dealer van Bloomfield Weiss zich zorgen maakte.

Chris legde de prospectus neer en keek naar Lenka's bureau. Waarom had ze het gekocht? Ze was niet van gisteren. Ze kon zien dat dit een slechte deal was. Hij was verbaasd dat ze er iets van had gekocht, laat staan vijfentwintig miljoen, bijna de halve waarde van het fonds.

O, Lenka, Lenka. Chris voelde een vlaag van woede. Ze had hem niet alleen in de steek gelaten, maar ze had hem achtergelaten met een enorme puinhoop die hij moest opruimen. Hij sloeg zo hard met zijn vuist op zijn bureau dat Ollie verschrikt opkeek.

Chris hield zijn hoofd tussen zijn handen. Waarom was Lenka weg? Hoe kon haar zoiets afgrijselijks zijn overkomen? Hij wilde haar terughebben. Nu.

'Alles goed met je?' vroeg Ollie.

Chris keek op met een geforceerde glimlach. 'Niet echt, maar dank je.' Hij keek weer naar de papieren die voor hem lagen. 'Ollie?'

'Ja?'

'Lenka heeft je zeker niet verteld waaróm ze die Eureka Telecom-deal heeft gekocht?'

'Nee. Ik vroeg het haar. Ze zei alleen dat ze er een goed gevoel over had.'

'Heb je het haar met Ian horen bespreken?'

'Niet echt. Ze hadden een paar gesprekken voordat de deal tot stand kwam. Hij heeft haar de laatste tijd nogal vaak gebeld. En toen zei Lenka eind vorige week dat ze geen verdere gesprekken meer met hem wilde voeren. Het was eigenlijk een beetje genant. Ik moest boodschappen voor haar aannemen.'

'Uh-uh,' zei Chris peinzend. 'Heeft ze gezegd waarom ze niet met hem wilde praten?'

'Nee. Ze deed er nogal nonchalant over.'

Daar dacht Chris over na. Als Lenka nonchalant deed betekende dat dat Lenka kwaad was. Misschien kwaad omdat ze een miskoop had gedaan.

'Er is eigenlijk nog iets wat ik je had willen vertellen. Over Lenka.'

'O ja? Wat dan?'

'Nou ja, op een dag vorige week, toen jij met vakantie was, kwam er iemand hier om met haar te praten.'

'Uh-uh.' Er kwamen altijd wel mensen om met Lenka te praten, of met Chris.

'Ja. Hij was geen makelaar of zoiets. Zo te zien werkte hij helemaal niet op een kantoor. Lange, magere kerel in spijkerbroek, ruime lange jas, Amerikaans accent.'

'Jong?'

'O nee,' zei Ollie. 'Oud. Wel vijfendertig.' Ollie zag hoe Chris keek. 'Nou ja, niet echt oud, maar ook niet jong. Je weet wel.'

'Oké, oké, ik weet het,' zei Chris. 'Waar spraken ze over?'

'Geen idee. Lenka nam hem mee de directiekamer in en sloot de deur. Ze waren daar ongeveer een uur. Toen hij wegging, keek hij kwaad. En zij keek echt geschokt. Ze verdween voor eeuwen in de wc.'

'Interessant. Heeft Tina die man gezien?'

'Nee. Ze was er niet, geloof ik. Ik weet nog dat ik de enige hier was, op Lenka na natuurlijk.'

Jammer, dacht Chris. Tina zou hem een veel accuratere beschrijving hebben kunnen geven van wat er was gebeurd.

'En Lenka zei daarna ook niets meer?'

'Nee. Ik probeerde met haar te praten om te zien of alles goed met haar was, maar ze zei me weg te gaan. Dus ging ik wat kopiëren.'

Het kopieerapparaat was voor Ollie een soort toevluchtsoord. Daar ging hij altijd graag heen als Lenka tegen hem schreeuwde.

'Kun je wat nauwkeuriger zijn over die man? Kleur haren, ogen, neus, gezicht?'

Ollie trok rimpels in zijn gezicht. 'Dat kan ik me maar moeilijk herinneren. Ogen? Bruin, geloof ik. Maar ze kunnen ook blauw zijn geweest. Bruine haren. Ja, absoluut bruin. Vrij lang. Stoppels – ik geloof niet dat hij zich had geschoren.'

'Daar schieten we een boel mee op,' zei Chris. 'Maar we hebben geen idee wie die man is.' Hij trommelde met zijn vingers op zijn bureau. 'Weet je nog wanneer het was?'

'Ik geloof maandag. Kan ook dinsdag zijn.'

'Laten we eens kijken.' Chris zette Lenka's computer aan en sloeg haar agenda op. Er was slechts één aantekening die niet gemakkelijk te verklaren viel. Achter twee uur op dinsdag 15 februari stond het woord 'Marcus'. Meer niet, alleen 'Marcus'.

'Weet jij wie dat kan zijn?' vroeg Chris aan Ollie.

Ollie schokschouderde. 'Er zit een Marcus Neale bij Harrison Brothers. Maar die was het beslist niet.'

'Ik vraag me af wie hij dan wel was,' zei Chris.

3

Het was acht uur en Ollie en Tina waren al naar huis, toen Chris werd gestoord door een luid gezoem. De beveiligingsman was om zes uur vertrokken en bezoekers moesten de zoemer aan de straatkant gebruiken. 'Wie is daar?'

Hij kon het antwoord niet goed verstaan, kon alleen uitmaken dat het een vrouwenstem was, maar hij drukte op de knop om de voordeur te ontsluiten en zei tegen wie het ook was naar boven te komen, naar de vijfde verdieping.

Toen hij de deur opendeed, stond daar een jonge vrouw met lang, donker krullend haar dat achter in haar hals was samengebonden, blauwe ogen, sproeten en een wipneus. Ze droeg een spijkerbroek en had twee grote tassen bij zich. Ze zag er bekend uit, maar Chris kon haar niet thuisbrengen. 'Chris?'

Ook de stem klonk bekend. Van heel lang geleden.

'Chris? Ik ben Megan. Megan Brook. De vriendin van Eric.'

'O ja, sorry. Natuurlijk.'

Nu herkende hij haar. Veel was ze niet veranderd. Ze zag er ouder uit – misschien vijfentwintig in plaats van achttien, al besefte hij dat ze dichter bij zijn eigen leeftijd van tweeëndertig moest zijn. Hij begreep niet wat ze hier deed.

Ze liep de receptie in en liet haar tassen vallen. 'Heel mooi,' zei ze en ze knikte naar de wervelende muurschildering. 'Waar is ze nu?'

Chris kon niet antwoorden.

'Vertel me niet dat ze niet hier is! We hadden afgesproken elkaar hier om half acht te treffen. Ik weet dat ik wat laat ben, maar ze had best kunnen wachten.'

'Nee, ze is niet hier.'

Megan hoorde hoe zijn stem klonk en zag zijn gezicht. 'Mijn god,' zei ze. 'Wat is er gebeurd?'

'Ze... ze is dood,' zei Chris.

'Nee.' Megan liet zich in een stoel vallen. 'Maar ik heb verleden week nog met haar gesproken. Wanneer? Wat is er gebeurd?'

'Maandag. Ze is vermoord. In Praag.'

'Vermoord? O, wat afschuwelijk.' Megans gezicht werd rood. Er welden tranen op in haar ogen. Ze sloeg haar handen voor haar gezicht.

Chris wist niet wat hij moest doen. Hij bleef gegeneerd een tijdje voor haar staan en raakte daarna haar arm aan.

'Neem me niet kwalijk,' snoof Megan. Ze haalde diep adem. 'Maar het is zo'n schok.'

'Ja, dat is het,' zei Chris. 'Voor iedereen.'

'Hoe is het gebeurd?'

'We liepen door een smalle straat. Er kwam iemand aan met een mes. Het ging heel snel.'

'Wat afgrijselijk. O, mijn god.'

'Hadden jullie nu een afspraak?' vroeg Chris.

'Ja. Ik zou een paar dagen bij haar logeren. Ik kom net uit Parijs.'

Ze zag er uitgeput uit, ze hing half in de stoel. Chris keek naar haar bagage. 'Wat ga je nu doen?'

'Ik weet het niet. Ik denk dat ik een hotel ga zoeken.'

'Kom mee naar mijn huis,' zei Chris. 'Ik heb een logeerkamer. Je kunt niet de hele avond naar een slaapplaats lopen zoeken.'

Megan aarzelde en glimlachte toen. 'Nee, dat geloof ik ook niet. Bedankt.'

Chris sloot af en ze namen voor het kantoor een taxi naar de flat in Hampstead. Megan staarde uit het raampje van de taxi naar de straten van Londen.

Chris voelde zich niet op zijn gemak. Hij vroeg zich af of hij haar wel had moeten uitnodigen bij hem te logeren. Het aanbod werd in alle oprechtheid gedaan en Megan had het geaccepteerd zoals het was bedoeld, maar ze kenden elkaar nauwelijks. Misschien veranderde ze van gedachte, nu ze zo nietsziend uit het raampje staarde. Misschien moest hij haar de kans geven eronderuit te komen: hij kon haar helpen een hotel te zoeken. Toen besefte hij dat dat nog erger zou zijn. Hij was te Engels: een Amerikaan zou geen moment aarzelen gastvrij te zijn.

Er was weinig verkeer en ze bereikten spoedig zijn flat. Hij droeg haar bagage naar haar kamer en zij volgde hem de keuken in.

'Wijn?' vroeg hij.

'Heel graag,' zei ze.

Hij trok een fles Australische rode wijn open en schonk twee volle glazen in.

'Is pasta oké voor het avondeten?'

'Je hoeft voor mij niet te koken.'

'Heb je honger?'

Megan knikte glimlachend.

'Nu dan?'

'Pasta zou geweldig zijn. Dank je.'

Chris zette een pan water op het gas. Megan nipte aan haar glas wijn en bekeek het appartement.

'Leuke flat.'

'Dank je. Je hebt geluk. De schoonmaakster is vandaag geweest.'

'Heb jij dit allemaal ingericht?'

'Ja. Of ik heb in elk geval iemand betaald om het te doen. Het is nu een paar jaar geleden.' Aangespoord door zijn eerste grote bonus bij Bloomfield Weiss had Chris een aanzienlijk bedrag besteed aan het inrichten van de flat. Binnenmuren waren gesloopt, er was parket van licht hout gelegd, de kamers opnieuw ingericht, de muren opnieuw geschilderd. Hij was er heel trots op geweest, tot de dag waarop hij werd ontslagen. Sindsdien was het gewoon een plaats geworden om te wonen. Het laatste jaar of zo had hij er zich eigenlijk een beetje voor gegeneerd. Het was gekochte smaak: veel stijlvoller dan zijn eigenaar.

'Waar is dat?' vroeg Megan en ze wees op een spookachtige zwart-wit-foto van fabrieksschoorstenen die zich vastklampten aan een onmogelijk steile heuvelhelling.

'Halifax. Daar ben ik opgegroeid.'

'Tjee. Nu weet ik wat ze bedoelen met "donkere satanische fabrieken".'

'Ze zijn niet satanisch meer,' zei Chris. 'Ze zijn al lang geleden stilgelegd. Maar ik hou ervan. Op hun manier zijn ze indrukwekkend.'

'Alex zou ze geapprecieerd hebben.'

Chris glimlachte. 'Ja, dat zou hij zeker. Ik dacht aan hem toen ik die foto kocht.'

Ze ging aan de kleine keukentafel zitten.

'Sorry dat ik je niet herkende,' zei Chris.

'Het is tien jaar geleden.'

'Maar jij herkende mij wel.'

'Ik verwachtte dat je daar zou zijn.'

'Natuurlijk. Lenka heeft me er niets van verteld dat je bij haar zou komen logeren.'

'Ik heb het haar pas vorige week gevraagd. Ik had net een beurs gekregen om zes maanden in Cambridge voor mijn dissertatie te studeren. Ik dacht eerst een week vakantie te nemen: een paar dagen in Parijs doorbrengen en dan bij haar in Londen logeren.'

Chris knipte met een schaar een plastic verpakking open. 'Dit zal niet de geweldigste maaltijd zijn die je ooit hebt geproefd,' zei hij.

'Dat kan me niets schelen,' zei Megan. 'Ik ben uitgehongerd.'

'Goed. Ik was vergeten dat jij en Lenka vriendinnen waren. Maar nu ik eraan denk; zijn jullie een paar jaar geleden niet samen op vakantie geweest?'

'Dat klopt. Naar Brazilië. Mooie vakantie was dat.'

'Ik kan me voorstellen dat er veel te lachen valt als je met Lenka op vakantie gaat.'

'Dat was ook zo.' Megan zuchtte. 'Sindsdien hebben we elkaar niet vaak meer gezien. De laatste keer was zes maanden geleden in Chicago. Ik doe mijn doctoraal filosofie aan de universiteit van Chicago. Zij bezocht een paar beleggers in haar fonds. We spraken af in een Thais restaurant in het centrum. Het was maar een paar uur...' Ze zweeg toen ze eraan terugdacht.

'Hoe zijn jullie tweeën vriendinnen geworden?'

'Het kwam daarna. Na wat er met Alex was gebeurd. Zoals je weet, voelde Lenka zich verantwoordelijk. Ze voelde zich schuldig omdat ze Alex had verleid. Ze wilde alleen maar dat Duncan haar zou opgeven. Ze dacht er helemaal niet aan dat Alex het slachtoffer kon worden, laat staan gedood. Ze moest met iemand praten. Jullie waren allemaal teruggegaan naar Engeland, dus bleven Eric en ik over.'

'Ze moet behoorlijk klem hebben gezeten.'

'Dat zat ze ook.' Megan zweeg even toen ze eraan terugdacht. 'Toen ging ik, na Georgetown, een paar jaar naar Columbia. Dat had ik geregeld om met Eric in New York te kunnen zijn, maar we gingen uit elkaar een maand voordat ik daar kwam. Lenka werkte nog aan Wall Street en we zagen elkaar vaak. We konden goed met elkaar opschieten. We waren heel verschillend, maar we lagen elkaar goed.'

'Ik weet wat je bedoelt.'

'Ze zei dat jij en zij volgens haar een goed team zouden vormen,' zei Megan.

'Dat deden we volgens mij ook. We hadden uiteenlopende zwakke en sterke punten. Maar we respecteerden elkaar. Ze had gelijk. Een goed team.'

'Lenka speelde altijd het extroverte type. Maar ze leek er de voorkeur aan te geven rustiger mensen om zich heen te hebben. Misschien om naast hen te kunnen opvallen.'

'Op haar eigen manier was ze ook een heel serieus iemand,' zei Chris.

'Je hebt haar goed gekend,' zei Megan.

'Jij ook, zo te horen,' zei Chris glimlachend.

Chris diende de pasta en de saus op, schonk nog wat wijn in en ze gingen zitten.

'Studeer je nog steeds middeleeuwse geschiedenis?' vroeg hij.

'Ja,' zei Megan. 'Jij hebt ook geschiedenis gestudeerd, nietwaar? Ik herinner me dat ik je op de boot daarmee verveelde.'

'Je hebt een goed geheugen,' zei Chris. 'Maar ik niet. Ik betwijfel of ik veel meer weet dan de Slag bij Hastings.'

'Nou ja, mijn terrein was de Karolingische Renaissance. Een paar jaar geleden ben ik een tijdje in Frankrijk geweest. Maar ik schrijf mijn dissertatie over de uitwerking daarvan op de kloosterreformatie in het Engeland van de tiende eeuw. Daarom ga ik naar Cambridge.'

Voor Chris was dat allemaal middeleeuws jargon. 'Geniet je er nog van?' vroeg hij.

'Ik heb mijn goede en mijn slechte dagen. Doceren vind ik fijn, als de studenten geïnteresseerd zijn. En de geschiedenis zelf fascineert me nog steeds. Maar ik moet mijn dissertatie afmaken voordat ik mijn doctoraal kan halen. Er is te veel druk om origineel te zijn, uiteindelijk moet je altijd een piepklein onderwerp bestuderen, gewoon omdat het zo obscuur is dat niemand anders de moeite heeft gedaan erover te schrijven.'

'Geen enkele baan is volmaakt,' zei Chris.

'In die zes maanden op Cambridge zal ik in elk geval wat tijd krijgen om behoorlijk na te denken. Daar heb ik naar uitgekeken.'

Megan viel met veel smaak op de pasta aan. Ze had honger. Toen ze klaar waren, bood Chris koffie aan, of meer wijn. Megan koos voor de wijn en Chris trok nog een fles open.

'Gewoonlijk drink ik niet zo veel,' zei ze. 'Maar ik heb het nodig.'

'Ik weet wat je bedoelt,' zei Chris. Toen ze aan de tweede fles begonnen, voelde hij iets van de druk van de laatste paar dagen van zich afglijden. Het was een schrale troost en hij zou er de volgende dag voor betalen, maar hij had het ook nodig.

'Ze was een bijzondere vrouw,' zei Megan.

'Dat was ze zeker,' zei Chris. Hij nam een slok wijn. 'Ze heeft me gered.'

'Jou gered?'

Chris knikte.

'Wat bedoel je?'

Chris staarde in het donkerrode vocht voordat hij antwoordde. Wat er gebeurd was weer ophalen was pijnlijk, maar hij wilde het doen. Hij wilde over Lenka praten.

'Wist je dat ik bij Bloomfield Weiss ben ontslagen?'

'Nee.'

'Je leest kennelijk de financiële pagina's van de kranten niet.'

'Ik kan mijn tijd wel beter gebruiken.'

Chris glimlachte. Het was waar. Er waren miljoenen mensen die nog nooit van hem of van Bloomfield Weiss hadden gehoord. De moeilijkheid was dat het nooit de mensen waren die hij om een baan vroeg.

'Wel, ik werd ontslagen omdat ik zeshonderd miljoen dollar verlies had geleden.'

Megan knipperde met haar ogen. 'Jeetje.'

'Ja. Precies. Jeetje. Er werd in alle kranten over geschreven. Het was mijn schuld niet, maar niemand geloofde me.'

'Ik geloof je.'

Chris glimlachte. 'Bedankt. Ik wilde dat ik je toen had gekend, of mensen zoals jij. Maar dat was niet zo. Iedereen die ik kende, nam aan dat het mijn schuld was.' Hij zuchtte diep. 'Ik probeerde een andere baan als dealer te krijgen. Ik was er goed in en ik dacht dat iedereen dat wist. Maar mooi niet. Twee weken nadat ik ontslagen was ging Tamara bij me weg. Herinner je je Tamara nog?'

Megan schudde haar hoofd.

'Je hebt haar een keer ontmoet. Op het feest van Eric. Eigenlijk is het wel goed dat je je haar niet meer herinnert. Hoe dan ook, toen vond ik haar geweldig. Ik dacht dat ik geluk had met haar te mogen omgaan. Toen ze me de bons gaf, nadat de City dat had gedaan, dacht ik dat ik gewoon een nul was. Ik gaf het op.' Chris keek even naar Megan om te zien of ze luisterde. Dat deed ze. Hij had gedacht dat hij over Lenka zou gaan praten, maar nu merkte hij dat het over hemzelf ging. Hij merkte ook dat hij dat wilde.

'Ik zat een paar weken te kniezen, zag niemand, behalve misschien Duncan, ik las kranten, keek naar de tv, sliep. Ik sliep veel. Toen besloot ik een wereldreis te gaan maken. Ik had nogal wat geld gespaard en ik dacht dat ik gewoon weg moest gaan. Dus kocht ik een enkele reis India.

Ik dacht dat ik altijd al naar India had gewild, al had ik nooit bedacht waarom precies. Ik hoopte dat het zou helpen mezelf te vinden als ik naar een vreemd land ging. Als ik echt geen jonge, succesvolle beleggingsbankier was, wat was ik dan wel?

India was één grote ramp. Het is een rotland om naar toe te gaan als je je alleen en ellendig voelt. Ik heb nauwelijks tegen iemand gesproken, al die tijd dat ik daar was. De Taj Mahal zag ik op een bewolkte dag en ik herinner me alleen maar hoe druk het er was en hoe moeilijk het was om een fles mineraalwater te krijgen. Ik kwam vast te zitten in een van god verlaten stadje in Rajasthan, waar het onmogelijk leek een plaats in de trein te krijgen, al stond ik nog zo lang in de rij. Ik werd ziek. Als ik eraan terugdenk, geloof ik dat het van de cola kwam. Het was in een stad die Jaipur heette. Je mocht er eigenlijk niets drinken met ijs erin, omdat dat gemaakt kon zijn van besmet water. Ik was echt ziek. Ik kon niet eten, ik had nauwelijks de kracht om te drinken en ik zat dagenlang opgesloten in een stoffig, uitgewoond hotel. Op de een of andere manier zag ik kans in Delhi te komen en een vliegtuig naar huis te nemen.

Ik was nog steeds ziek toen ik weer in Engeland aankwam. Ik kwam hier terug, ging naar een dokter, die deed een paar onderzoeken, ik kreeg wat medicijnen voorgeschreven en dook mijn bed in. Mijn moeder bleef bellen; ze maakte zich zorgen over me, maar ik zei haar dat alles goed was. Ze geloofde me niet. Op een dag stond ze ineens voor mijn deur. We hadden een fikse ruzie. Ze wilde me mee terugnemen naar Halifax, zodat ze me beter kon verzorgen, maar ik weigerde mee te gaan. Ze reed alleen en in tranen terug.'

'Waarom ging je niet met haar mee?' vroeg Megan.

'Koppigheid. Gewoon stom. Ik heb niets tegen mijn moeder. Meestal kunnen we goed met elkaar opschieten en ik ben haar veel verschuldigd. Ze heeft me grootgebracht in de overtuiging dat ik iets kon betekenen in de wereld. Ik denk dat dat mijn probleem was. Ik had mijn hele jeugd eraan besteed uit Halifax te ontsnappen en zij moedigde me aan. Teruggaan zou zoiets zijn als toegeven dat ik mislukt was. Ofschoon ik er beroerd aan toe was, wilde ik dat toch liever niet doen. Daarom bleef ik liggen lijden.

Toen belde Lenka. Ze zei dat ze wist dat ik een goede dealer was. Ze vroeg wat er gebeurd was toen ik bij Bloomfield Weiss werd ontslagen, en toen ik haar dat vertelde, zei ze dat ze al had gedacht dat het zoiets was geweest. Ze zei dat ik haar eerste keus was als partner voor een hedgefonds. Ze was niet alleen maar aardig voor me, ze had me nodig. Natuurlijk probeerde ik uit alle macht te weigeren, mezelf te veroordelen tot een eeuwige mislukkeling. Maar je kent Lenka. Wat ze wil hebben, krijgt ze ook.' Chris zweeg om zichzelf te corrigeren. 'Ik bedoel wat ze wilde...'

'Voor mij zie je er niet uit als een mislukkeling,' zei Megan.

'Nee, dat ben ik ook niet. Nu niet. Als ik tenminste Carpathian in leven zie te houden.'

'Zijn er problemen?'

Chris zuchtte diep. 'Laten we maar zeggen dat Lenka's dood complicaties heeft opgeleverd. Niets dat ik niet recht kan zetten. Ik zou er liever nu niet over denken.'

'Nou ja, veel geluk ermee.' Megan stond op. 'En nu kan ik maar beter naar bed gaan voordat ik stomdronken ben.'

'Dat is een goed idee,' zei Chris en hij kwam ook overeind. 'Luister, ik moet morgenavond naar Lenka's flat, om wat spullen uit te zoeken voor haar ouders. Zou je mee willen gaan? Je kunt hier morgenavond ook blijven, als je wilt.'

'Ik kan ook een hotel zoeken,' zei Megan.

'Weet je dat zeker? Je bent welkom, hoor.'

Ze keek hem glimlachend aan. 'Oké. Dat zou fijn zijn. Nu moet ik naar bed.'

4

Het klopte niet. Chris dronk van zijn koffie terwijl hij naar de papieren van Eureka Telecom staarde die voor hem lagen. Het eerste wat hij had gedaan toen hij die morgen op kantoor kwam, was ze nog eens doornemen, in de hoop dat het duidelijk zou worden waarom Lenka die obligaties had gekocht. Dat was niet gebeurd. Hij kon in feite maar moeilijk geloven dát ze ze zelfs maar had gekocht.

Maar dat had ze gedaan. Ze waren van Carpathian. En ze konden ze onmogelijk verkopen.

De telefoon ging over. Het was Duncan.

'Weet je nog dat je me laatst een paar tips over junkbonds hebt gegeven?' begon hij.

'Ja.'

'Nou ja, mijn cliënt is er ingedoken. Hij zei dat ze er gunstiger uitzagen dan wat iedereen hem had verteld.'

'Goed zo.'

'Denk je dat je met hem zou kunnen lunchen?'

'Duncan! Er moet hier van alles gebeuren en ik ben de enige die het kan doen, nu Lenka er niet meer is.'

'Toe nou, Chris. Die man is mijn beste cliënt. Hij is bij mij gebleven sinds United Arab International. Ik weet dat jij hem eerlijk zult vertellen wat er aan de hand is. Ik betaal wel.'

'O, goed dan,' zei Chris. 'Wie is hij trouwens?'

'Hij heet Khalid. Royal Bank of Kuwait. Slimme jongen. Onderschat hem niet. Hoe zit het met je tijd de volgende week?'

Chris sprak met tegenzin een datum af. Hij legde de hoorn neer met de gedachte dat Duncan best een goede verkoper was: hij leek de belangrijke eigenschap te bezitten mensen te laten doen wat ze eigenlijk niet wilden.

Wat ging hij nu, verdomme, doen met die Eureka Telecom-obligaties?

Hij staarde naar Lenka's bureau. Tina had wat verse bloemen in haar vaas gezet, Riddersporen of zoiets. Maar die wisten het antwoord ook niet.

Was hij de vorige week maar hier geweest. Ofschoon ze elkaar vertrouwden, besprak Lenka altijd alle belangrijke beleggingsbeslissingen met hem. Dat zou ze met deze zeker hebben gedaan. Hij had haar zijn telefoonnummer in Courchevel gegeven voordat hij ging skiën, maar ze

117

had geweigerd dat te gebruiken; ze zei dat hij het kantoor helemaal moest vergeten. Had hij ten minste maar kunnen luisteren naar haar kant van het telefoongesprek met Ian, toen ze de obligaties kocht.

Bij Bloomfield Weiss zou dat mogelijk zijn geweest. Alle telefoongesprekken werden op band opgenomen om eventuele geschillen over transacties op te lossen. Maar bij Carpathian hadden ze geen opnameapparatuur geïnstalleerd. Het bedrijf was er te klein voor en zowel Lenka als Chris waren niet bijster ingenomen met het 'Big Brother'-aspect van telefoons afluisteren. Bovendien konden ze, als er een probleem was, altijd terugvallen op de aantekeningen van de makelaar.

Dat was het!

Chris toetste het nummer van Bloomfield Weiss in.

Ian nam op. 'Wat doen de Eureka's vanmorgen?' vroeg Chris zonder verdere inleiding.

'Eén momentje.' Chris wachtte. Hij wist dat de dealer van Bloomfield Weiss hierover zou moeten nadenken. Ten slotte kwam Ian terug. 'Hij geeft negentig tot tweeënnegentig aan. Maar dat geldt maar voor een miljoen.'

'Vijf punten gezakt!' protesteerde Chris.

'Wat kan ik zeggen? Er is daar iemand flink aan het verkopen.'

'Ik snap geen zak van deze markt!'

'Ik zei je toch dat het anders was dan handelen in staatspapieren,' zei Ian en zijn stem klonk weinig meelevend.

Chris nam niet de moeite te vragen wat het bod voor tien miljoen zou zijn. Hij wist dat het antwoord lager zou zijn dan de koers van zeventig van gisteren en hij had geen zin het te horen. Het had ook geen zin naar andere firma's op de markt te gaan. Eureka Telecom was een deal van Bloomfield Weiss, en als Bloomfield Weiss de koers flink verlaagde, zou geen andere dealer die bij zijn volle verstand was, de obligaties willen kopen. Ze zouden net kunnen doen of ze een koers vaststelden, maar als Chris probeerde met zijn bod te komen, zou die onmiddellijk wegzakken. Nee, hij moest proberen met praten iets te bereiken.

'Ian, waarom sloot Lenka deze deal?'

'Vorige week zag hij er geweldig uit, voordat de cijfers bekend werden.'

'Nee, dat zag hij niet. Ik heb de prospectus bekeken. Het was een miskoop. Het is niet zo'n deal die zij zou aangaan. En zeker niet met vijfentwintig miljoen.'

'Ik weet het niet. Hij brengt drie procent meer op dan Buck Telecom.'

'Ja, maar Buck heeft al een netwerk klaar. En een kapitaal van drie miljard pond. Dit is een heel andere deal. Heeft ze niets gezegd waarom hij haar beviel?'

Ian gaf geen antwoord.

'Toe nou, Ian. Help me hiermee. Dit is een groot probleem voor mij. Lenka is dood, het is niet zo dat zij en ik erover kunnen praten.' Chris had geen scrupules om Lenka's dood te gebruiken om te krijgen wat hij hebben wilde. Het bestaan van haar bedrijf stond op het spel; hij wist zeker dat zij het niet erg zou vinden.

'Sorry, Chris. Ik heb géén idee.'

Ofschoon Ian een ervaren verkoper was, kon hij het schuldgevoel in zijn stem niet verbergen. Chris kende hem te goed. En hij wist dat hij loog.

'Ik zou graag naar de banden luisteren,' zei Chris.

'Wat?'

'Ik zou naar de banden willen luisteren waarop Lenka de obligaties kocht.'

'Toe nou, Chris. Dat is niet nodig.'

'Dat is het wel. Er is hier iets geks mee en ik wil uitvinden wat het is.'

'Maar je kunt alleen naar de banden luisteren als je de transactie in twijfel trekt.'

'Dan trek ik de transactie in twijfel.'

'Maar de zaak is al rond.'

'Ian, dit zijn speciale omstandigheden. Degene die de transactie heeft afgesloten is dood, en ik heb reden om aan te nemen dat de deal nooit is afgesloten.'

'Wat voor reden?'

'Hij klopt niet.'

'Wat is dat voor reden? Als iedereen die een obligatie kocht eraan zou gaan twijfelen als de koers zakt, zou de markt tot stilstand komen.'

Ian had gelijk, Chris had geen enkel bewijs. Maar zijn achterdocht werd groter.

'Luister, Ian,' zei hij en hij probeerde een meer verzoenende toon. 'Als er niets verkeerds is aan de transactie, dan kan het ook geen kwaad als ik naar de banden luister, nietwaar?'

'Ik heb je gezegd, het is niet nodig.'

'Ik eis ernaar te mogen luisteren.'

'Nee.'

Ian verborg iets. Daar was Chris nu zeker van.

'Geef me Larry Stewart eens,' zei Chris. Hij wist niet zeker hoe de hiërarchie bij Bloomfield Weiss in elkaar zat, maar hij wist wel dat Larry ergens boven Ian stond.

'Denk je dat hij naar jou zal luisteren?' zei Ian met iets van spot in zijn stem.

Even dreigde Chris zijn zelfvertrouwen te verliezen. Ian kende zijn reputatie. Als het ging om zijn woord tegenover dat van Chris bij Bloomfield Weiss, wist Ian vrij zeker dat hij geloofd zou worden. Toen vermande Chris zich. Larry wist dat hij drie jaar geleden niets verkeerds had gedaan. Hij durfde te wedden dat Larry in elk geval nog een vleugje menselijkheid ergens in zich had.

'Ja, Ian. Volgens mij zou Larry naar mij luisteren.'

Aan de andere kant van de lijn was het stil terwijl Ian besloot wat hij moest doen. Chris had hem!

'Chris, ik geloof echt niet dat het een goed idee zou zijn als jij naar die banden luistert.'

'Verbind me door met Larry, anders leg ik op en bel ik hem rechtstreeks.'

'Ik kan het uitleggen.'

'Ga je gang.'

'Niet hier,' fluisterde Ian. 'Laten we er later over praten. Buiten kantoor.'

'Laten we er nu over praten.'

Chris kon Ian over de telefoon horen zuchten. 'Oké. Aan het eind van Liverpool Street is een café: Ponti's. Zal ik je daar over een half uur ontmoeten?'

'Tot dan,' zei Chris.

Chris deed er twintig minuten over om er te komen, maar Ian zat al te wachten. De tien jaren na de cursus hadden hun sporen achtergelaten. Er waren rimpels in zijn gezicht gekomen, vooral een fronsrimpel tussen zijn ogen. Hij zag er nog fit uit, hij trainde vast drie keer per week in een fitnesscentrum. Hij droeg een maatpak, zijn overhemd kwam van de kleermaker, zijn das was de laatste mode van het nieuwste modehuis. Zijn haar was zwierig en goed gekapt. Hij zag er ouder uit dan zijn drieëndertig jaar en meer ervaren. De enige aanwijzing die zijn laagje elegante zelfvertrouwen tegensprak, waren zijn vingernagels, die nog steeds heel kort waren afgebeten.

Chris haalde een zwarte koffie en kwam bij hem zitten. 'En?'

Ian speelde wat met zijn lepeltje door het schuim op zijn cappuccino. Hij roerde het bruisende mengsel een tijdje voordat hij antwoord gaf. Ten slotte keek hij Chris strak aan.

'Lenka en ik gingen met elkaar om,' zei hij eenvoudig. 'Daarom wil ik niet dat je de band afluistert.'

'Met elkaar omgaan? Wat bedoel je: jullie gingen met elkaar naar bed?'

'Noem het zoals je wilt. We deden het.'

'Dat kan ik niet geloven,' zei Chris.

Ian trok zijn schouders op.

'Maar waarom zou Lenka...'

Ian fronste zijn wenkbrauwen. 'Toen nou, Chris. Er zijn een boel vrouwen die mij niet zo onaantrekkelijk vinden.'

'Ja, maar Lenka?'

'Je weet dat ik haar altijd graag mocht. Naar blijkt mocht zij mij ook.'

'Nee.'

'Hou op met dat te zeggen!' snauwde Ian. 'Zij en ik hadden een relatie, oké? Nu hebben we dat niet meer omdat ze dood is. Begrijp je dat?'

'Sorry,' zei Chris. 'Hoe lang heeft dit gespeeld?'

'Niet lang. Weet je nog dat we vorige maand in Barcelona die Europese conferentie over hoog rendement hadden? We raakten beiden een beetje dronken. Toen begon het.'

'Was het serieus?'

'Niet echt. Maar het was niet helemaal zonder betekenis. Het was gewoon leuk. Ik wist dat het geen zin had serieus te worden met Lenka.'

'Nee,' zei Chris. Lenka werd nooit serieus met iemand. Hij probeerde zich te herinneren of Lenka hem ooit een aanwijzing had gegeven dat zij en Ian een relatie hadden. Niets. Ian had haar de laatste weken wat vaker gebeld, maar Chris had altijd aangenomen dat het over zaken ging. Het was kennelijk iets meer geweest.

'En dat blijkt uit de band?'

'Waarschijnlijk. Ik heb niet naar dat bepaalde gesprek geluisterd, maar er staat waarschijnlijk iets op dat erop wijst dat we meer hadden dan een zakenrelatie.'

'Oké. Laten we er dan naar luisteren,' zei Chris. 'Alleen jij en ik.'

'Dat kunnen we niet doen,' zei Ian. 'Er moet ook zo'n flapdrol van informatietechnologie bij zijn. Om te zorgen dat niemand met de opname knoeit.'

'Goed dan. Dan nemen we die flapdrol van IT op de koop toe.'

'Toe nou, Chris.'

'Ik begrijp waarom je me wilde waarschuwen. En ik begrijp helemaal waarom je wilt dat niemand anders het hoort. Maar ik wil naar de banden luisteren. Nu meer dan ooit. Ik wil weten waarom Lenka die obligaties kocht, en het feit dat jij en zij samen iets hadden, maakt me nog wantrouwiger.'

Ian zuchtte. 'Ik dacht al dat je dat zou zeggen. Blijf hier twintig minuten terwijl ik ze opzoek.'

'Nee,' zei Chris. 'Bel de man maar die je nodig hebt op je mobiel. Dan gaan we samen luisteren.'

'Vertrouw je me niet?' vroeg Ian.

'Nee,' zei Chris. 'Ik vertrouw je niet.'

Chris liep achter Ian aan via Broadgate Circle naar de ingang van Bloomfield Weiss. Ze liepen langs de ijzeren fallus van zeven meter die buiten in een schuine hoek stond te roesten. Hij leek precies bij de firma te passen. Chris huiverde even toen hij het plompe, met marmer beklede gebouw binnenging; hij was hier niet meer geweest sinds die afschuwelijke dag drie jaar geleden.

Ze namen de lift naar de derde verdieping, liepen snel door een bedrieglijk rustige receptie en betraden een van de grootste handelsruimten van Europa. Chris probeerde recht voor zich uit te kijken terwijl hij Ian volgde, die zich een weg baande tussen de bureaus door, maar hij zag onwillekeurig toch wat er om hem heen gebeurde. De bekende kreten, de drukte, het vloeken, de schermen en het papier. Overal papier. Sommige gezichten herkende hij, maar de meeste niet. Personeel wisselt snel in beleggingsbanken; dealers komen en gaan. Hij zag zijn eigen bureau, nu ingenomen door een jongeman die geen jaar ouder leek dan twintig en die achterover leunde in zijn stoel met de telefoon tussen hoofd en schouder geklemd. Bij de muur aan de overkant van het vertrek zag hij Herbie Exler. Ze keken elkaar even aan. Een opwelling van pure walging liep door zijn lijf, hij werd erdoor verrast en kreeg aandrang over de bureaus heen te springen, het hoofd van de kleine Amerikaan te grijpen en het in een scherm te rammen.

'Schiet op,' zei Ian. 'Maak nu geen spektakel. Laten we dit afwerken.' Hij loodste hem naar een vergaderzaal in de verste hoek.

'Dit is Barry,' zei Ian en hij stelde Chris voor aan een magere man met een kaalgeschoren hoofd die voor een computerscherm zat. 'De zaken zijn veranderd sinds jij hier was. Alle banden worden nu door de stem op gang gebracht; het zijn in feite geen banden meer. We nemen op een schijfje op. Barry zal moeten luisteren naar alles wat gezegd wordt. Maar maak je geen zorgen, hij zal alles voor zich houden, nietwaar Barry?'

Ian zag kans die laatste woorden behoorlijk dreigend te laten klinken. Barry leek er zich niets van aan te trekken. 'Jazeker, Ian,' zei hij.

Hij gaf Ian een logboek dat hij moest tekenen en tikte een opdracht in de computer. Barry en Ian zetten een koptelefoon op en luisterden; ze speelde de opname voor- en achteruit totdat ze het gesprek vonden. Chris kon daarover niet klagen. Het zou ondenkbaar zijn dat Ian hem liet luisteren naar een gesprek met een andere cliënt.

Na ongeveer vijf minuten waarin Chris onbehaaglijk en nerveus afwachtte, stak Ian zijn hand op. 'Ik geloof dat ik het heb gevonden.'

'Oké,' zei Chris. 'Laat maar eens horen. Maar ik wil wel het hele gesprek.'

'Oké, oké,' zei Ian. Hij zette zijn koptelefoon af en klikte een schakelaar om. In de vergaderzaal klonk hard het geluid van Lenka's stem. Haastig draaide Ian het geluid zachter en controleerde of de deur gesloten was. 'Hai, schat, hoe is 't met je?'

Schat! Ze noemde hem 'schat'. Voor het eerst besefte Chris hoe moeilijk dit zou gaan worden. Lenka kon tegen Ian zeggen wat ze wilde, zonder bang te zijn dat ze werd afgeluisterd. Chris was op vakantie en Ollie en Tina waren vast te ver weg en te druk om het te horen.

'Oké,' lijsde Ian. 'Ik voel me echt lekker.'

'Na afgelopen nacht verbaast het me dat je nog op kantoor kon komen,' zei Lenka, met die ondeugende lach die Chris zo goed kende. Hij keek snel even naar Ian.

Ian schokschouderde. Barry staarde strak naar het computerscherm. Ofschoon hij probeerde zich in te houden, geneerde Ian zich duidelijk. 'Je vroeg erom,' zei hij.

Dat had Chris gedaan. Hij haalde diep adem en luisterde.

'Ik heb meer uithoudingsvermogen dan jij denkt,' zei Ian vanuit de luidspreker.

'Och, toe nou!' zei Chris en hij rolde met zijn ogen, zowel verlegen als kwaad.

Ian negeerde hem. Maar op de band zei hij: 'Heb je nog nagedacht over Eureka Telecom?'

'Ja. Ik denk dat ik er vijfentwintig neem. Zal het moeilijk zijn die te krijgen?'

'Voor jou is alles mogelijk,' zei Ian.

'Serieus. Bestaat er kans dat ze me zullen korten?'

'Nee. De deal loopt niet zo verschrikkelijk goed.'

'Hoe zit het met die overname?' Chris spitste zijn oren. Ian zag zijn reactie.

'Niemand anders weet er iets van.'

'Maar het past duidelijk in elkaar, nietwaar?'

'Volgens mij wel,' zei Ian. 'Radaphone moet zijn Midden-Europese netwerk invullen. Eureka heeft alle overeenkomsten afgesloten. Radaphone hoeft hen alleen maar te kopen.'

'En dan bezit ik Radaphones kredietrisico tegen een opbrengst van twaalf procent.'

'Precies.'

'En je weet zeker dat die overname zal plaatsvinden?'

'Ik heb een week met die kerels doorgebracht toen ze onderweg waren. Je leert mensen kennen. Ze denken dat het zal gebeuren en wel gauw. Vertrouw je me niet?'

'Natuurlijk vertrouw ik jou,' zei Lenka. 'Weet je waarom?' Die ondeugende klank kroop weer in haar stem.

'Waarom?'

'Omdat ik, als je tegen me liegt, er persoonlijk voor zal zorgen dat jouw Jantje nooit meer ergens voor gebruikt kan worden.'

Ofschoon dit als een dreigement was bedoeld, klonk het zoals Lenka het zei meer als een uitnodiging. En Chris kon wel raden wat Ians 'Jantje' was.

'Zo, dat is iets wat ik niet graag zou zien gebeuren,' zei Ian. 'Dus volgens mij zit jij op rozen.'

'Goed dan,' zei Lenka, ineens zakelijk. 'Noteer mij maar voor vijfentwintig.'

'Oké. Morgenmiddag stellen we de koers vast. Dan zal ik bevestigen dat je alle vijfentwintig hebt. Zie ik je vanavond nog?'

'Veelvraat,' zei Lenka. 'Ik heb het druk.'

'Druk? Wat doe je dan?' zei Ian en er leek een vleugje jaloezie in zijn stem door te klinken.

'Dat zou je graag willen weten, hè?' zei Lenka en ze legde op.

Chris en Ian keken elkaar aan. Lenka zo te horen praten was voor hen beiden moeilijk geweest. Maar wat zij had gezegd interesseerde Chris. Geen wonder dat Ian hem de banden niet had willen laten afluisteren. Het ging niet alleen om het bekend worden van hun relatie. Het maakte ook duidelijk dat Ian Lenka in feite vertrouwelijke informatie had gegeven.

Radaphone was een van de grootste Europese netwerken voor mobiele telefoons. Als zij Eureka Telecom kochten, zou de koers van de obligaties omhoogschieten. Carpathian zou snel een aardige winst maken op vijfentwintig miljoen euro. Lenka had het hem al gezegd toen ze hem vanuit Praag belde; er zat een verhaal aan vast.

Chris keek naar Barry. Zijn oren waren tijdens het gesprek steeds roder geworden. Chris herinnerde zich hem vaag. Hij was een IT-kerel in hart en nieren. Misschien had hij de mogelijkheid opgepikt dat Ian te veel informatie aan Lenka had gegeven, maar hij zou veel meer geïnteresseerd zijn in de aard van de relatie tussen haar en Ian. De roddelmachine van Bloomfield Weiss zou volop vers materiaal hebben voordat deze dag voorbij was. Vervelend.

'En?' zei Chris nadat Barry de zaal had verlaten.

'Wat kan ik zeggen? Ik geneer me.'

'Niet dat. Radaphone.'

'O. Radaphone.'

'Zal Radaphone Eureka Telecom overnemen?'

Ian zweeg lange tijd voordat hij antwoordde. Ten slotte leek hij een besluit te nemen. 'De mogelijkheid bestaat.'

'Maar nog niets van te merken?'

'Helemaal niets.'

'Heb je concrete bewijzen voor een overname?'

'Je hebt de opname gehoord,' zei Ian. 'Het is alleen een veronderstelling.'

'Je hebt geen directeuren van Radaphone met iemand van Eureka Telecom zien praten?'

Ian schudde zijn hoofd.

'Hoe zit het met jullie eigen bedrijfsfinanciële jongens?'

'Als zij iets weten, zou ik het niet te horen krijgen, dat weet je. Chinese muren en zo.'

'Ze heeft dus gewoon op een ingeving van jou vertrouwd?'

Ian glimlachte. 'Zo te zien wel.'

Chris had er genoeg van. Lenka's dood, Rudy's eis om zijn geld terug te krijgen, de val van de koers van Eureka Telecom, zijn aanwezigheid op de handelsvloer van Bloomfield Weiss en nu de ontdekking dat Ian en Lenka een affaire hadden, dat alles gecombineerd viel in zijn binnenste in een diep gat en veroorzaakte een opwelling van walging.

'Je hebt tegen haar gelogen, nietwaar?' mompelde hij tussen zijn opeengeklemde tanden door.

'Wat bedoel je?'

'Omdat ze met jou naar bed ging, verkocht je haar een berg rotzooi en ging je met de eer van de verkoop strijken. En nu ze dood is, denk je dat er geen verhaal gehaald zal worden.'

'Dat is helemaal niet waar.'

'Wat is hier aan de hand?' blafte een schelle stem achter Chris. Hij herkende hem. Herbie Exler.

Chris keerde zich om en keek zijn vroegere baas aan. 'Jij hebt hem waarschijnlijk hiertoe opgezet,' zei hij en hij kwam overeind. 'Nou ja, je kunt wat mij betreft met Eureka Telecom naar de klote lopen. Jullie allebei.'

'Donder op!' siste Exler. 'Donder nu meteen op. Ik wil jou nooit meer zien in dit gebouw.'

'Ik ga al,' zei Chris, hij verliet de vergaderzaal en liep langs de starende gezichten van honderd verkopers en dealers de lift in.

5

Megan wachtte hem op in de Drayton Arms met een pint donker bier voor zich. Chris mocht het wel zoals Amerikaanse vrouwen bier bestelden; ze dachten dat het een Engelse gewoonte was en het scheen hen niets te deren dat het misschien niet ladylike was.

'Sorry dat ik zo laat ben,' zei hij. 'Ben je hier al lang?'

'Tien minuten.'

'Zo, laat ik er eerst zelf een gaan halen.'

Hij kwam terug van de bar en nam een flinke slok. 'Daar was ik aan toe.'

'Het smaakt lekker,' zei Megan.

'Ik ben blij dat je ervan houdt. Heb je een goede dag gehad?'

'O ja. Ik ben naar de Tate Modern geweest. En de Wallace Collection. En de ICA.'

'Allemaal op één dag?'

'Wat zal ik zeggen? Ik houd van kunst. Londen heeft veel kunst. Hoe was jouw dag?'

'Verrek,' zei Chris hoofdschuddend. 'Het was een vrij afschuwelijke dag. Ik heb ruzie gemaakt met iemand. En ik geloof dat ik mijn enige kans heb verprutst om een rampzalige obligatiepositie kwijt te raken.'

'O,' zei Megan.

'Sorry,' zei Chris glimlachend. 'Het is niet mijn bedoeling jou te belasten met mijn werkproblemen. Maar misschien vind je het interessant. Herinner je je Ian Darwent nog?'

'Hij was bij ons op de boot, nietwaar? Hij sprong Alex na in zee. Engels. Rustig. Vrij knap.'

Chris kromp ineen. 'Dat zou ik niet weten. Maar zo leek Lenka erover te denken.' Hij vertelde wat hij had ontdekt.

Tot zijn grote teleurstelling leek Megan niet verrast.

'Vind je het niet vreemd dat zij en Ian met elkaar naar bed gingen?' vroeg hij haar.

'Niet echt. Je kent Lenka,' zei Megan. 'En ik herinner me Ian.'

'Ik weet eigenlijk niet zoveel over die kant van haar leven. Ze heeft er met mij niet over gesproken. Ik heb er niet naar gevraagd.'

'Waarschijnlijk verstandig.'

Maar nu kon Chris zijn nieuwsgierigheid niet langer bedwingen. 'Ze ging dus met jan en alleman naar bed, nietwaar?'

'Dat zou niet eerlijk zijn,' zei Megan. 'We hebben wel een paar keer over mannen gesproken, vooral toen we op vakantie in Brazilië waren. Ze zei dat ze soms maandenlang geen seks had en daarna had ze dan twee of drie mannen achter elkaar. Ze hield van mannen en ze hield van seks, maar ze had een hekel aan het idee zichzelf vast te leggen. Ik denk dat je kunt zeggen dat ze verward was. En soms koos ze de vreemdste kerels. Ian is helemaal niet zo eng als sommigen van hen, dat weet ik zeker.'
Chris schudde zijn hoofd. 'Ik ben blij dat ik dat allemaal niet wist.'
Megan keek hem strak aan boven haar bier. 'Hoe zit het met jou en Lenka?'
'Wat bedoel je?'
'Het spijt me,' zei Megan. 'Ik wilde niets suggereren. Het komt alleen omdat jullie elkaar duidelijk graag mochten, en...'
'Het is niet erg. We mochten elkaar inderdaad graag. En ik kan niet ontkennen dat ik haar een aantrekkelijke vrouw vond. Maar op de een of andere manier heb ik daar nooit over gedacht. Ik zag haar als een goede vriend. Ik heb altijd aangenomen dat ze helemaal mijn type niet was. Als ik iets had geprobeerd en ze had me afgewezen, zou dat verschrikkelijk zijn geweest. En nog erger, als we met elkaar waren omgegaan, zou het niet lang hebben geduurd en dan had ik een goede vriend verloren. Nee, het was veel beter zoals het was.'
'Misschien.' Megan keek Chris nauwlettend aan.
'Heeft Lenka iets gezegd over haar relatie met Ian?' vroeg hij en hij voelde zich onbehaaglijk onder haar blik.
'Nee. Ik heb alleen verleden week even met haar gepraat. Het kwam niet ter sprake. Ze klonk overigens wel een beetje gespannen.'
'Gespannen?'
'Ze zei dat er iets was gebeurd waarover ze met mij wilde praten als ik kwam logeren. Ze zei niet wat het was.'
'Je hebt helemaal geen idee? Had het iets met het werk te maken?'
'Ik weet het niet. Ik was natuurlijk nieuwsgierig, maar ik dacht dat ik alles wel zou horen als ik hier was.'
'Hmm. Heeft ze het met jou over Eureka Telecom gehad?'
'Nee.'
'Of over een man die Marcus heet?'
'Marcus? Nee. Wie is dat?'
'Een lange, magere Amerikaan die haar verleden week op kantoor kwam opzoeken. Hij heeft Lenka kennelijk erg ongerust gemaakt. Maar ik heb geen idee wie hij is.'
'Ik ook niet.'
Chris staarde peinzend in zijn bierglas. 'Er was iets aan de hand,' zei hij.

Hij keek naar Megans glas. Het was bijna leeg. 'Kom,' zei hij. 'We kunnen maar beter eens in haar flat gaan kijken.'

Lenka had op de eerste verdieping gewoond van een elegant, witgestuct huis, ondersteund door twee pilaren, in Onslow Gardens. De Tsjechische politie had de sleutel uit haar handtas gehaald en haar ouders hadden Chris gevraagd haar spullen te doorzoeken en alle persoonlijke zaken op te sturen. Ze zouden veel moeten doen. Chris vertrouwde op een behulpzame buur.

Hij ontsloot de deur voor zichzelf en Megan. Op een vensterbank in de gang lag een keurige stapel post voor Lenka. Chris nam hem mee naar boven. Haar deur ging gemakkelijk open. Het leek alsof ze voor een dag weg was geweest, niet voor een week. De verwarming brandde nog. De flat was wat slordig, maar geen complete chaos. Haar bed was opgemaakt. Er lag een briefje van 'Adriana' voor 'juffrouw Lenka' waarin stond dat ze nog twintig pond kreeg voor woensdag. Ongetwijfeld de schoonmaakster. Het appartement was een allegaartje van meubilair, dingen die ze in de hele wereld had gezien en die ze gewoon niet had kunnen laten staan. Ze vormden een niet onplezierige warboel. Sommige spullen, zoals een stel houtgesneden olifanten uit Afrika van meer dan een halve meter hoog, en een grote, ingewikkeld gedecoreerde tafel van ergens uit Azië, waren nogal opvallend.

Verder had je haar kleren. Ze leek er kilometers lange rijen van te hebben, in garderobes, ladekisten, grote kasten, hutkoffers. Vele jaren bonussen van Bloomfield Weiss waren besteed aan de mode-branche. En schoenen. Er moesten wel honderd paar zijn. Het was een verbijsterend gezicht.

'Daarmee vergeleken ziet mijn kleerkast eruit als een uitdragerij,' zei Megan.

Chris zocht in haar bureau, dat in een soort werkkamer stond naast de woonkamer. Het was een groot meubelstuk van pijnhout, bedekt met papieren en met een computer erop. Chris haalde diep adem. Hij zou die hele zaak moeten onderzoeken. Hij wilde het niet. Lenka's flat doorzoeken had niet op een inbreuk geleken, en dat had het zich vergapen aan haar massale collectie kleren ook niet. Maar haar papieren nakijken? Hij wilde ze daar liever onaangeraakt laten liggen.

Maar er moest iets mee gebeuren. Het Tsjechische equivalent van een document over haar nalatenschap kon ertussenliggen. Iemand zou haar bezittingen moeten uitzoeken. Mijn god, misschien was er ergens wel een testament. Vervolgens zouden er rekeningen zijn, huur, creditcards, bankafschriften. Chris zonk de moed in de schoenen. Misschien was het voldoende als hij alles in een doos stopte en naar de Tsjechische Republiek stuurde.

'Zou je me hiermee willen helpen?' vroeg Chris.

'Oké,' zei Megan. 'Ik zal de papieren op stapeltjes leggen. Lees jij ze maar.'

Ze werkten twee uur lang en raakten steeds meer gedeprimeerd. Ze vonden geen testament of bewijsmateriaal van beleggingen, maar wel een groot kredietbedrag op een lopende rekening bij US Commerce Bank. Zoals veel beleggingsbankiers vocht Lenka bij haar werk tot het uiterste om een honderdste van een basispunt, maar liet ze honderdduizend pond van haar eigen geld rustig op een rekening met lage rente staan.

Om tien uur rekte Chris zich uit. 'Luister, waarom houden we er nu niet mee op? We kunnen dit niet allemaal doen. Ik zal haar ouders in een brief vermelden wat we tot dusver hebben gevonden en voorstellen dat ze dit allemaal laten uitzoeken door een notaris.'

'Vind je niet dat we daarin moeten kijken,' zei Megan en ze knikte naar de computer.

'Maar dat is privé,' zei Chris.

'Wat denk je dan dat die boel hier is?' vroeg Megan en ze wees naar de bergen papieren die nu netjes lagen opgestapeld.

'Ja, je hebt gelijk. Vooruit dan maar. Laten we maar eens kijken.'

Megan zette het apparaat aan. Deskundig keek ze de index na. Daar stond heel weinig in. Nogal wat tekstverwerkingsdocumenten, vele in het Tsjechisch. Geen andere software, geen spelletjes, geen privé-financiën, geen programma met een testament. Maar er was wel e-mail.

'Laten we eens kijken.'

Megan leek geen moeite te hebben de internetsoftware te besturen. Ze vond een lijst met de meest recente e-mailcorrespondentie. De namen waren fascinerend. Sommige waren aan Ian gericht. En een aan 'Marcus'.

'Daar!' riep Chris uit en hij wees ernaar. 'Open die eens!'

'Nee. Laten we het in chronologische volgorde doen. Dat is verstandiger.'

Ongeduldig bekeken ze vluchtig een tiental e-mails, de helft ervan in het Tsjechisch, totdat ze er een vonden van Lenka aan Ian:

Ian
Ik kon vannacht niet slapen. Ik geloof dat ik Marcus over Alex moet vertellen. Hij heeft het recht het te weten. En ik moet met Duncan praten.
L

Het antwoord van Ian was kort:

Doe dat niet! We moeten praten. Doe in godsnaam niets stoms.
Ian

Toen kwam er, direct daarna, een e-mail aan de mysterieuze Marcus. Als onderwerp stond er eenvoudig boven *Alex.*

Marcus
Het spijt me dat ik gisteren grof tegen je was. Zoals je je kunt voorstellen, is het voor mij een moeilijk onderwerp. Ik heb iets belangrijks wat ik je moet vertellen over de dood van Alex, maar dat zou ik je persoonlijk willen zeggen. Begin volgende maand reis ik naar New York, dus misschien kunnen we elkaar dan spreken.
Vriendelijke groeten
Lenka

Er was een kort en krachtig antwoord.

Ik zal je bellen
Marcus

'Laten we die printen,' zei Chris.
Terwijl een kleine printer naast het apparaat van Lenka begon te ratelen, klikte Megan op de laatste e-mail die Lenka had ontvangen. Ze opende hem:

Lenka
Ik zie je donderdag om half acht. Ik kan niet wachten. Het wordt te gek!
Megan

'Dat heb ik verleden zondag geschreven. Het lijkt een heel leven geleden.' Ze knipperde een traan weg.
'Dat was het,' zei Chris.
Megan snoof en depte haar ogen. 'Wie kan die Marcus nu zijn?'
Chris schudde zijn hoofd. 'Uit een e-mailadres kun je niet veel opmaken. Hij kan overal vandaan komen. Ik vraag me af wat ze hem over Alex wilde vertellen?'
'De waarheid waarschijnlijk,' zei Megan. 'Dat Duncan hem in zee heeft geslagen. Maar ik vraag me af waarom ze dat wilde doen. We hebben allemaal afgesproken dat we niets zouden zeggen en ik dacht dat iedereen zich daaraan had gehouden.' Ze keek Chris vragend aan.
'Voor zover ik weet wel,' zei hij. 'Ik dacht dat dat allemaal begraven was.

En ik dacht dat Lenka er al evenzeer op was gesteld het te begraven. Het is vreemd dat zij degene is die het wil vertellen en dat Ian degene is die het stil wil houden. Ik zou gedacht hebben dat het risico Duncan in de problemen te brengen hem niets zou kunnen schelen.'

'We zouden allemaal in de problemen komen,' zei Megan. 'We hebben gelogen tegen de politie. Dat is tegen de wet.' Ze fronste haar voorhoofd. 'Grote problemen.'

Chris zuchtte. 'Nou ja, wie die Marcus ook is, hij wil weten wat er gebeurd is.'

Hij ging voor het toetsenbord zitten en begon te schrijven:

Marcus
Ik ben een collega van Lenka. Ik heb heel slecht nieuws. Lenka is afgelopen maandag in Praag vermoord. Misschien kan ik je helpen met de dood van Alex. Neem alsjeblieft contact met me op, op chrissz@interserve.net.
Groeten
Chris Szczypiorski

Hij keek naar Megan, die knikte, en vervolgens klikte hij op *verzenden*. 'Zo. Nu hoort hij zich te identificeren.' Hij gaapte en rekte zich uit. 'Laten we maar gaan. Ik geloof niet dat we hier nog veel meer kunnen doen.'

Hij zette de computer uit, pakte de kleine stapel papieren die ze hadden uitgezocht, zette de thermostaat voor de verwarming lager en deed het licht uit. Ze verlieten de flat.

Chris keek op zijn horloge. Tien voor half elf. 'Verdomme,' zei hij 'Ik had met een van de buren willen praten. Maar het is nu te laat om hen nog lastig te vallen.'

Maar ze hadden geluk. Juist toen ze bij de voordeur waren, ging die open. Er kwam een man met een bril op in een elegante overjas binnen, in een wasem van alcohol. Hij keek hen nieuwsgierig aan.

'Hallo,' zei Chris.

'Hallo.'

'Woont u hier?'

'Ja, inderdaad. Kan ik u helpen?'

Hij was een Amerikaan, zowat vijfendertig, een beetje te zwaar, met een vriendelijk gezicht.

'Hebt u Lenka Němečková gekend?'

'Jazeker. Ik woonde in het appartement boven haar.' Toen kneep hij zijn ogen halfdicht. Hij had in de gaten gekregen dat Chris in de verleden tijd sprak. 'Wat mankeert er?'

'Ik vrees dat ze vermoord is. In Praag. Wij zijn vrienden van haar.' Chris stelde zichzelf en Megan voor.

De Amerikaan was verbijsterd, net als zoveel mensen als Chris het nieuws vertelde.

'Haar ouders hebben me gevraagd voor haar spullen te zorgen,' zei Chris. 'Ze hebben me de sleutel gegeven. Kunt u een oogje op haar flat houden? Belt u mij als er iets mis is.'

Chris gaf hem zijn kaartje. De Amerikaan nam het aan en keek somber naar wat erop stond. 'Ik kan het niet geloven,' zei hij.

'Misschien kan ik uw nummer krijgen?' vroeg Chris.

'Ja natuurlijk,' zei de Amerikaan en hij gaf Chris zijn eigen kaartje. *Richard H. Storebrand, vice-president*. Hij werkte voor een van de grote Amerikaanse bedrijven voor investeringsbeheer.

'Dank u. O, tussen haakjes, hebt u misschien verleden week iets vreemds gezien? Onbekende bezoekers, zoiets?'

'Nee, ik geloof van niet,' zei hij. Toen fronste hij zijn voorhoofd. 'Er hing hier vaak een kerel rond. Hij leunde altijd tegen de lantaarnpaal aan de overkant van de straat. Hij was een beetje griezelig. Hoe dan ook, een paar weken geleden kwam ik hier terug en ik liep Lenka tegen het lijf. Hij stak de straat over naar haar toe. Ze zag hem, duwde mij het gebouw in en sloot de deur achter zich. Die kerel belde aan en schreeuwde tegen haar. Ze zei me dat ik niet op hem moest letten en liep de trap op naar haar appartement. Sindsdien heb ik hem hier niet meer gezien.'

'Zag ze er bang uit?' vroeg Chris.

'Nee. Eerder nijdig. Maar ik denk dat zo'n meisje eraan gewend raakt dat er kerels om haar heen hangen.'

'Was die man Amerikaan?'

'Nee, ik geloof van niet. Maar hij had wel een soort accent. Iers of Schots, geloof ik. Ik ben daar niet echt goed in.'

'Hoe zag hij eruit?'

'Grote kerel. Rood haar, nogal verward. Droeg een pak. Hij zag er respectabel uit, niet echt als een engerd, maar hij bleef daar maar rondhangen.'

Duncan.

'Bedankt,' zei Chris glimlachend. 'Laten we contact houden, oké?'

De man knikte afwezig. 'Lenka. Ik kan het niet geloven.'

Chris en Megan lieten Richard H. Storebrand, vice-president achter, hoofdschuddend over de gruwelen van deze wereld.

Toen ze terugkwamen in de flat van Chris, knipperde het lampje op zijn antwoordapparaat. Chris duwde op de knop.

132

'Hallo, Chris, met Eric. Ik heb gehoord over Lenka. Ik vind het heel erg. Volgende week ben ik een paar dagen in Londen. Zondag kom ik aan. Zou je zondagavond iets met me willen komen drinken in mijn hotel? Zullen we zeggen zeven uur? Ik logeer in het Lanesborough. Laat daar maar een boodschap achter als je kunt komen. Ik hoop je dan te zien.'
Chris keek Megan aan. Ze stond heel stil naar het apparaat te kijken.
'Een stem uit het verleden,' zei Chris.
'Ja,' antwoordde Megan, bijna fluisterend.
'Wil je met me meegaan? Ik weet zeker dat Eric dat niet erg vindt.'
Het duurde even voordat Megan antwoord gaf. 'Nee, nee. Beter van niet. Hoe dan ook, ik moet morgen naar Cambridge vertrekken.'
'Oké,' zei Chris.
'Het spijt me,' zei Megan. 'Het is alleen zo vreemd zijn stem weer te horen. Luister, eh... ik kan maar beter naar bed gaan.'
'Goed dan. Welterusten.'
'Welterusten.'

6

'Kom hier, verdomde hond!'
De boze, grijsharige man liep hen puffend voorbij in een poging zijn hond in te halen, een rode setter die de heuvel oprende achter een levendige foxterriër aan.
'Algy!' schreeuwde hij en toen verdween de hond uit het zicht.
Het was een heerlijke morgen. De noordelijke helling van Parliament Hill zag nog wit van de vorst, maar de zon had de zuidelijke kant verwarmd tot vers glinsterende dauw. Rechts van hen strekte Londen zich uit in de weidse, grijze kom van de Theems en mistflarden hingen nog tussen de hoge torens van de stad. De laagstaande winterzon weerkaatste in een heldere oranje driehoek van het dak van Canary Wharf.
Toen ze aan de top kwamen, bleven ze staan. De jonge setter was in volle ren op weg naar de eendenvijvers van Highgate en zijn baas beende snel achter hem aan de heuvel af.
'Ik vraag me af wie wie uitlaat,' zei Megan.
'De hond heeft er zeker plezier in,' zei Chris.
De setter bleef ineens staan en liep met grote sprongen terug naar zijn baas, met de tong uit zijn bek en kwispelende staart, zonder zich iets aan te trekken van de vloeken die op hem neerdaalden.
'Voor een hond moet dit de hemel zijn,' zei Megan en ze keek om zich heen naar de viervoeters van allerlei vormen en afmetingen die het druk hadden met hun zaterdagse ochtendbezigheden.
'Heb jij er ooit een gehad?' vroeg Chris.
'Ja,' zei Megan glimlachend. 'Het was een hele dikke basset, hij heette Beau. Hij had het niet erg op heuvels. Zijn twee favoriete bezigheden waren eten en met zijn ogen dicht voor de tv liggen. Maar ik hield van hem. Hij ging dood toen ik twaalf was. Ik heb aan één stuk door gehuild.'
Ze liepen de noordelijke helling van de heuvel af, naar het midden van Hampstead Heath, hun schoenen kraakten door de dunne ijslaagjes.
'Had de Tsjechische politie enig idee wie Lenka vermoord kon hebben?' vroeg Megan.
'Gek. Daar dacht ik net aan,' zei Chris. 'Veel aanwijzingen hadden ze niet toen ik met hen sprak, maar dat was vlak nadat het was gebeurd. Sindsdien heb ik niets meer van hen gehoord.'

'Denk je dat die Marcus er iets mee te maken kan hebben gehad?'
'Misschien wel. Het is moeilijk te zeggen als we niet weten wie hij is of wat Lenka hem wilde zeggen.'
'Het is vreemd dat Lenka vermoord moest worden in de week dat de dood van Alex weer ter sprake komt.'
'Ja,' zei Chris, 'dat is het.' Ze liepen zwijgend samen verder, dachten beiden na. 'Laten we eens aannemen dat jij gelijk had en dat Lenka die Marcus vertelde wat er in werkelijkheid is gebeurd. Waarom zou hij dat willen weten?'
'Misschien is hij van de politie?'
'Zo te horen niet,' zei Chris. 'Als dat zo was, zou je verwachten dat hij met zijn penning liep te zwaaien. En hij zou niet alleen zijn voornaam gebruiken.'
'Een privé-detective? Misschien werd hij ingehuurd door Bloomfield Weiss?'
'Kan zijn. Of misschien is hij een journalist.'
Megan vertrok haar gezicht. 'Dat zou erg zijn. Het laatste waar we behoefte aan hebben, is dat zoiets in de kranten wordt opgerakeld.'
'Het zou wel een goed verhaal zijn. "Beleggingsbankiers verzwijgen tien jaar oude moord op boot".'
'Het was geen moord.'
'Dat zou het zijn als de kranten het te pakken kregen.'
'Het klonk nogal eng wat Lenka's buurman zei over Duncan,' zei Megan.
'Dat stelt niks voor,' zei Chris. 'Dat is gewoon Duncan.'
'Rondhangen bij het appartement van een vrouw is niet niks,' antwoordde Megan fel.
'Maar Duncan dacht altijd nog aan Lenka.'
'Ja. En nu is ze dood.'
'Wat wil je daarmee zeggen?'
'Ik zeg het alleen maar. Het klinkt vrij eng.'
Chris moest toegeven dat ze geen ongelijk had. 'Oké. Laten we aannemen dat het zo is. Maar ik ken Duncan. Misschien liep hij Lenka achterna, misschien viel hij haar wel lastig, maar zij zou de laatste persoon op de wereld zijn die hij zou vermoorden. Toen ik hem over haar vertelde, was hij helemaal kapot.'
Megan zuchtte. 'Ik beschuldig hem niet van moord op haar. Maar iemand heeft haar gedood.'
'Ja, iemand heeft dat gedaan.'
'Vind je dat we de politie hierover moeten vertellen?' zei Megan.
'Over Duncan?'

'Misschien.'

'Nee. Hij is mijn vriend en ik wil niet dat hij nodeloos in de problemen komt.'

'Hoe zit het met die mysterieuze Marcus?'

'Hmm.' Chris dacht erover na. 'Het probleem is, als we hun vertellen over Marcus, moeten we hun ook vertellen over de e-mail en over Alex. En volgens mij is dat geen goed idee. We zouden door dat alles nog flink in de moeilijkheden kunnen komen. Bovendien heeft de Tsjechische politie in Praag misschien een paar goede aanwijzingen. Wie weet, misschien hebben ze al iemand gearresteerd.'

'Dat betwijfel ik, jij niet?'

'Ja,' zei Chris. 'Ik ook. Ik was van plan vanmiddag de ouders van Lenka te bellen. Ik zal eens vragen of ze iets hebben gehoord van de politie. Maar volgens mij moeten wij kunnen ontdekken waarom Lenka gestorven is.'

'Maar wat kunnen we doen?' vroeg Megan.

'Proberen uit te vinden wie die Marcus is. Met hem praten. Erachterkomen wat Ian weet.'

'En Duncan verder nagaan.'

'En Duncan verder nagaan,' herhaalde Chris. 'Ik kan Eric ook vragen of hij enig idee heeft, als ik hem morgenavond zie. Hij heeft gewoonlijk een goede kijk op dat soort zaken.'

'Jazeker,' zei Megan.

Ze liepen verder.

'Wat is er tussen jou en hem gebeurd?' vroeg Chris.

Megan keek hem aan alsof ze nadacht of ze het hem zou vertellen. Ten slotte leek ze een besluit te hebben genomen. 'We zijn uit elkaar gegaan. Een jaar na jullie opleidingscursus.'

'Waarom?'

'Ik weet het nog steeds niet,' antwoordde Megan. 'Of in elk geval weet ik het waarschijnlijk wel, maar weiger ik het te geloven. Eerst zei hij dat het niet praktisch was zo ver uit elkaar te wonen en daarom regelde ik dat ik naar New York kon verhuizen. Toen zei hij dat we uit elkaar begonnen te groeien: hij had zijn leven en ik het mijne. Dat begreep ik niet. Ik was er kapot van. Ik probeerde hem op andere gedachten te brengen, maar ik wist dat het geen zin had. Als Eric besluit dat hij iets wil doen, dan doet hij het, en je kunt er niet veel aan veranderen.'

'Zoiets als Lenka,' zei Chris.

'Ik denk het wel. Waar het om gaat, is dat hij twee maanden later een andere vrouw ontmoette. Cassie.'

'Zij is zeker iemand uit de hogere kringen?'

'Ja. Ze is ook knap en intelligent en heel charmant. Ik was zo jaloers als de pest op haar. Een jaar later zijn ze getrouwd, zoals je waarschijnlijk weet.'

'Ik hoorde het.'

'Volgens mij was ik gewoon niet goed genoeg voor Eric.'

'Is dat niet een beetje hard?'

Megan keek Chris kwaad aan. Dit was duidelijk iets waarover ze in de loop der jaren goed had nagedacht. 'Mijn vader had in Oneonta, een provinciestadje in het noorden van de staat New York, een soort winkel van Sinkel. Het is een klein plaatsje. Veertienduizend mensen en vierenvijftig kerken. Als je uit wilt gaan, moet je ruim honderd kilometer naar Albany rijden. Ik heb geen geld, geen invloed. Ik zou waardeloos zijn voor Eric. Maar Cassie... Cassie is wat anders.'

'Ik weet zeker dat Eric zich niets zou aantrekken van iemands achtergrond,' zei Chris. Hij had Eric altijd gezien als te verstandig om de rest van zijn leven door te brengen met iemand, alleen omdat ze zo rijk was. Bovendien kon Eric heel goed zelf zijn geld verdienen.

'O nee?' zei Megan. 'Het is niet alleen dat Cassie iedereen kent. En ook niet dat ze de vrouw is van een succesvolle bankier. Weet je wie haar vader is?'

'Nee,' zei Chris, die er nu spijt van had dat hij Megan bij zo'n gevoelig onderwerp had tegengesproken.

'Hij is een Republikeinse senator. Net als haar grootvader. En haar oom zat in de regering van Reagan.'

'Aha.'

'Als Eric dus de politiek ingaat, zal hij de hele familie achter zich hebben om zijn weg te effenen.'

'Ik snap het. Maar denk je dat Eric dat zal doen? Ik bedoel maar, hij doet het goed bij Bloomfield Weiss, waarom zou hij dat op willen geven?'

'O, ik weet zeker dat Eric dat wil doen. Dat heeft hij zijn hele leven al gewild. Het is een soort ambitie die niet verdwijnt. Ik durf erom te wedden. Op een dag springt hij erin, waarschijnlijk spoedig.'

'Spreek je hem nog wel?'

'Dat heb ik een paar maanden geprobeerd. Je weet wel, we bleven "gewoon goede vrienden". Hij was daar goed in, maar mij maakte het woedend. Ik kon het niet uitstaan. Ik haatte hem. En ik haatte haar. Ze was al die tijd zo verdomd áárdig. Telkens wanneer ik hem zag bij een normale sociale gelegenheid, kwam ik woedend thuis, en het duurde een week voordat ik er dan weer bovenop was. Ik heb hem nu acht jaar niet meer gezien.'

Ze liepen verder. Ze waren nu op een rustig deel van de Heath, tussen oude, kromgegroeide eikenbomen, waarvan de takken zich boven hun hoofden in elkaar kronkelden als de vingers van oude vrouwen.

'Hij was gek, weet je,' zei Chris. 'Dat hij jou heeft laten schieten.'

Megan keek hem even aan. 'Dank je,' zei ze.

Chris wachtte in de bar van het Lanesborough en dronk een gin-tonic. Een pint bier leek hier uit de toon te vallen. Rekken vol boeken langs de muren, leren stoelen en sofa's, kristallen glazen, een haardvuur: de weelde en het comfort straalden ervanaf. Het zat er vol oudere Amerikaanse toeristen, sigaren rokende zakenmensen en een groep mannen in smoking voor de een of andere gelegenheid. Chris was blij dat hij zijn spijkerbroek had verruild voor een nette broek en een sportjasje. Maar hij voelde zich toch nog te eenvoudig gekleed.

De dag tevoren had hij Megan naar King's Cross gebracht en afscheid van haar genomen. Hij had ook Lenka's ouders gebeld en tijdens een moeizaam verlopend gesprek geopperd dat ze een notaris moesten nemen om Lenka's zaken in Londen uit te zoeken, want door haar erfenis konden ze zich dat best veroorloven. Hij vroeg hun hoe het politieonderzoek verliep. Ze zeiden dat de politie een lokale crimineel met connecties in de Oekraïense maffia hadden ondervraagd, maar ze moesten hem weer laten gaan. Dat dacht Chris tenminste dat Lenka's vader had gezegd; het was moeilijk daar zeker van te zijn. Eén ding wist hij wel zeker, Lenka's begrafenis zou woensdag zijn. Chris was van plan te gaan en Megan ook. Hij belde Duncan, die zei dat hij ook zou komen. Een Tsjechische begrafenis in februari beloofde een sombere zaak te worden. Maar in elk geval zou Megan er zijn.

Hij had nagedacht over Marcus. Wie kon hij zijn? Lenka had geschreven dat hij het "recht" had de waarheid over de dood van Alex te weten. Wie kon daartoe het "recht" hebben? Dat paste niet bij de politie of een privé-detectives, en het paste zeker niet bij een journalist. Het moest iemand zijn die een hechtere band had met Alex. Vriend? Familie?

Ineens wist Chris het antwoord. Het zou heel gemakkelijk na te gaan zijn. Eric zou het wel kunnen bevestigen.

'Hallo, Chris, hoe gaat-ie?'

Het was de man zelf, gekleed in een blazer, overhemd en das, en zich totaal op zijn gemak voelend in de omgeving. Net als Ian wekte hij de indruk van een ervaring en autoriteit ouder dan zijn leeftijd, maar in tegenstelling tot Ian straalde hij die uit op een ontspannen, zelfverzekerde manier.

'Met mij gaat het prima. En met jou?'

Eric ging op een kruk naast Chris zitten. 'Het is krankzinnig. Maar dat is het altijd. Ik heb net mijn belastingformulier ingevuld. Weet je dat ik verleden jaar honderddrieënveertig dagen in het buitenland heb gezeten?' 'Allemaal zakelijk?'

'Op vier na allemaal. We zouden een week op vakantie gaan in Bermuda, maar ik werd eerder teruggeroepen. Cassie was woest en ik neem het haar niet kwalijk. Maar ik geloof dat het me zo wel bevalt.' Hij bestelde een kir bij de barkeeper. 'Hoe lang is het geleden? Meer dan een jaar?'

'Dat klopt. Het was juist nadat Lenka en ik met Carpathian waren begonnen. We hebben met z'n allen gedineerd in dat restaurant in Chelsea.'

'Ik weet het nog,' zei Eric glimlachend. Toen verdween de glimlach. 'Ik vind het heel erg van Lenka. Ik hoorde dat jij erbij was toen het gebeurde?'

Chris zuchtte. 'Ja. Ik droom er 's nachts nog wel over. Ik denk niet dat ik het gauw zal vergeten.' Onwillekeurig keek hij neer op zijn handen. Eric merkte het.

'Smerige zaak, zeker?'

Chris knikte. Om een bepaalde reden werd het hem op dat moment bijna te veel. Hij had zó lang mensen op een zo emotieloos mogelijke manier over Lenka verteld, dat hij er bijna in was geslaagd zichzelf te overtuigen dat hij er niet echt bij was geweest. Maar nu, met Eric, wist hij dat het wel zo was en het overweldigde hem allemaal weer. Hij voelde zijn ogen prikken.

Hij slikte moeizaam. 'Het spijt me,' zei hij.

'Het is oké,' zei Eric zacht. 'Ik kan me niet voorstellen hoe het was.'

'Het is geen ervaring die ik graag zou herhalen,' zei Chris. 'Hoe heb je het gehoord?'

'Heel Bloomfield Weiss wist het. Hebben ze de vent die het heeft gedaan gepakt?'

'Kennelijk niet. De politie in Praag heeft vorige week iemand verhoord, maar die moesten ze laten lopen. Ik weet niet zeker of ze nog andere aanwijzingen hebben.'

'Lenka was een bijzondere vrouw,' zei Eric. 'Ik zal haar nooit vergeten. Ze voegde iets extra's aan toe, aan die opleiding, vind je niet? Kleur. Spontaniteit. Pit. Weet je nog hoe ze Waldern aanpakte, nadat hij die Italiaanse had overdonderd, hoe heette ze ook al weer?'

'Carla. Ja, ik weet het nog.'

'Eerst Alex en nu Lenka.' Eric huiverde.

'Nu we het toch over Alex hebben,' zei Chris. 'Had hij niet een broer? Weet je nog hoe die heette?'

'Ja, dat weet ik. Marcus.'

'Dat dacht ik al,' zei Chris triomfantelijk.

'Hij probeerde een paar weken geleden zelfs contact met mij op te nemen. Hij zei tegen me dat hij met mij over de dood van Alex wilde praten. Ik wilde hem niet ontmoeten. Daar was hij nogal kwaad over, zei mijn assistente, maar ik dacht dat het moeilijk zou zijn met hem te praten zonder iets te verraden.'

'Dat was waarschijnlijk verstandig,' zei Chris.

'Heb jij met hem gepraat?'

'Nee, maar Lenka wel.' Chris vertelde Eric alles over Lenka's gesprek met Marcus, en haar daaropvolgende e-mails naar hem.

'Mijn god,' zei Eric. 'Weet je wat ze heeft gezegd? Denk je dat ze hem heeft verteld wat er in werkelijkheid is gebeurd?'

'Dat weet ik niet,' zei Chris. 'Maar als dat niet zo is, dan was ze het, zo te horen, van plan.'

'Het zou lastig kunnen worden als hij naar de politie stapt.'

'Ik weet het,' zei Chris. Er viel hem een onprettige gedachte in. 'Verrek, wat gaan we doen als de politie vragen stelt?'

Eric dacht even na. 'Als de politie iets vraagt, zeg dan niets. Het was een misdaad in Amerika, dus hij valt onder de Amerikaanse jurisdictie. Ik weet niet hoe dat in dit land gaat, maar in Amerika kunnen ze je niet dwingen jezelf te incrimineren. Trouwens, nog beter; bel mij maar, dan bezorg ik je een goede Amerikaanse advocaat. Je kunt dat maar beter ook tegen Ian en Duncan zeggen.'

'En Megan,' zei Chris.

'Megan?' zei Chris verrast. 'Heb jij Megan ontmoet?'

'Ja. Ze kwam vorige week op ons kantoor. Ze zou bij Lenka gaan logeren. Kennelijk zijn ze goede vriendinnen geworden.'

'Echt waar?' zei Eric. 'Hoe is het met haar? Weet je, ik heb die vrouw altijd graag gemogen.'

'Volgens mij mocht ze jou ook graag,' zei Chris.

'Nou ja,' even leek Eric in de war, heel ongewoon voor hem. 'Ik heb haar eigenlijk in jaren niet meer gezien. Wat doet ze nu?'

'Ze studeert nog steeds middeleeuwse geschiedenis op de universiteit van Chicago. De komende zes maanden zit ze in Cambridge om onderzoek te doen voor de dissertatie voor haar doctoraal, geloof ik.'

'Goed. Nou ja, doe haar de groeten van me als je haar weer ziet.'

'Dat doe ik.'

Eric fronste zijn voorhoofd. 'Volgens mij hebben we juist gehandeld wat Alex betreft. Ik bedoel maar, Duncan zou vervolgd zijn, dat weet ik zeker, en dat zou niet goed zijn geweest. Zolang we allemaal één lijn

trekken en niets toegeven, kan ons niets gebeuren. Het is lang geleden.'
'Ik geloof ook dat we juist hebben gehandeld. Bovendien weten we niet
wat Lenka tegen Marcus heeft gezegd, laat staan hoe hij erop zal reageren. Heb jij zijn telefoonnummer, of adres, of zoiets? Ik heb alleen zijn
e-mailadres.'
'Ik weet het niet,' zei Eric. 'Ik betwijfel het. Ik kan het nagaan als ik te-
rugkom in New York, als je dat graag hebt. Maar ik vermoed dat mijn
assistente zijn nummer op een stukje papier heeft geschreven en wegge-
gooid, toen ik haar zei dat ik niet met hem wilde praten. Maar hij moet
niet zo moeilijk te vinden zijn. Marcus Lubron kan geen vaak voor-
komende naam zijn.'
'Heb je hem ooit ontmoet toen Alex nog leefde?'
'Nee. Hij was op reis, weet je nog wel? 's Winters skiën en 's zomers
zeilen. Hij kwam niet eens terug voor de begrafenis van Alex. Ik denk
dat de moeder van Alex hem niet op tijd kon bereiken. Tussen haakjes,
wist je dat ze een maand later gestorven is?'
'Nee, dat wist ik niet. Ik weet nog wel dat ze heel erg ziek was.'
'Die arme Alex.'
Beiden dronken ze zwijgend van hun glas.
'Hoe dan ook, hoe gaat het met je fonds?' vroeg Eric. 'Hoe heet het ook
al weer? Carpathian?'
'Dat klopt. We hebben een goede start gemaakt. Een rendement van
negenentwintig procent in de eerste negen maanden.'
Eric trok zijn wenkbrauwen op. 'Dat is meer dan goed. Dat is verdom-
de goed.'
Chris glimlachte. Hij genoot van de lof. Eric was een van de weinige
mensen op wie hij indruk wilde maken en hij was trots op wat Lenka
en hij hadden bereikt.
'Maar we hebben wat problemen gekregen sinds de dood van Lenka.'
'O ja?'
'Herinner je je Rudy Moss nog?'
'Rudy Moss. Jazeker. Die dikke vent met die spitse neus. Is hij niet een
paar jaar geleden bij Bloomfield Weiss weggegaan?'
'Ja. Hij ging voor Amalgamated Veterans Life werken. Waar hij in ons
fonds investeerde. Tot vorige week. Hij zei dat hij zijn geld eruit wilde
halen nu Lenka dood is.'
'Nee toch? Ik heb altijd wel gedacht dat hij een hufter was.'
'Dat is hij,' bevestigde Chris. 'De moeilijkheid is dat de markt slap is en
dat Lenka een grote positie opnam in een deal van Bloomfield Weiss die
een miskoop blijkt te zijn.'
'Laat me eens raden... Eureka Telecom?'

'Die is het. Jij had toch zeker niets te maken met die deal, Eric?' vroeg Chris.

'O nee. Maar het is wel mijn groep. Ik doe internationale telecoms Fusies & Acquisities. Het is een fantastisch terrein. Maar Eureka Telecom is wat klein voor mij.'

'Echt waar?' zei Chris. 'Ik wist dat jij in F&A zat, maar ik was vergeten in welke sector. Misschien kun je helpen.'

Eric verstijfde. 'Dat weet ik nog zo net niet.'

'Weet je, Ian vertelde Lenka iets heel interessants voordat ze de obligaties kocht. Hij zei dat de kans bestond dat Eureka Telecom zou worden overgenomen door Radaphone. Sindsdien is de deal naar z'n mallemoer gegaan. Bestaat er een kans dat dat waar kan zijn?'

'Verrek, Chris,' zei Eric. 'Die vraag breekt zowat vijftien interne procedures, een half dozijn reglementen en een paar Chinese muren.'

'Maar Eric; als vriend dan. Ik heb echt hulp nodig. Alleen een aanwijzing.'

'Nee, Chris. Die regels zijn speciaal van toepassing op vriendjes. En heel zeker geen aanwijzingen. En leid daar niet uit af dat ik iets weet. Oké? Bovendien handelde Ian onjuist door Lenka dat te vertellen, of het waar is of niet.'

'Sorry,' zei Chris. 'Ik had het je niet had moeten vragen. Vergeet het maar. Het zit me alleen zo dwars.'

'Vergeten,' zei Eric. 'Maar ik stel voor dat we dat onderwerp in de toekomst goed vermijden.'

'Afgesproken. Hoe gaan de zaken nu?'

'Vrij goed,' zei Eric. We hebben vorig jaar de Luxtel-Morrison Infotainment-deal gedaan. En de Deutsche Mobilcom-Cablefrance-deal. We lopen in feite voorop in de hele wereld wat adviseurschap voor telecoms betreft. Zoals ik al zei, het is een fantastische plek om te werken.'

'Jij bent een van de topproducenten, neem ik aan?'

'Begin vorig jaar heb ik de groep overgenomen.'

'O.' Chris dacht daar over na. Met zijn drieëndertig jaar stond Eric aan het hoofd van waarschijnlijk de meest winstgevende groep voor fusies en acquisities ter wereld. Hij moest vorig jaar een stevige bonus hebben gehad. Een bonus van in de tientallen miljoenen dollar. Chris vond het erg verleidelijk het te vragen, maar hij besloot het niet te doen.

Eric keek naar hem. Hij wist wat hij dacht. Hij glimlachte vaag.

'Ik heb altijd wel gedacht dat jij het goed zou doen,' zei Chris. 'Zo goed dat je je volgens mij kunt veroorloven mij nog een borrel aan te bieden.'

'Dat zou ik graag doen, maar ik hoor over een paar minuten met een paar cliënten te gaan dineren. Maar luister, zei je niet dat je gauw naar Amerika zou komen?'

'Ik ga volgende week maandag naar Hartford om met die verrekte Rudy Moss te praten.'

'Waarom kom je niet bij ons eten? Volgende week ben ik wel weer in New York, ofschoon ik dat niet kan garanderen zoals de zaken nu lopen. Je hebt Cassie nog niet ontmoet, geloof ik?'

'Nee. Dat zou ik graag doen. Dank je.'

'Geweldig. Dus zie ik je dan weer.'

Eric glipte weg en liep op een groep van drie Italiaans uitziende zaken-mensen in de lobby af. Weer een grote deal.

7

'Bloomfield Weiss.'
'Ian, met Chris.'
'O.'
'Wat doet Eureka Telecom?'
'Wil je dealen?'
'Nee. Gewoon even horen.'
'Eén punt.'
Chris zweeg. Hij verwachtte slecht nieuws en hij kreeg het ook.
'Negenentachtig tot negentig.' Ians stem klonk gespannen, klaar om
zich te verdedigen.
Chris gaf hem geen kans. 'Ian, we moeten praten.'
Ian zuchtte. 'Na vrijdag vind ik niet dat dat nodig is, jij wel?'
'Het gaat over Lenka.'
'We hebben over Lenka gepraat.'
'Ik ben vrijdagavond in haar flat geweest. Ik heb haar e-mails gezien.
Ook die aan jou. En een aan Marcus.'
'Aan Marcus! Wat stond erin?'
'Ik geloof niet dat we daar via de telefoon over moeten praten, jij wel
soms? Ik zie je over een half uur bij Ponti's.'
'Maar Chris, ik moet met mijn cliënten praten!'
'Nee Ian, je moet met mij praten.'
Dit keer deed Chris er een vol halfuur over om er te komen. Om half
tien op maandagmorgen was het rustig in het café. De mensen die naar
kantoor gingen, waren er al, en voor de leeglopers was het nog te vroeg.
Ian zat aan een tafeltje, met cappuccino en sigaret, met een knappe,
lange serveerster te flirten. Zijn glimlach verdween toen hij Chris zag.
De serveerster keek Chris kwaad aan voor de onderbreking en slenter-
de weg. Chris negeerde haar en ging tegenover Ian zitten.
'Vertel me maar eens over Marcus.'
Ian nam een lange trek aan zijn sigaret en tikte zorgvuldig de as in de
asbak af voordat hij antwoord gaf. 'Zoals je waarschijnlijk weet, is hij de
broer van Alex. Hij kwam met Lenka over de dood van Alex praten.'
'En wat heeft ze hem verteld?'
'Dat weet ik niet. Jij hebt haar e-mail aan hem gezien. Wat stond erin?'
Ian kon zijn ongerustheid niet verbergen toen hij dat vroeg.

'Wat denk je dat erin stond?'

'Dat weet ik niet! Daarom vraag ik het jou!' Ians ongeduld nam toe.

Chris zweeg even en genoot van Ians onbehaaglijkheid. 'Er stond in dat ze hem iets belangrijks wilde vertellen over de dood van Alex.'

'Maar ze zei niet wat het was?'

'Nee. Ze zei dat ze Marcus persoonlijk wilde spreken om het hem te vertellen.' Toen Chris dat zei, ontspande Ian zich. Maar slechts even. 'Er is een antwoord van Marcus. Daarin staat dat hij haar zal bellen.'

'En jij weet niet of hij dat heeft gedaan?'

'Nee.'

Ian was weer gespannen.

'Er was ook een e-mail van haar aan jou waarin stond dat ze hem iets moest vertellen. Jij smeekte haar dat niet te doen.'

'Dat klopt.'

'Wat was het?'

Ian dacht even na. 'Wat er werkelijk is gebeurd, natuurlijk. Dat Duncan Alex sloeg en dat hij in zee viel. Dat Duncan verantwoordelijk was voor zijn dood.'

'En waarom zou jou dat dwarszitten? Jij geeft toch immers niet zoveel om Duncan?'

'Dat is het niet. We zouden allemaal in de problemen komen, nietwaar? Het was stom van Lenka om er zelfs maar over te praten.'

'Denk je dat ze daarom werd vermoord?'

Ian keek hem spottend aan. 'Natuurlijk niet. Wil je zeggen dat ik haar heb gedood? In hemelsnaam, ik ging met haar naar bed!'

'Ollie zegt dat Lenka jouw telefoontjes niet meer wilde aannemen, een paar dagen voordat ze stierf.'

'Dat is waar. Ik was kwaad vanwege Marcus. Zij was kwaad op mij. Maar daar zit niets vreemds aan. Je kent Lenka. Ze kon gemakkelijk uit haar slof schieten.'

'Haar begrafenis is woensdag. Kom je ook?'

Ian sloot hoofdschuddend zijn ogen.

'Waarom niet?'

'Ik kan niet weg,' zei Ian vermoeid.

Chris stond op en zijn stem klonk verachtelijk. 'Zo'n vriend was jij nu ook weer niet van haar, hè?'

Ian tuitte zijn lippen en zijn ogen vlamden van woede. 'Sodemieter op, Chris,' zei hij.

Chris was nog steeds kwaad toen hij terugkwam op kantoor. Ian had iets wat hem kwaad deed worden, telkens als hij hem sprak. Hij wist dat het stom was: zijn enige kans om uit die verdomde Eureka Telecom-deal te geraken was Bloomfield Weiss over te halen de obligaties te kopen. Nou ja, als hij die kans vrijdag niet had verspeeld, dan had hij het zeker nu.

Maar wat schoot hij daarmee op?

De ontdekking van Ians relatie met Lenka zat hem duidelijk meer dwars dan hij besefte. Was hij soms jaloers, zoals Megan had gesuggereerd? Had hij er spijt van dat Ian was geslaagd in wat hij niet had durven proberen? Hij probeerde daar objectief over na te denken. Hij wist vrij zeker dat het antwoord nee zou luiden. Hij mocht Lenka heel graag, maar in seksuele zin had hij nooit aan haar gedacht. Direct vanaf het begin, toen hij nog omging met Tamara, had hij haar tot verboden terrein verklaard en daar had hij zich altijd aan gehouden. Dat was het geheim van hun vriendschap. Lenka hield van mannen. Al haar relaties met mannen waren afgezakt tot seks en daarna verbroken. Maar niet met Chris. Ze voelden zich veilig bij elkaar, ze vertrouwden elkaar, ze waren hele goede vrienden.

Als dat zo was, wat zat hem dan zo dwars aan Ian? Hij had altijd aangenomen dat Lenka zwoele relaties had met mannen, en ofschoon hij nooit de bijzonderheden had gekend, had hij het geaccepteerd als een deel van wat zij was: het had haar alleen maar kleurrijker gemaakt. Maar te zien dat Ian haar slechts beschouwde als een vluchtige relatie, een hete griet om een paar weken te naaien, maakte hem dol. Waarom zag Ian niet in dat ze zoveel meer was? In hemelsnaam, hij ging niet eens naar haar begrafenis! En de manier waarop hij hun relatie zo cynisch had gebruikt om haar de obligaties van Eureka Telecom in de maag te splitsen, deed Chris walgen. Hij geloofde geen moment dat er iets waar was van het gerucht over Radaphone. Het was niet meer dan een product van Ians verbeelding, erop gericht om vijfentwintig miljoen euro van een moeilijke positie te dumpen. Dat zou goed zijn voor een paar duizendjes bij zijn bonus aan het eind van het jaar.

Zou Ian haar hebben kunnen vermoorden om te voorkomen dat ze Marcus over Duncan vertelde?

Chris moest toegeven dat het antwoord waarschijnlijk nee zou luiden. Het zou geen zin hebben. De politie zou zeker moeilijkheden veroorzaken als ze vragen gingen stellen. Maar Eric had gelijk: zolang de getuigen op de boot één lijn trokken, zouden ze allen veilig zijn. De politie kon niets bewijzen. Huiverend besefte Chris dat Ian zelfs kon proberen een deal af te sluiten als hij ermee instemde de politie te vertellen wat er werkelijk was gebeurd, in ruil voor vrijstelling van vervolging. Dat zou verdomd typisch zijn. Hoe dan ook, Ian zou het overleven.

Nee. Hoe graag hij ook aan het tegendeel wilde denken, Ian was waarschijnlijk niet verantwoordelijk voor Lenka's dood.

Chris wilde dat hij hierover met Megan kon praten. Zij zou de zaak wat objectiever kunnen bekijken. Hij vroeg zich af hoe het haar beviel in Cambridge. Zou ze telefoon hebben? Hij wilde haar verdomd graag bellen.

Hoe zat het met Duncan? Megan had geopperd dat hij iets meer moest zien te ontdekken over de recente relatie van Duncan met Lenka. Maar voordat hij hem daarmee confronteerde, was er iemand anders met wie hij wilde praten.

Hij zocht het nummer op van de United Arab International Bank, toetste het in en vroeg Phillippa Gemmel te spreken.

'Securities Trading,' klonk de stem helder en opgewekt.

'Pippa? Met Chris Szczypiorski.'

'Chris, hoe gaat het met je?' Ze was niet onbeleefd maar ze klonk ook niet echt blij om van hem te horen.

'Luister, Pippa, denk je dat we na kantoortijd een paar minuten met elkaar kunnen praten? Het zal niet lang duren. Er is iets wat ik met je wil bespreken.'

'Als Duncan met me wil praten, kan hij dat zelf doen,' zei Pippa.

'Dat klopt, ik wil inderdaad met je over Duncan praten. Maar hij weet niet dat ik je bel. Alsjeblieft. Het hoeft niet lang te duren.'

Pippa zweeg even. 'Oké. Maar ik ga om half zes weg. Kun je beneden in de lobby op me wachten?'

'Prima. Ik zie je daar om half zes.'

Hij hing op. Vervolgens haalde hij het kaartje voor de dag van de Engelssprekende Tsjechische politieman die hem na de moord had ondervraagd. *Poručik Petr Karásek. Poručik* was waarschijnlijk zijn rang. Hij belde en kreeg hem uiteindelijk te pakken. Chris vroeg of hij nog vooruitgang had geboekt.

'We hebben wat succes gehad,' antwoordde de politieman in zorgvuldig en duidelijk Engels. 'We vonden een vrouw die zei dat ze een man met een snor de straat uit had zien rennen waar juffrouw Němečková werd vermoord. We lieten haar foto's zien en ze identificeerde een misdadiger die we hier kennen en die een mes gebruikt. Hij is een Tsjech, maar hij werkt voor de Oekraïense maffia. We hebben hem gearresteerd. Maar er zijn problemen. Ze was niet zeker over de identificatie toen we hem in een rij zetten, en hij heeft een... hoe noemt u dat? Och ja, een alibi, geloof ik?'

'Ja, een alibi,' zei Chris.

'Misschien is het vals. Dat zijn we nog aan het onderzoeken.'

'U denkt dus dat de moordenaar een plaatselijke misdadiger is?' vroeg Chris.

'Gezien de manier waarop hij het mes gebruikte, denken we dat hij een beroepsman was. Helaas hebben we een paar beroepsmoordenaars in Praag. Waarschijnlijk is het een van hen. Hebt u enig idee over een motief?'

Chris wist dat Karásek dacht aan de beleggingen van Carpathian. 'Nee,' antwoordde hij.

'U weet zeker dat juffrouw Němečková geen zakelijke transacties had in de Tsjechische Republiek?'

'We hebben twee miljoen euro van een CEZ-obligatie in portefeuille en uw regering geeft veel obligaties uit.' CEZ was het nationale elektriciteitsbedrijf, en het was heel onwaarschijnlijk dat dat een centrum was van een complot met de georganiseerde misdaad. 'Bovendien zijn we van plan in Praag een kantoor te openen, maar ik begrijp niet waarom zoiets iemand zou storen. Hebt u met Jan Pavlík gesproken?'

'Jazeker, maar zonder resultaat.' Even was het stil. 'Hebt u nog andere ideeën voor ons, meneer Szczypiorski?'

Marcus en Alex vormden een doos van Pandora die Chris voorlopig nog niet wilde openen.

'Nee. Niets.'

Karásek klonk niet verbaasd. 'Oké. Dank u dat u met ons in contact blijft. Tot ziens.'

Chris legde de hoorn op. Niets. Ze schoten helemaal niets op. Hij was niet overtuigd door de identificatie. Hoe meer hij erover nadacht, des te meer vermoedde hij dat de sleutel voor de moord op Lenka in Londen te vinden was, of misschien in New York, in plaats van bij de Oekraïense maffia in Praag.

Hij staarde naar de papieren die voor hem lagen. Daar lag zijn obligatieportefeuille hem te tarten. Als Amalgamated Veterans zijn geld wilde terughalen, wat kon hij dan verkopen?

Het zou zo goed als onmogelijk zijn de Eureka Telecom-positie aan Bloomfield Weiss kwijt te raken, nu hij Ian zo pis- en pisnijdig had gemaakt. Hij vroeg de koersen op bij andere makelaars. Ze zweefden allemaal rond het peil van Bloomfield Weiss, op Leipziger Gurney Kroheim na die de obligaties plaatsten op eenennegentig tot tweeënnegentig. Maar hij wist dat hij nooit de volle tien miljoen aan hen kwijt zou kunnen. Het was nu eenmaal zo dat Bloomfield Weiss de markt vormden voor die obligaties, en Bloomfield Weiss wilde ze niet kopen.

Wat kon hij dus verder nog verkopen?

Er waren vier andere, betrekkelijk kleine posities in junkbonds die Lenka had gekocht, plus een paar van wat solidere emittenten zoals CEZ.

148

Alle waren het goede bedrijven met goede vooruitzichten. Hij dacht aan zijn eigen grote positie in staatsobligaties. Die was wat gezakt na de fluctuatie in Rusland, maar hij wist zeker dat ze weer terug zou komen. Dit was niet de goede tijd om te verkopen. Het druiste in tegen al zijn principes zijn goede posities te verkopen en met deze ene slechte te blijven zitten.

Verder was er het probleem van taxatie. Het fonds werd eens per maand geherwaardeerd en morgen was de taxatie van februari al. Technisch gesproken zou hij het kunnen redden met een koers van achtentachtig voor de positie van vijfentwintig miljoen euro. Maar hij wist dat de echte koers, de koers waarop hij de obligaties echt kon verkopen, dichter bij de zeventig lag. Dat was een verlies van zevenenhalf miljoen. Chris kromp ineen. De beleggers zouden daar helemaal niet gek op zijn. Maar die koers zou hij moeten gebruiken. Hij wist wat er kon gebeuren als je niet onmiddellijk je verliezen bekendmaakte, en hij wilde niet opnieuw in zo'n positie terechtkomen. Bovendien zou het oneerlijk zijn voor de andere beleggers die erin bleven, als hij Rudy toestond zich tegen een hogere koers aan het fonds te onttrekken. Als Rudy zo graag wilde verkopen, zou hij gewoon zijn verlies moeten slikken. En Chris zou moeten bidden dat het fonds de gevolgen zou overleven.

Hij leunde zuchtend achterover in zijn stoel. Dit kwam hem allemaal te bekend voor. Een grote positie die hij niet meer in de hand kon houden en die al het andere meesleurde. Hij kon zichzelf natuurlijk voorhouden dat het zijn schuld niet was, net zoals het de laatste keer zijn schuld niet was geweest. Maar hij moest de werkelijkheid onder ogen zien. Dit soort zaken kon hij niet aan. Op de een of andere manier liep het altijd verkeerd en hij kon nooit bedenken waarom.

Misschien was handelen zoiets als schaken. Men nam aan dat het geheim van schaken was zorgvuldig enkele zetten vooruit te plannen, net zoals men aannam dat goede dealers degenen waren die precies konden berekenen wat er straks op de markten zou gaan gebeuren. Maar schaken en handelen waren veel onberekenbaarder dan dat. Goede schakers ontwikkelen een gevoel voor een positie. Ze planden verscheidene zetten vooruit om een positie te bereiken die ze sterk vonden: een onneembaar paard, een loper die het centrum van de tegenstander aanviel, een vernietigende pion naast de koningin. Voor hen was schaken zowel een kunst als een wetenschap.

Chris had goed kunnen schaken. Zijn vader had het hem jong geleerd, en goed ook. Hij had hem nooit gedwongen er hard aan te werken, maar hij was zwijgend voldaan geweest als Chris goed speelde. Hij speelde voor zijn school, voor zijn club, hij versloeg spelers die een paar jaar ouder waren dan hij. Nadat zijn vader was gestorven, deed hij nog meer zijn best, met enig succes. Toen hij elf was, kon hij de gemiddelde volwassen speler van zijn club verslaan. Hij won een jeugdkampioenschap van de provincie. Men verwachtte veel van hem; overal werd hij met zijn vader vergeleken.

En daarna, toen hij dertien werd, en veertien, veranderden de zaken. Naarmate hij in hogere kringen ging spelen, werden zijn tegenstanders beter. Hij verloor zelfs eens van een vroegrijpe jongen van twaalf jaar. Hij werd nog prestatiegerichter, hij bracht uren door met het lezen van schaakboeken, perfectioneerde zijn openingen, probeerde de diepere subtiliteiten van de strategie te begrijpen, maar niets daarvan leek te helpen. Hij verloor van betere spelers, maar begreep niet waarom. Hij begon te beseffen dat zij een positie beter aanvoelden dan hij, dat hij zich heel tevreden door een spel heen kon ploeteren, terwijl zijn tegenstander bezig was een winnende positie te consolideren, die Chris niet eens had gezien. Als zijn vader er nog was geweest, zou hij hebben kunnen uitleggen wat er gebeurde. Maar zijn vader was er niet meer. Het drong tot hem door dat hij nooit zo'n goede speler zou worden als zijn vader. Er zouden altijd duizenden schakers beter zijn dan hij. De herinnering aan zijn vaders stille glimlach van voldoening als hij een goede zet deed, een herinnering die hem in zoveel matches had gesteund in de jaren sinds zijn dood, begon te vervagen. Spelen was niet langer leuk meer. Hij gaf het op.

Als dealer had hij het ook zo goed gedaan. Een paar jaar lang, toen hij met zoveel succes handelde bij Bloomfield Weiss, had hij gedacht dat hij het doorhad. Hij had gevoel gekregen voor een goede positie en een slechte. Hij wist wanneer hij meer van een goede positie moest kopen, het lef moest hebben een slokop te zijn – zoals George Soros zou zeggen – en wanneer hij een slechte af moest kappen. De winst rolde binnen, tot die rampzalige zomer toen hij, dankzij Herbie Exler, zeshonderd miljoen had verloren. Uiteindelijk was hij er, met Lenka's hulp, in geslaagd zichzelf te overtuigen dat het niet echt zijn fout was, dat het niet meer zou gebeuren.

En nu gebeurde het toch weer. Natuurlijk zou hij geen zeshonderd miljoen dollar gaan verliezen, maar hij zou de reputatie van Carpathian kwijtraken en daarmee zijn beleggers. En dat was wel belangrijk.

Opnieuw leek niets van dat alles zijn schuld te zijn. Maar misschien was er iets wat hij gewoon niet zag, miste hij de kunst óm te gaan met de mensen met wie hij werkte, zodat hij steeds in die rampzalige posities terechtkwam. Lenka had hem kunnen helpen. Maar Lenka was er niet meer, evenmin als zijn vader.

Zittend aan zijn bureau voelde hij zijn borst langzaam beklemd raken in de kille vingers van de paniek. Hij was bang. Niet alleen bang om geld te verliezen op de positie van Eureka Telecom, of zelfs om Carpathian te verliezen, maar bang om de flarden zelfvertrouwen kwijt te raken die hij met zoveel moeite had teruggewonnen. De markt tuigde hem af en dat deed pijn.

De telefoon ging over. Hij nam op.

'Carpathian.'

'Chris? Met Megan.'

'O, hallo. Hoe is 't met je?'

'Prima. En met jou? Je klinkt een beetje gespannen. Of beantwoorden jullie dealers de telefoon altijd zo?'

'Ik denk van wel,' zei Chris, ofschoon hij geïmponeerd en verheugd was dat Megan kans had gezien zijn stemming te peilen. 'Maar het is waar, dit is nu niet precies de beste dag van mijn leven.'

'Werken de markten je tegen?' vroeg ze.

'Dat kun je wel zeggen,' zei Chris. 'Laat maar. Hoe gaat het op Cambridge?'

'Geweldig. Ze hebben me een paar fijne kamers gegeven in het College, in een gebouw dat misschien wel honderd jaar oud is. En ik heb met mijn promotor gesproken en de bibliotheek gevonden. Ik vind het allemaal even heerlijk.'

'Goed is dat.'

'Ik belde omdat ik vanaf Stanford een vlucht naar Praag heb geboekt bij Czech Airlines voor woensdagmorgen, dezelfde avond terug. Ik dacht dat we misschien samen konden gaan.'

'Dat is een goed idee. Geef me de bijzonderheden maar. Tussen haakjes, ik denk dat Duncan met ons meegaat.'

'Oké,' zei Megan weinig enthousiast.

'Bekijk het zo maar; zo krijg ik een kans te ontdekken waarom hij bij Lenka's flat rondhing.'

'Ik zou zeggen dat dat nogal duidelijk was,' zei Megan afkeurend. Maar ze gaf Chris de informatie over de vlucht.

'Tussen haakjes, ik ben erachter wie Marcus is,' zei Chris.

'En?'

'De broer van Alex.'

'Natuurlijk!'

'Ik heb het nagevraagd bij Eric en die bevestigde het. Kennelijk heeft Marcus geprobeerd ook met hem te praten, maar Eric is hem uit de weg gegaan. En hij zei me ook dat ik jou de groeten moest doen, wat dat ook betekent.'

'Oké,' zei Megan. 'Hoe is het met hem?'

'Hij doet het verschrikkelijk goed. Hij moet miljoenen aan bonussen verdienen.'

'Dat verbaast me niets,' zei Megan. 'Zeg, ik moest maar eens gaan.'

'Oké. Zeg, Megan?'

'Ja?'

'Bedankt voor je telefoontje. Het is een slechte dag geweest en het was heel fijn iets van jou te horen.'

'Goed,' zei Megan, en weg was ze.

Chris wachtte tien minuten in het koele atrium met het glazen dak van het kantoor van United Arab International in Bishopsgate, terwijl hij keek naar keurig geklede bankmensen die in- en uitgingen. Ten slotte kwam Pippa uit de batterij liften tevoorschijn. Ze was een kleine vrouw met krullend blond haar en een vrolijke glimlach. Heel knap.

Chris kuste haar op de wang. 'Laten we naar Williams gaan. Het is dichtbij.'

'Zagen jij en Duncan elkaar daar vroeger ook niet?' vroeg Pippa.

'Dat klopt.'

'Nou ja, ik hoop dat hij daar nu niet is.'

'Ik denk van niet,' zei Chris.

Vijf minuten later zaten ze in de donkere pub. Duncan was er niet. Chris nam voor zichzelf een pint donker bier en voor Pippa een glas witte wijn. Ze gingen in hetzelfde donkere hoekje zitten waar hij en Duncan een week geleden hadden gezeten.

'Ik kan niet lang blijven,' zei Pippa. 'Ik heb later met iemand een afspraak in Covent Garden.'

'Oké,' zei Chris. 'Ik zal het snel zeggen. Het gaat over Lenka.'

Pippa's gezicht betrok. 'O mijn god, niet die vrouw. Wat heeft Duncan nu weer gedaan?'

Chris schrok van haar reactie. Het was duidelijk dat zij het nog niet had gehoord. Het zou oneerlijk zijn haar nog meer vragen te stellen zolang hij het haar niet had verteld.

'Lenka is dood. Vermoord.'

Pippa schrok. 'O, mijn god. Toch zeker niet door Duncan?' Toen keek ze verward. 'Sorry, dat had ik niet moeten zeggen. Maar daarom ben je hier, nietwaar? Het moet iets met Duncan te maken hebben.'

'Ik heb geen reden om aan te nemen dat hij het gedaan heeft,' zei Chris, al was hij geschrokken van Pippa's eerste reactie. 'Het is in Praag gebeurd. De Tsjechische politie denkt dat een lokaal iemand het heeft gedaan.'

'Tjonge,' zei Pippa. 'Duncan moet in alle staten zijn.'

'Dat is hij.' Chris nam een slok van zijn bier. 'Ik neem aan dat jij op de hoogte was van Duncans gevoelens jegens Lenka?'

Pippa snoof verachtelijk. 'Ervan op de hoogte was? Ja, dat kun je wel zeggen. Aanvankelijk was zij alleen een oude vriendin voor wie ik op moest passen. Maar vrij spoedig nadat we getrouwd waren, besefte ik dat het veel meer was dan dat.'

'Hoe kwam je erachter?'

'Door Duncan. Hij vertelde het me. Het was krankzinnig. Nu en dan begon hij over haar te praten en daarna steeds vaker. Je weet hoe openhartig Duncan kan zijn. Eerst vond ik dat leuk. Nu vind ik het gewoon stom. Hij kwam eens dronken thuis en zeurde maar door hoe Lenka de enige vrouw was van wie hij ooit echt had gehouden. Tegen zijn vrouw, moet je nagaan! Hij wilde haar opzoeken om te lunchen of wat te drinken. Ik zei hem dat niet te doen, maar ik weet zeker dat hij toch gegaan moet zijn. Niet dat ik denk dat hij iets heeft gedaan. Ik dacht dat zij verstandiger zou zijn.'

'Ik denk ook niet dat ze "iets gedaan hebben", als dat helpt,' zei Chris.

'Nu kan het me geen barst meer schelen,' zei Pippa. 'Heel eerlijk gezegd zou het misschien beter zijn als dat wel zo was.'

'Zijn jullie daarom uit elkaar gegaan?' vroeg Chris. 'Duncan heeft het me nooit verteld.'

Pippa zuchtte. 'Dat is waarschijnlijk de reden, maar ik mag niet alle schuld aan Duncan geven. In het begin vond ik hem geweldig. Hij is aardig en hij leek te denken dat ik de meest fantastische persoon was die hij ooit had ontmoet. Hij had zo'n vererende puppyblik.' Ze fronste haar voorhoofd. 'Ik trapte er echt in. Toen we getrouwd waren, veranderden de zaken en bleek het dat Lenka de meest fantastische vrouw was die hij ooit had ontmoet.'

'Lastig,' zei Chris.

'Ja. Maar ik zei dat het niet allemaal zijn schuld was. Heeft Duncan je over Tony verteld?'

Chris schudde zijn hoofd.

'Hij is een man op kantoor. Ik ben met hem uitgegaan. Duncan kwam erachter. Hij nam het eigenlijk heel goed op. Vanaf dat moment gingen de zaken gewoon de mist in.'

'O.'

'Ja. Het hele huwelijk was een echte mislukking. Goddank waren er geen kinderen.'

'En ga je nu met Tony om?'

Pippa bloosde. 'Nee,' zei ze. 'Dat was vrij snel voorbij. Naar blijkt ben ik ook niet 's werelds beste deskundige in relaties.'

153

Chris moest al zijn moed vergaren om de volgende vraag te stellen. 'Denk je dat Duncan Lenka vermoord zou kunnen hebben?'

'Uh, nee. Nee, dat denk ik niet.' Maar Chris merkte de aarzeling in haar stem.

'Maar ik dacht dat je dat wel even dacht toen ik zei dat Lenka vermoord was?'

'Ja,' Pippa keek in haar glas. 'Dat spijt me. Ik nam gewoon aan dat je met me wilde praten omdat Duncan zich in de nesten had gewerkt, en toen je zei dat ze vermoord was, was mijn eerste gedachte daaraan. Maar zelfs op zijn raarste momenten zou Duncan nooit zoiets doen.'

'Een buurman zei dat Duncan rond Lenka's flat had rondgehangen.'

'Dat verbaast me niets.'

'Naar blijkt is Lenka hem uit de weg gegaan.'

'Dat verbaast me ook niet. Ik heb nooit de indruk gekregen dat Lenka hetzelfde voelde voor Duncan als wat hij voor haar voelde. Ze was kennelijk verstandiger.'

'Als ze hem dus afwees, zou Duncan dan niet kwaad zijn?'

'Ja. Het zou zijn ondergang zijn.' Pippa dronk haar wijn op. 'Luister. Ik werd gek van hem, maar een tijdje heb ik van die stomme zak gehouden. Hij is geen moordenaar. Dat weet ik zeker.' Ze keek op haar horloge. 'Ik moet gaan. Bedankt voor de wijn. O, en ik vind het erg van Lenka. Ik weet dat ze ook een goede vriendin van jou was.'

Daarmee verdween Pippa en ze liet Chris verwarder dan ooit achter.

Toen Chris de deur van zijn flat opende hoorde hij de telefoon rinkelen. Hij nam op. Het was zijn moeder.

'Chris, hoe gaat het met je? Is alles goed met je?'

Verrek, hoe wist ze dat er iets fout zat? Chris had vermeden met haar over Lenka te praten. Het was iets wat hij zelf wilde oplossen, daarom was de paniek van zijn moeder het laatste waar hij behoefte aan had.

'Chris? Ben je daar? Ik heb me zo ongerust gemaakt.'

'Waarom, moeder?'

'Omdat je me twee weken lang niet hebt gebeld, daarom.'

'Maar ik hoef je toch niet elke week te bellen?'

'Dat hoef je niet, schat. Maar je doet het altijd.'

Chris sloot zijn ogen. Aan zijn familie kon hij niet ontsnappen. Het was hetzelfde met alle Polen in Halifax. Zelfs wanneer je volwassen was, kon je niet ontkomen aan je ouders. Hij wist dat een hechte familieband een goede zaak was, maar soms, nee meestal, wilde hij gewoon volwassen zijn en zich ervan losmaken.

154

'Er is iets aan de hand, nietwaar?' zei zijn moeder, nu meer ongerust dan zeurend.

'Ja, moeder, er is iets.' Chris haalde diep adem. 'Lenka is dood.'

'O nee!'

'Toch is het zo.'

'Wat was het? Een auto-ongeluk?'

'Nee.' Chris vertelde in een paar bijzonderheden wat er gebeurd was. Tot zijn verrassing kon hij zijn moeder horen snikken aan de telefoon. Zijn moeder was een sterke vrouw. Ze huilde haast nooit. Chris werd erdoor overvallen.

'Moeder, niet huilen.'

'Ze was zo'n lief meisje,' zei zijn moeder. 'Ze heeft zoveel voor jou gedaan.'

'Ja, dat heeft ze.'

'Ik kreeg een fantastische brief van haar nadat jullie samen jullie zaak begonnen waren. Ik schreef haar om haar te bedanken dat ze je geholpen had...'

'Wat heb je gedaan?'

'Ik schreef haar een brief.' De moed zonk Chris in de schoenen. Het was niet voor het eerst dat hij door zijn moeder werd vernederd. 'En zij schreef er me een terug. Ze zei dat jij haar eerste keus was als partner. Ze zei dat je heel goed was in je werk, maar dat was niet het belangrijkste. Ze zei dat je helemaal betrouwbaar was en ze wist dat ze altijd op jou kon vertrouwen als de zaken verkeerd liepen. Ik heb de brief bewaard. Ik zal hem je laten lezen als je wilt.'

'Dat was aardig van haar,' zei Chris.

'O, ze meende het, schat. Ik weet dat ze het meende.'

Chris voelde een prikkeling in zijn ogen. Hij wist ook dat ze het meende.

'Hoe speel je het klaar zonder haar?' vroeg zijn moeder.

'Moeizaam, om eerlijk te zeggen.'

'Nou ja. Geeft niets. Ik weet zeker dat je het zult oplossen. Ik weet dat je Lenka nu niet in de steek zult laten.'

'Nee, moeder. Dat zal ik zeker niet.'

'Kom je volgend weekend langs? Anna is er ook, met Vic en de jongens. En je grootvader zou je dolgraag willen zien.'

Anna was zijn zus. Het zou leuk zijn om haar weer te zien. Ze waren elkaar uit het oog verloren sinds ze op haar twintigste was getrouwd met Vic. Maar wat zijn opa betrof, was Chris er niet zo zeker van dat het een leuk weerzien zou zijn. Als jongen had hij de knorrige oude oorlogsheld aanbeden, maar naarmate ze beiden ouder werden, leken ze in verschil-

155

lende werelden te leven. Zijn grootvader vertrouwde het internationale bankwezen niet, hij meende dat het een geschikt beroep was voor een jood of een Duitser, maar niet voor een goede Poolse katholiek, en Chris kon de steeds extremere politieke opinies van de oude man maar moeilijk verdragen. Hij hoefde zijn grootvader niet te zien.

'Sorry, moeder, dat gaat niet. Zoals je je kunt indenken, is er hier een heleboel te doen.'

'Goed dan, schat. En ik vind het erg van Lenka.'

Chris nam afscheid en legde de hoorn neer. Hij hing achterover in zijn stoel en dacht na over zijn moeder. Hij kromp ineen toen hij zich voorstelde dat ze Lenka over hem had geschreven. Maar Lenka was niet ineengekrompen. Ze had de zorg van een moeder voor haar zoon begrepen, en haar trots op hem. Chris moest glimlachen. Ondanks hun heel verschillende levensstijl zouden Lenka en zijn moeder waarschijnlijk heel goed met elkaar hebben kunnen opschieten. Het was jammer dat ze nooit een kans hadden gehad elkaar te ontmoeten.

Een vleugje schuldgevoel vrat aan hem. Het was niet het gewoonlijke schuldgevoel over zijn pogingen zich van zijn familie te distantiëren, over het teleurstellen van zijn moeder en grootvader. Voor het eerst had hij een vaag idee dat zijn verlangen om hen uit de weg te gaan geen teken van volwassenheid was, maar eerder het tegengestelde. Zijn moeder was een goede vrouw, die echt van hem hield, en die alles voor hem zou doen. Als hij echt als volwassene op eigen benen stond, zou dat helemaal niet bedreigend voor hem mogen zijn. Zodra hij eenmaal zijn eigen identiteit had vastgesteld, los van zijn familie, zou er geen schande of gevaar in zitten om hen op te zoeken. Lenka was een sterke, onafhankelijke persoonlijkheid, die direct het goede in zijn moeder had gezien. Hij schaamde zich dat hij de kracht niet had om dat ook te doen.

Lenka.

Hij keek door het vertrek naar zijn computer en vroeg zich af of de mysterieuze Marcus nog meer over haar te zeggen had. Hij zette het apparaat aan en keek naar zijn e-mail, zoals hij gedurende het weekend herhaalde malen had gedaan.

Er was iets. Tussen *Hot Russian Babes Download* en *How to make $2000 per week from home* zat een bericht met het eenvoudige opschrift *Lenka*. Het kwam van Marcus.

Chris opende het.

Ik vond het afschuwelijk te horen over de moord op Lenka. Het maakt me ongerust over mijn eigen veiligheid. Ik weet dat jij een van de mensen op de boot was, toen mijn broer stierf. Wil je me vertellen wat er in werkelijkheid is gebeurd?

Marcus

Chris staarde naar het bericht. Hij had Marcus informatie over de dood van Alex beloofd. Wat moest hij hem vertellen?
Het probleem was dat hij er niet zeker van kon zijn wat Marcus al wist. Megan had gedacht dat Lenka hem had verteld hoe Duncan Alex de zee in had geslagen, en Ian had bevestigd dat Lenka van plan was dat te doen, maar Chris kon er niet zeker van zijn of ze hem dat werkelijk had verteld. En zelfs als Lenka Marcus over Duncan had verteld, als Marcus dan eens besloten had naar de politie te gaan? Nu Lenka dood was, zou hij geen bewijzen hebben, tenzij Chris die hem nu gaf. Het leek Chris geen goed idee.
Hij begon op het toetsenbord te tikken.

Marcus
Ik kun je niet precies vertellen wat er gebeurd is. Ik kan alleen maar zeggen dat de dood van je broer een ongeluk was. Kun je me zeggen wat je van Lenka hebt gehoord voordat ze stierf? Ik zou graag rechtstreeks met je praten, als dat mogelijk is, geef me dus alsjeblieft je telefoonnummer en je adres. Of je kunt contact met mij opnemen op een van de nummers hieronder.

Chris eindigde het bericht met een handvol telefoonnummers: thuis, kantoor, fax, mobiel, en zijn adres, en verzond de e-mail. De zorg van Marcus over zijn veiligheid maakte Chris ongerust. Hij moest weten wat Marcus had ontdekt, en wat hij van plan was te doen met die informatie.

8

Die woensdag was afschuwelijk. Omdat ze naar de begrafenis van Lenka in Praag konden vliegen, en dezelfde dag weer terug, hadden ze dat gedaan. Duncan toonde zich aan één stuk door opzichtig ellendig. Het plezier van Chris dat hij Megan weer zag, werd getemperd door haar afwezige manier van doen. Ze was duidelijk niet gesteld op Duncans aanwezigheid. En natuurlijk was ze verdrietig door wat er was gebeurd. Het grootste deel van de lange dagreis zwegen ze of praatten ze wat onsamenhangend met elkaar.

Ze namen een taxi van het vliegveld Ruzyně naar Mělník, ongeveer dertig kilometer ten noorden van Praag. Het was een middeleeuwse stad, gelegen aan de samenvloeiing van twee grote rivieren, de Moldau en de Elbe, die werd gedomineerd door een imposant kasteel en omgeven door met wijngaarden bedekte hellingen. Maar het crematorium was functioneel en deprimerend, de vele rouwenden, de meesten leeftijdgenoten van Lenka, begroetten elkaar slechts met gedempte stem en haar ouders waren gebroken. Er was geen religieuze dienst, alleen muziek, en een lofrede van een van Lenka's vriendinnen. Ofschoon Chris geen woord kon verstaan van wat ze zei, drong het verdriet wel tot hem door. Afgezien van dat ene moment, verbaasde Chris zich erover dat hij zo weinig voelde tijdens de ceremonie. Het was moeilijk voorstelbaar dat Lenka was opgegroeid in dit schilderachtige stadje, veel moeilijker dan haar aanwezigheid te voelen op het kantoor in Londen of zelfs in de straten van Praag. Ofschoon hij wist dat haar lichaam in de kist moest liggen, had hij niet het gevoel dat dat de Lenka was die hij kende. Hij wist niet waar ze was, maar wel dat ze daar niet was.

De bescheiden ceremonie kwam ten einde en na een paar trieste woorden met Lenka's ouders, waarbij Chris kans zag hun te vertellen dat hij de juristen van Carpathian had opgedragen voor Lenka's zaken in Londen te zorgen, stapten ze alle drie dankbaar in de wachtende taxi.

Op Stansted nam Megan een trein terug naar Cambridge en Chris en Duncan vertrokken in tegengestelde richting naar Liverpool Street. Ze zaten tegenover elkaar naar de voorbijsnellende avond in Essex te staren en hun spiegelbeeld werd onderbroken door de flits van stationslampen.

'Bedankt dat je morgen wilt lunchen met Khalid,' zei Duncan.

'Geen probleem.'

'Het spijt me, maar ik denk niet dat ik het kan halen. Er is iets tussengekomen.'

'Geeft niks,' zei Chris, ofschoon hij zich in werkelijkheid een beetje ergerde dat hij de moeite nam met de cliënt van Duncan te spreken, omdat Duncan dat zelf niet kon.

'Heb jij ooit gehoord van iemand die Marcus heet?' vroeg Chris.

'Marcus? Ik geloof van niet. Wacht even, is er niet een Marcus Neale die bij Harrison Brothers werkt?'

'Nee, die niet. Deze man is Amerikaan. Lang, mager, vrij lang haar.'

Duncan schudde zijn hoofd. 'Nee.'

'O.' Even was het stil. Chris merkte dat Duncan op zijn hoede was. Dat was niet ongegrond. 'Ik ben vorige week in Lenka's flat geweest.'

Duncan gromde.

'Ik trof een van haar buren. Hij zei dat hij jou daar had zien rondhangen.'

'Mij?'

'Aan zijn beschrijving te horen was jij het. Hij zei dat je Lenka had benaderd en dat zij je had genegeerd.'

Duncan gaf geen antwoord. Hij draaide zich om en keek in het donker. Chris wachtte.

Eindelijk reageerde Duncan. 'Het is waar. Toen de zaken met Pippa verkeerd liepen, probeerde ik met Lenka in contact te komen. Ze wilde niet met me praten. Maar ik gaf het niet op. Ze was voor mij te belangrijk om op te geven.'

'Je viel haar dus lastig?'

'Nee. Soms keek ik van een afstand naar haar, maar ik geloof niet dat ze me zag. Ik schreef haar. En ik benaderde haar een paar keer, zoals die keer waarover jij het had. Maar ik "viel haar niet lastig". Ik heb me niet bij haar opgedrongen, als je dat soms bedoelt.' Hij glimlachte. 'Het is gek. Ze belde me, de week voordat ze stierf. We spraken elkaar in een bar, ergens bij jullie kantoor.'

'Waar ging het over?'

Duncan zuchtte. 'Ik weet het niet. Ik geloof dat ik het heb verpest. Ik wilde haar zoveel vertellen. Ze probeerde me tegen te houden, maar ik moest het zeggen. Ik geloof dat ik helemaal doorsloeg. Ze liep weg.'

'Voordat ze je iets had verteld?'

'O, ze zei me dat er absoluut geen kans bestond dat wij ooit weer bij elkaar zouden komen,' mompelde Duncan verbitterd. 'De laatste keer dat ik haar zag, en dat was het laatste wat ze tegen me zei.' Hij kreeg tranen in zijn ooghoeken.

'Verrek, Duncan, besef je dan niet dat ze iets heel belangrijks te zeggen had? Waarom heb je, in hemelsnaam, niet naar haar geluisterd?'

159

Even keek Duncan verbaasd toen de stem van Chris zo fel klonk. Toen keek hij weer berustend. 'Het kan me nu niets meer schelen. Het is te laat.'

Chris boog zich naar voren. 'Luister, Duncan. Ik weet wie Marcus is, ook al zeg jij dat je dat niet weet. Hij is de broer van Alex Lubron. Lenka stuurde hem een e-mail om te zeggen dat ze hem iets wilde vertellen, en ze wilde met jou praten.' Chris paste goed op Ian hierbuiten te laten. Als Duncan ontdekte dat hij een verhouding met Lenka had gehad, zou hem dat behoorlijk van streek maken. En Chris wilde hem zo evenwichtig mogelijk hebben. 'Volgens mij had het iets te maken met de dood van Alex. Heb jij nu énig idee wat Lenka tegen Marcus wilde gaan zeggen?'

Duncan sloot zuchtend zijn ogen. 'Ik weet wie Marcus is. Hij heeft zelfs met me gesproken. Hij had die middag juist Lenka ontmoet in jullie kantoor. Zij had hem verteld dat ik Alex had geslagen op de boot en dat hij daardoor in zee was gevallen. Marcus wachtte me buiten kantoor op. Hij haalde me in op weg naar huis. We stonden op straat tegen elkaar te schreeuwen.'

'Wat zei hij?'

'Hij zei dat hij wist wat er gebeurd was. Hij vroeg of het waar was. Hij vroeg waarom. Hij vroeg waarom ik mijn mond erover had gehouden. Toen schold hij me verrot.'

'En wat deed jij?'

Duncan zuchtte. 'Ik liet het over me heen komen. Je weet, ik heb me nooit behaaglijk gevoeld dat we alles verzwegen. Ik bedoel, het was heel goed dat jullie dat allemaal deden, en ik weet dat ik achter de tralies had kunnen komen, maar Marcus had geen ongelijk. Het was niet eerlijk dat hij niet wist wat er in werkelijkheid is gebeurd.'

Chris gromde. 'Misschien.'

'Daarna had hij geen energie meer. Hij stond daar zo'n beetje van de ene voet op de andere te drentelen. Ik dacht net dat hij me met rust zou laten, toen hij naar me uithaalde. Ik kon nog net mijn gezicht afdekken. Hij bleef proberen me te slaan, totdat een paar voorbijgangers hem wegtrokken. Ik draaide me om en ging ervandoor. Ik wilde niet met hem vechten.'

'Wat denk je dat hij zal doen?' vroeg Chris. 'Denk je dat hij naar de politie zal lopen?'

Duncan schokschouderde. 'Misschien. Ik weet het niet.'

'Waarom heb je me dit niet eerder verteld? Waarom deed je alsof je niet wist wie hij was?'

Duncan zuchtte. 'Na alles wat jullie gedaan hadden om de zaak te verzwijgen, wilde ik niet toegeven dat ik jullie in de steek had gelaten. Dat ik had verteld wat er in werkelijkheid was gebeurd. Ik hoopte maar dat Marcus weg zou gaan en dat ik hem kon vergeten.'

'Maar waarom heb je het niet ontkend?'

'Het was te laat. Lenka had het hem al verteld. Bovendien had hij het recht het te weten.'

Hij had het recht het te weten. Lenka's woorden. Wel, nu wist hij het. En Chris had geen flauw idee wat hij met die wetenschap moest doen.

Hij zat de hele volgende dag op kantoor, met alleen 's middags een onderbreking om te lunchen met Duncans cliënt, in een restaurant op Devonshire Square in de City. Khalid was twintig minuten te laat, maar toen hij eindelijk kwam, glimlachte hij breeduit. Hij leek ongeveer van de leeftijd van Chris, keurig gekleed, een zwart snorretje, vriendelijke bruine ogen en gemakkelijk lachend. Khalid bleek een vriend te zijn van Faisal, de Saudiër van de opleidingscurcus, die nu kennelijk aan het hoofd stond van een groot beleggingsfonds voor alle Golfstaten. De serveerster kwam en Khalid flirtte vakkundig met haar voordat hij zijn tong bestelde, bereid op een hele speciale manier. Geen wijn.

Khalid stelde vragen over de obligatiemarkt met hoge rente van Midden-Europa en Chris antwoordde hem zo goed hij kon. Het probleem was dat er nog niet veel emissies waren om uit te kiezen, en slechts drie die Chris van harte kon aanbevelen.

De tong kwam, bereid naar Khalids smaak. 'Maar u investeert niet alleen in hoge rente, nietwaar?' vroeg hij.

Chris vertelde hem over de deals in staatsobligaties: over de florinten, de zloty's, koruna's, kronen en lats waarin hij elke dag handelde. Khalid was geïntrigeerd en stelde intelligente vragen. Ook hij was betrokken geweest bij het handelen op de obligatiemarkten van continentaal Europa, voordat de euro kwam, en zo te horen was hij er heel goed in. Naarmate het gesprek vorderde, besefte Chris dat hijzelf die markten goed kende, na een paar jaar erin bezig te zijn geweest.

Ze hadden hun koffie op en Khalid stond erop de rekening te betalen. 'Dat was fascinerend,' zei hij. 'En bedankt dat u me Eureka Telecom hebt afgeraden.'

'Geen probleem. Volgens mij is dat op dit moment verstandig. Ik zou Bloomfield Weiss nog voor geen cent vertrouwen bij dat soort zaken.'

'Ik weet wat u bedoelt,' zei Khalid. 'Kent u Herbie Exler?'

'Ik heb vroeger voor hem gewerkt.'

'Aha,' zei Khalid voorzichtig.

'Maak je geen zorgen. Hij heeft me genaaid.'

'Mij heeft hij ook genaaid,' zei Khalid. 'Een paar keer. Volgens mij denkt hij dat ik niet meer ben dan een stomme Arabier die hij kan verneuken als hij daar zin in heeft. Wat heeft hij bij u uitgehaald?'

'Weet u nog die grote convergentiedeal waarbij Bloomfield Weiss een paar jaar geleden betrokken was?'

Khalid knikte. 'Hoe zou ik die kunnen vergeten.'

'Nou, dat was ik. Maar toen ik eruit wilde springen, wilde Herbie verdubbelen. Dat deden we, we verloren, ik kreeg de schuld en ik stond op straat.'

Khalid hield Chris nauwkeurig in de gaten toen hij dat zei, alsof hij probeerde te beoordelen of Chris handig een dekmantel verzon. Hij kon waarschijnlijk merken dat hij dat niet deed. Het was niet nodig: Chris had geen reden hem te imponeren. 'Hij is een klootzak,' zei Khalid zakelijk. Chris glimlachte. 'Dat spreek ik niet tegen.'

Het was laat tegen de tijd dat Chris die avond van kantoor terugkeerde in zijn flat. Voordat hij naar bed ging, keek hij of hij e-mail had. Er was er een van Marcus.

Je zegt dat Alex' verdrinkingsdood een ongeluk was, maar dat kun je gemakkelijk zeggen. Als jij me niet vertrouwt door te vertellen wat er op de boot werkelijk is gebeurd, dan kan ik jou niet zeggen wat ik van Lenka heb gehoord. Ik maak me nog steeds zorgen over haar dood. Ik geloof niet dat ik iemand van de mensen die die avond op de boot waren, kan vertrouwen. Daarom geef ik je mijn telefoonnummer en adres niet.

Marcus

Verdomme! Chris tikte snel een antwoord.

Marcus,
Zondag vlieg ik naar Amerika. Ik ga naar New York en Hartford, Connecticut. Ik zou je heel graag spreken. Zeg maar wanneer en waar en ik zal er zijn.

Chris

Hij verstuurde de e-mail en ging naar bed.

De volgende morgen was er een antwoord voor hem. Eén woord.

Nee.

Chris zuchtte. Toch had Eric gelijk. Zo moeilijk zou het niet zijn om iemand op te sporen die Marcus Lubron heette. Hij had de naam 'Lubron' nooit eerder gehoord, totdat hij Alex leerde kennen. Terwijl hij in New York was, zou hij zich wat tijd gunnen om hem te vinden. Misschien kon Eric helpen.

Chris leunde tegen de muur naast het portiershuisje en keek naar de voorbijlopende kinderen. Hij wist nog hoe kwaad hij op Oxford was geweest, toen hij een artikel had gelezen van een afgestudeerde die klaagde over hoe jong hij alle eerstejaars vond. Nou, twaalf jaar later wist hij dat het waar was. Had hij er ooit uitgezien als deze kinderen?
Toen zag hij haar aan komen lopen over de 'quad', of hoe ze zo'n vierkante binnenplaats op Cambridge ook noemden, gekleed in spijkerbroek, trui en denim jack. Hij was opgelucht toen hij zag dat ze er een paar jaar ouder uitzag dan de meeste puistige bewoners van het collegegebouw. Ze keek blij toen ze hem zag. Hij kuste haar op de wang, ze voelde koud aan in de maartse lucht.
'Hallo, fijn om jou hier te zien,' zei ze.
'Vind ik ook. Bedankt dat je me hier hebt uitgenodigd.'
'Het leek wel het minste wat ik kon doen na jouw gastvrijheid van vorige week. Vind je het erg om te lopen? Ik wil graag de stad een beetje verkennen.'
'Ik vind het prima,' zei Chris.
'Ken jij Cambridge?' vroeg Megan. 'Je hebt hier niet gestudeerd, toch?'
'Ik zat op de andere universiteit,' zei Chris. 'Ik heb hier een paar dronken avonden doorgebracht op bezoek bij schoolvrienden. Ik vrees dat ik het me niet erg helder meer herinner.'
Ze wandelden. Chris was in geen jaren meer in Oxford geweest en hij was verbaasd dat Cambridge zo anders aanvoelde dan hoe hij zich de universiteit herinnerde. In deze tijd van het jaar waren er weinig toeristen. De mensen die elkaar passeerden, hadden een bepaald doel. Ofschoon hij uit zijn herinnering wist dat studenten zo hun eigen problemen hadden, hun eigen zorgen, hun eigen crises, leek de sfeer er een te zijn van kalme sereniteit. Het centrum van Cambridge was vrij van verkeer en soms was het hardste geluid dat hij kon horen het klakken van voetstappen om hem heen, of het rammelen van een oude fiets. Hij voelde zich een slonzige vreemdeling uit de materialistische bedrijvigheid van een andere wereld, uit de wereld van salarischeques, forenzen via de ondergrondse, nette pakken, hypotheken.
'Hoe is het op de universiteit van Chicago?' vroeg hij Megan.
'Die lijkt niet op die van hier,' zei ze. 'In elk geval niet fysiek. De oud-

ste gebouwen zijn er maar zowat honderd jaar oud. Maar het is een goede school. Er zijn daar een paar goede geschiedkundigen: mensen waar de lui hier zelfs respect voor hebben.'

'Ik weet zeker dat jij er een van bent,' zei Chris.

Megan glimlachte. 'We zullen zien. Wat me echt bevalt aan Cambridge is dat het een plek lijkt te zijn waar de geschiedenis werkelijkheid wordt. Mijn soort geschiedenis.'

'Je bedoelt al die oude gebouwen?"

'Ja, maar het is meer dan dat. Je kunt je voorstellen dat mensen hier eeuwenlang hebben gestudeerd, Latijn hebben gelezen en geschreven, over theologie hebben gedebatteerd. Op een bepaalde manier maakt het de studie van manuscriptverluchting reëler, ik weet het niet. In Chicago had ik het gevoel op een andere planeet te zijn. Mars leek zelfs dichterbij en reëler dan St. Dunstan en zijn vrienden.'

'Ik vind het maar verschrikkelijk lang geleden.'

'Ik niet,' zei Megan. 'Ik weet nog dat ik voor het eerst belangstelling kreeg voor dit onderwerp. Ik was een uitwisselingsstudent op een middelbare school in Frankrijk. Het meisje bij wie ik logeerde, was in niets wat vóór 1970 was gebeurd geïnteresseerd, maar haar vader was helemaal weg van geschiedenis. Hij nam me mee naar een piepklein kerkje in een dorp dat Germigny-des-Prés heette. Er was een blinde kapelaan die ons rondleidde. Het meeste was de bekende grijze gotiek, maar één deel, de apsis aan de ene kant, was gedecoreerd met de meest fantastische fresco's. Ik weet nog dat de kapelaan ze vanuit zijn herinnering beschreef. Ik kon niet geloven dat zoiets moois duizend jaar geleden geschapen was, in de zogenaamde "duistere middeleeuwen". Sindsdien probeer ik te begrijpen hoe het moet zijn geweest om toen te leven, hoe mysterieus en gevaarlijk de wereld eruit moet hebben gezien, en hoe de mensen probeerden alles te begrijpen.'

'En ik dacht nog wel dat ze in Chicago alleen maar in *porkbelly's* handelden.'

Megan lachte. 'Dat weet ik. Het moet je heel vreemd in de oren klinken.'

'Nee,' zei Chris. 'Helemaal niet. Je moet me eens iets van dat alles laten zien.'

'Ik zal je The Benedictional of St. Aethelwold in de British Library laten zien. Die is echt prachtig.'

'Moet je doen.'

'Oké,' glimlachte Megan. 'Dat zal ik.' Ze wees in een smalle steeg. 'Zullen we deze kant proberen?'

Ze liepen door de nauwe straat. Aan één kant stond een rij cottages, gekalkt in allerlei tinten roze en grijs, aan de andere kant was de achter-

gevel van een college, Chris had geen idee welk. Hij dwaalde maar wat.
'De begrafenis was nogal somber, vond je niet?' zei hij.
Megan huiverde. 'Ja. Maar ik ben blij dat we gegaan zijn.'
'Het spijt me dat we niet veel hebben kunnen praten.'
'Het was moeilijk met Duncan erbij. Heb je nog kans gezien hem te spreken?'
'Ja, inderdaad,' zei Chris.
'En?'
'Eerst wilde hij het niet toegeven, maar toen zei hij dat hij Marcus had ontmoet. Je had kennelijk gelijk: Lenka heeft Marcus inderdaad verteld wat er in werkelijkheid op de boot is gebeurd. Marcus vroeg Duncan of het allemaal waar was en bedreigde hem toen.'
'Bedreigde hem?' zei Megan gealarmeerd.
'Ja. Niets bijzonders. Maar het leek Duncan van streek te maken.'
'Waarom heeft hij jou dat dan niet eerder verteld?'
'Hij zei dat hij niet wilde toegeven dat hij verklapt had wat er in werkelijkheid was gebeurd, na alles wat we hadden gedaan om het stil te houden.'
'Ja, precies,' zei Megan.
'Ik geloof hem,' zei Chris.
'Heb je hem gevraagd waar hij was op de dag dat Lenka werd vermoord?'
'Nee, dat heb ik niet.'
'Waarom niet?'
Chris zuchtte diep. 'Het was de dag van haar begrafenis. Hij voelde zich ellendig. Ik weet zeker dat het echt was. Ik denk dat hij behoorlijk kwaad geweest zou zijn als ik had gesuggereerd dat hij verantwoordelijk was.'
Megan keek Chris misprijzend aan.
'Hij is mijn vriend, ik ken hem,' zei Chris. 'En ik weet zeker dat hij Lenka niet heeft vermoord.'
Ze waren bij de rivier aangekomen, die was gezwollen door de recente regen. Nevelflarden hingen nog spookachtig boven de velden in de richting van Grantchester. Een eenzame, kil uitziende student duwde een punter stroomafwaarts.
'Wat een stomme manier om een boot voort te bewegen,' zei Megan. 'Kun jij dat?'
'Niet in maart,' zei Chris huiverend.
Ze liepen verder. 'In elk geval weten we nu wat Lenka tegen Marcus heeft gezegd,' zei Megan.
'Ja,' zei Chris. Toen bleef hij plotseling staan. 'Wacht 'ns even!'
'Wat is er?'

'We weten niet wat Lenka tegen Marcus wilde vertellen. Helemaal niet.'
'Wat bedoel je?'
'Nou, we weten dat Marcus dinsdag bij Lenka op bezoek kwam. We weten ook, omdat Duncan ons dat heeft gezegd, dat Lenka hem toen heeft verteld dat Duncan Alex in zee had geslagen. Die middag ging Marcus meteen staan wachten totdat Duncan uit zijn kantoor kwam.'
'Oké.'
'Maar de e-mail die Lenka aan Marcus stuurde, was van vierentwintig uur later.'
'Weet je dat zeker?'
'Ja. Wacht even, ik wil even kijken.' Chris haalde de e-mail uit de borstzak van zijn leren jack. 'Ja, hier staat het. Hij werd op woensdag 16 februari verzonden.'
'Dat klopt niet,' zei Megan.
'Jawel. Het betekent dat er *iets anders* was dat Marcus het recht had te weten.'
'Iets anders?'
'Dat moet wel.'
'Maar wat?'
'Ik heb géén idee.'
Ze staken de rivier over en liepen langs de oever naar de gazons achter de gebouwen.
'Eén ding is mogelijk,' zei Megan. 'Heb je gehoord dat Alex drugsproblemen had?'
'Nee,' zei Chris. Hij fronste zijn voorhoofd. 'Zoiets herinner ik me helemaal niet.'
'O jawel. Het zat hem behoorlijk dwars. Er was een of andere stiekeme drugstest geweest en hij werd gesnapt met sporen cocaïne in zijn monster. Het werd zwaar opgenomen. Bloomfield Weiss dreigde hem ten voorbeeld te stellen.'
'Een willekeurige drugstest? Ik herinner me geen willekeurige drugstest.' Chris dacht diep na. 'O ja. Volgens mij was er na het eindexamen een soort medisch onderzoek voor de Amerikaanse stagiairs. De rest van ons mocht vertrekken. Dat moet het geweest zijn.' Hij schudde zijn hoofd. 'Verdorie. Daar heeft hij niet over gesproken.'
'Ja. Eric wist het natuurlijk en daarom ik ook. Maar je kunt je voorstellen dat dat niet iets is wat je aan de grote klok hangt.'
'Ik realiseerde me niet dat Alex drugs gebruikte.'
'Een boel lui deden dat toen,' zei Megan.
Chris gromde. 'Ik ben volkomen naïef als het om drugs gaat. In de kranten lees je dat het overal om je heen gebeurt, maar ik heb er nau-

welijks iets van gezien. Wel heb ik Ian een keer betrapt.' Hij herinner-de zich dat Tamara zonder kloppen Ians slaapkamer was binnengegaan, en de betrapte blik op Ians gezicht toen hij opkeek van het witte streep-je coke. Maar toen dacht hij terug aan hoe onbehaaglijk hij zich voelde toen Tamara ook wat had genomen. 'Ian had geluk dat hij niet werd getest.'

'Misschien wist Lenka dat Alex gesnapt was,' zei Megan. 'Misschien wilde ze Marcus dat vertellen.'

'Maar waarom? Ik kan me nauwelijks voorstellen dat dat iets was waar-van zij vond dat Marcus "het recht had te weten".'

Megan schudde haar hoofd 'Ik denk van niet. Maar het is nog een reden om naar hem te zoeken. Heb je nog iets van hem gehoord?'

'Hij is bang,' zei Chris. 'Hij wil me zijn adres niet geven. Hij wil niet dat ik hem vind.'

Megan keek Chris aan. 'Dat is niet best.'

Voor het eerst vroeg Chris zich af of Marcus een reden had om bang te zijn. En als dat zo was, of hij soms óók bang moest zijn.

Ze liepen die middag hele kilometers, kriskras door de stad en zijn par-ken en gazons. Ze hingen wat rond bij de rivier, die was omgeven door stukken drassig gras, toen het om hen heen langzaam donker begon te worden. Door de schemering zochten ze zich een weg naar een pub, de Fort St. George, die eenzaam aan de rivieroever stond. Ze aten er voor een laaiend vuur.

Later liepen ze terug naar Megans collegegebouw. Chris was van plan geweest die avond terug te rijden naar Londen, maar ze nodigde hem uit op haar kamer voor een kop koffie. Ze staken twee binnenplaatsen over, langs een oeroude boom die met een wirwar van kale takken op-dook uit het donker, naar haar gebouw. Haar kamer was warm en ge-zellig, buiten was het kil en vochtig. Hij en Megan praatten tot diep in de nacht en Chris wilde niet dat er een eind kwam aan de avond. Megan ook niet.

Hij bleef.

9

Chris probeerde voorzichtig zijn linkerelleboog op de leuning naast hem te schuiven, maar de dikke man die een computertijdschrift zat te lezen, gaf geen krimp. Aan de andere kant van Chris zat een veel kleinere, magere jongen rusteloos een spelletje kaart te spelen met zijn broer. Van het onderzoekverslag op zijn schoot over de macro-economische aanpassing in de Baltische Staten snapte hij geen bal. Chris vervloekte zichzelf dat hij Economy Class had geboekt. Lenka had altijd geweigerd dat te doen en maakte zich erg druk als hij ooit op die manier probeerde te reizen. Maar nu het Carpathian zo slecht ging, had Chris zich schuldig gevoeld om het torenhoge tarief voor Business Class te betalen. Stom. Duizend pond meer of minder zou geen verschil uitmaken bij het voortbestaan van Carpathian. Hij had toch al een duur open ticket moeten kopen. De reis naar Hartford om Rudy Moss op te zoeken was heel simpel. Maar hij wist niet hoe lang het zou duren om Marcus Lubron te vinden, of om meer te ontdekken over het drugsprobleem van Alex.

Chris liet de Baltische Staten voor wat ze waren, leunde achterover, sloot zijn ogen en dacht aan Megan. Hij had in Cambridge afscheid van haar genomen voordat hij terugreed naar Londen om zijn spullen te pakken voor Amerika. Het was een geweldige dag en een fantastische nacht geweest. Hij dacht terug aan haar geur, de zachtheid van haar huid, haar haren tegen zijn gezicht. Ze had iets in hem wakker gemaakt dat hij lang niet had ervaren. Sinds Tamara. Nee, het was anders dan zijn gevoelens voor Tamara. Het was iets nieuws, iets veel beters. Er was zoveel wat hij over haar wilde weten, en toch had hij het gevoel dat hij dat hij haar al kende. Bij haar zijn leek zo vanzelfsprekend. Hij hoopte dat hij haar nog veel vaker zou zien, hij was vastbesloten daar voor te zorgen.

Hij dacht over haar en Eric en vroeg zich heel even af hoe vergelijkbaar hij was met Eric. Maar slechts even. Rivaliteit met Eric had geen enkele zin: Eric was altijd in alles de winnaar, en het beste was om dat gewoon als een vaststaand feit te aanvaarden. Hij kromp ineen bij de enige stomme opmerking die hij zich kon herinneren die nacht gemaakt te hebben. Op een moment in de kleine uurtjes, nadat ze voor de tweede keer hadden gevrijd, had hij het over Eric gehad. Ze was verstijfd en had hem vervolgens gevraagd of niemand hem ooit had verteld dat je oude minnaars niet met nieuwe moest bespreken. Hij dacht aan Duncan en Pippa en voelde zich een idioot. Zijn overtreding was spoedig vergeven, maar het was duidelijk dat Eric bij Megan verboden terrein was. Glimlachend dacht hij eraan dat hij haar weer zou zien. Toen stompte het jongetje rechts van hem met een scherpe elleboog tegen zijn ribben.

De arrogantie van Rudy Moss was gerijpt. Vroeger was hij aanmatigend of flikflooiend, afhankelijk bij wie hij was. In de loop van tien jaar had hij een zekere autoriteit gekregen. Zijn molligheid was veranderd in het voortijdige vet van de middelbare leeftijd. Hij gebruikte zijn lange neus met veel effect, door zijn hoofd precies in de juiste hoek te houden, zodat hij erover kon neerkijken op wie er ook met hem sprak. Hij was ook een expert in het veelzeggend stilzwijgen, een zwijgen dat suggereerde dat hij alleen het juiste antwoord wist en erover nadacht of hij het bekend zou maken. Chris kon hem niet uitstaan.

Maar hij moest daar zitten bedelen, een proces dat hij heel moeilijk vond, maar waarvan Rudy enorm leek te genieten.

Het gesprek begon veelbelovend.

'Vorige week kreeg ik een telefoontje over jou van Eric Astle,' begon hij. 'Hij was erg complimenteus.'

'Goed zo,' zei Chris.

'Ja. Hij heeft het goed gedaan,' zei Rudy. 'Heb je een paar maanden geleden dat artikel in *Business Week* gezien? *Dealmakers of the Twenty-First Century* heette het. Zoiets.'

'Nee, ik heb het niet gezien.'

'Zo te horen is Eric een hele ster bij F&A.'

'Dat is hij zeker.'

'Het is jammer dat hij het op de cursus niet precies zo goed kon doen als ik,' zei Rudy glimlachend.

Naar Chris zich herinnerde, had Eric Rudy uiteindelijk net van de eerste plaats verdreven, maar hij liet het gaan. Hij keek rond in Rudy's kantoor. Klein, maar hij had in elk geval zijn eigen kantoor. Hij had een mooi uitzicht op andere hoge gebouwen waarin verzekeringsmaatschappijen gevestigd waren. Amalgamated Veterans Life was een gerespecteerd instituut en Rudy had duidelijk de nodige verantwoordelijkheid. Maar hij was nauwelijks een 'dealmaker of the twenty-first century'. Chris moest daarover glimlachen.

Foutje. Rudy zag hem en fronste zijn wenkbrauwen. Hij was zich er kennelijk maar al te goed van bewust dat hij de belofte van de opleidingscursus niet had waargemaakt.

'Ik ben geïmponeerd door wat Eric zei, maar ik moet hierover zelf een besluit nemen. Ik heb je verteld over onze bedenkingen nu jullie Lenka niet meer hebben. Waarom zou ik mijn fondsen bij jou moeten houden?'

Chris stak van wal met een uitleg over de kansen voor Midden-Europa, over de snelle integratie van de landen daar in de Europese economie, en hoe de kinderziekten onderweg mogelijkheden boden voor het fonds om een hogere opbrengst te bereiken bij het handelen. Hij benadrukte hoe hij zich voorstelde een deskundige in obligaties met hoge opbrengst aan te nemen om Lenka te vervangen. Chris overtuigde zichzelf. Of dat ook voor Rudy gold, wist hij niet.

'Wat denk je van Litouwen?' vroeg Rudy. 'Denk je dat het tot de tweede golf van kandidaten voor de Europese Unie zal behoren?'

Typisch iets voor Rudy om een technische vraag uit de lucht te grijpen, die hij waarschijnlijk tevoren erin had gestampt. Maar Chris kende zijn onderwerp en gaf een overtuigend antwoord, geholpen door wat hij in het vliegtuig had gelezen.

Het leek Rudy te voldoen. 'Heb je een recente waardebepaling voor het fonds?' vroeg hij.

Nu kwam het. Het moment dat Chris had gevreesd, maar dat hij niet kon vermijden. Hij gaf Rudy de revaluatie voor februari. Rudy bekeek hem.

'Maar hier staat dat de koers honderdvijftien euro is. Was het vorige maand niet honderdnegenentwintig? Wat is er gebeurd?'

'Het komt door de Eureka Telecom-positie die we kortgeleden hebben gekocht. Het was een nieuwe emissie, maar we zouden slechts een koers van zeventig krijgen als we die op dit moment verkochten.'

Rudy trok een gezicht. 'Een nachtmerrie. Het fonds is dus in een maand, wat, tien procent gezakt?' zei hij met iets van een spottende glimlach. 'Dat is niet zo best, nietwaar?'

'Nee, het is onze slechtste maand tot nu toe,' gaf Chris toe. 'Maar denk eraan dat je tegen honderd geïnvesteerd hebt. Je hebt nog steeds flink geld verdiend.'

'Dat hadden we in het verleden kunnen doen, maar nu zijn we het aan het verliezen, nietwaar?'

'De Eureka Telecom was een positie van Lenka.' Chris had er een hekel aan dat te zeggen, maar het was waar.

Rudy trok zijn wenkbrauwen op. 'Dat is niet erg hoffelijk, vind je wel? Je partner de schuld geven als zij er niet meer is om zich te verdedigen.'

Hij begon Chris te irriteren. Hij haalde diep adem, telde tot drie en antwoordde: 'Lenka heeft een paar hele goede beleggingen gedaan. Zij is de helft van de reden dat het fonds over het algemeen zo goed heeft geboerd. Maar haar laatste lijkt niet goed te werken.'

'Weet je waarom ze hem heeft gekocht?' vroeg Rudy.

Het was een goede vraag, hij toetste het niveau van communicatie tussen hen en, bij implicatie, hoeveel Chris wist van wat Lenka deed. 'Ze kocht hem toen ik met vakantie was.'

'Het is dus juist te zeggen dat jij niets wist van de grootste positie van het fonds. De positie die je de meeste problemen veroorzaakt?'

'Ik ben het aan het uitzoeken,' zei Chris.

Rudy schudde zijn hoofd. 'Uitzoeken. Ik weet niet zo zeker of Amalgamated Veterans jouw leerproces wel moet financieren.'

'Vertrouw op mij, Rudy. Ik zal geld voor je verdienen,' zei Chris.

Rudy grinnikte. 'Zoals je geld verdiende voor Bloomfield Weiss?'

Ineens werd het Chris helemaal duidelijk. Hij was hier zodat Rudy zijn neus kon wrijven in het feit dat zijn toekomst in Rudy's handen lag. Hij zou met hem spelen en hem vervolgens afmaken. Hij kon het proces een hele tijd rekken voordat hij nee zei. Nou ja, Chris had om het gesprek verzocht, dus was het eigenlijk zijn eigen schuld. Maar hij was te trots om Rudy erin te laten slagen.

Hij kwam overeind en stak zijn hand uit. 'Bedankt dat je bij ons hebt geïnvesteerd, Rudy. Maar ik denk dat het Carpathian Fund het beter zal doen zonder jou.'

Rudy keek teleurgesteld maar schudde de uitgestoken hand.

'Ik vind de weg zelf wel,' zei Chris en hij verliet het kantoor.

Tijdverspilling.

Chris zat ziedend in de Amtrak-trein van Hartford naar New York. Hij had duizenden kilometers gereisd om met Rudy te praten, maar hij werd alleen beledigd en vernederd. Hij had het kunnen weten. Uiteindelijk had Rudy duidelijk laten merken dat hij niet erg enthousiast was hem te zien. Maar hij moest het proberen. Pas als hij Rudy in persoon had gezien, kon hij er absoluut zeker van zijn dat er geen hoop meer was hem van gedachte te laten veranderen.

Wat nu? Obligaties verkopen nu de markt zo laag stond? Opgeven? Carpathian opheffen? Misschien zou de markt hem dit keer redden. Misschien zou de junkmarkt zijn opgeleefd als hij terugkwam in Londen, was er een grote koper van Eureka Telecom-obligaties, of een aankondiging over de uitbreiding van de Europese Unie.

Opnieuw moest hij zich verlaten op de grilligheid van de markt om te blijven bestaan: hij haatte dat.

Opnieuw voelde hij zich hulpeloos. Maar dit keer gingen zijn gedachten niet terug naar de ramp bij Bloomfield Weiss, maar naar een ander moment, twintig jaar eerder.

Hij was elf jaar. Zijn vader was negen maanden geleden gestorven. Het leven van zijn moeder, zijn jongere zus en hemzelf was dramatisch veranderd. Ze waren verhuisd, van een halfvrijstaand huis in een aardige doodlopende straat, naar een flat op de zevende verdieping van een ruige torenflat. Zijn moeder ging overdag werken in de plaatselijke VG-winkel en werkte drie dagen in de week in de nachtploeg van een pakhuis. Ofschoon ze trots op hem was dat hij naar de middelbare school kon, zou juist dat meer kosten met zich meebrengen. Maar ondanks het slaapgebrek, de geldzorgen, de roodomrande, door moeheid verfletste ogen, zag hij haar nooit huilen. Altijd had ze tijd voor hem en Anna, ze luisterde naar hun angsten, troostte hen. Met elf jaar had Chris ontdekt dat hij opnieuw de warmte van de armen van zijn moeder moest voelen, en die waren er altijd.

Tot hij op een avond laat uit school kwam en haar ophaalde voor de winkel. Anna speelde bij een vriendinnetje thuis. Samen babbelend liepen ze snel naar huis en namen de stinkende lift vol graffiti naar de zevende verdieping. Hun flat was aan het einde van de gang. Toen ze dichterbij kwamen, versnelde zijn moeder eensklaps haar pas en begon toen te rennen. Chris liep achter haar aan. De voordeur stond zwaaiend open. Binnen was de flat één puinhoop. Zijn moeder rende naar een ladekast waarin ze, dat wist hij, veel spullen van zijn vader bewaarde. De laden stonden open. Zwijgend stond ze naar de chaos erin te kijken. Chris kwam aarzelend dichterbij. Het horloge van zijn vader was weg. Ook zijn trouwring. En verscheidene schaakmedailles, die alleen maar iets waard waren voor de moeder van Chris. Hun trouwfoto lag op de vloer, het glas was kapot, de foto zelf was verscheurd.

Ze haalde diep adem en stootte een soort dierlijke kreet uit. Toen begon ze te snikken. Bang en niet wetend wat hij moest doen, pakte Chris haar vast en bracht haar naar bed. Als een kind begon ze tranen met tuiten te huilen. Chris voelde zijn ogen prikken, maar hij was vastberaden de tranen tegen te houden, deze ene keer haar steun te zijn. Hij klampte zich stevig vast aan haar schouders, in de hoop dat ze zou kalmeren. Huilend duwde ze haar gezicht tegen zijn borst.

Eindelijk, veel later, hield ze op. Een paar minuten bleef ze stil liggen en Chris wilde haar niet verstoren. Toen ging ze rechtop in bed zitten, draaide zich naar hem toe, met een opgezwollen gelaat en nat van de tranen, haar donkere krulharen, die anders zo zorgvuldig getemd waren, wild als een ragebol.

'Weet je wat, Chris?' zei ze.

'Ja, mama?'

'Het kan niet erger worden dan het nu is, nietwaar? Dat kan gewoon niet.' Ze snoof en produceerde met moeite een bibberige glimlach. 'Zolang jij en ik en Anna bij elkaar blijven en elkaar helpen, kunnen de zaken alleen maar beter worden. Kom op dus. Laten we die rommel gaan opruimen.'

En ze had gelijk. Op den duur gingen de zaken beter. De flat werd opgeruimd. Het verdriet over het verlies van zijn vader werd een knagende pijn. Ze vond een baan op een reisbureau die beter betaalde en kon zich ten slotte een klein huis voor hen veroorloven. Anna trouwde en kreeg twee kinderen. Chris ging naar de universiteit. Het was haar gelukt. Ze had het gehaald.

Dat zou hij ook.

De trein reed Penn Station binnen en Chris nam een taxi naar het centrum, naar Bloomfield Weiss. Hij herinnerde zich die huivering van verwachting die hij die morgen, tien jaar geleden, had gevoeld toen hij met Duncan en Ian voor het eerst het gebouw binnenkwam. Hij nam de lift naar de vijfenveertigste verdieping. En, net als op die eerste dag, stond Abby Hollis hem op te wachten.

Ze was weinig veranderd. Ze droeg een witte blouse en haar blonde haren waren strak naar achteren gebonden. Maar ze kauwde op kauwgum en glimlachte toen ze Chris zag.

'Zo, hoe gaat het met je? Fijn je weer eens te zien.' Ze stak haar hand uit en Chris schudde die. 'Kom maar mee naar de vloer. Daar is het momenteel rustig. Daar kunnen we praten.'

Ze ging Chris voor, door de warboel van bureaus, stoelen, prullenbakken, papieren en mensen, naar de hoek aan de overkant van het lokaal. Chris keek om zich heen. 'Het is hier niet erg veranderd,' zei hij.

'De directie blijft maar praten over een nieuw gebouw, maar dat heeft weinig zin. Hier gebeurt het nog steeds allemaal op Wall Street.'

Als dat waar was, gebeurde er op dat moment op Wall Street niets, niet zo verwonderlijk voor vier uur op een maandagmiddag. Het vertrek was vol mensen, maar degenen die telefoneerden, zagen er onattent en ongehaast uit, en de meeste mensen keken naar hun scherm, lazen de krant of staarden gewoon in het niets. Een groepje lange kerels in witte overhemden stond duimen te draaien. Op een bepaalde manier leek het allemaal minder intimiderend dan tien jaar geleden. Chris verwachtte niet langer dat iemand elk moment naar hem schreeuwde dat hij een pizza moest gaan halen. Hij zag zelfs een paar angstige stagiairs aan de rand van een rij bureaus zitten, tegen wie hij zelf zou kunnen schreeuwen als hij zin had. Hij deed het niet.

Abby werkte bij Gemeenteverkopen, niet direct de aanlokkelijkste afdeling bij Bloomfield Weiss. Toen ze bij haar bureau kwamen, herkende Chris Latasha James, die een keurig zwart pakje droeg.

'Hé Chris! Hoe gaat het met je?' Ze omhelsde hem. 'Geweldig je weer eens te zien. Ik vind het zo erg van Lenka.'

'Ja, het was afschuwelijk,' zei Chris. 'Ik zie dat ze je nog steeds bij Gemeentefinancieringen houden?'

Latasha rolde met haar ogen. 'Ja, inderdaad. Ik werk boven bij Productie. Maar het is daar nog niet zo slecht. Sommige van die steden hebben het geld echt nodig dat wij voor hen kunnen krijgen, weet je dat? Ik geloof dat ik hier meer goed doe dan ik op veel andere plaatsen zou kunnen doen.'

'Iets goeds doen bij Bloomfield Weiss. Hoe bedenk je het!'

'Jazeker! Ik moet rennen,' zei Latasha. 'Ik zie je nog wel.'

'Ze is echt goed,' zei Abby en ze ging aan haar bureau zitten. 'Ze krijgt meer deals voor ons voor elkaar dan alle kerels boven. De gemeenteambtenaren zijn dol op haar. En niet alleen de zwarte.'

'Ik ben heel blij dat te horen,' zei Chris; hij trok een stoel bij en keek naar de vertrouwde schermen op Abby's bureau. 'Hoe lang doe je dit nu?'

'Negen jaar,' zei Abby. 'Uiteindelijk ben ik aan de klauwen van George Calhoun ontsnapt. Het is oké. Ik houd me rustig, ik ben aardig voor mijn cliënten, ik verdraag het gezeik van mijn baas, ze houden me hier.'

'Dat is tegenwoordig een prestatie,' zei Chris.

Abby glimlachte. 'Ik hoorde dat het Herbie Exler was die jou naaide bij die convergentiehandel. Ze hadden hem eruit moeten schoppen, niet jou.'

Chris trok zijn wenkbrauwen op. 'Ik realiseerde me niet dat andere mensen het wisten.'

'O ja, ze weten het allemaal,' zei Abby. 'Maar niemand zal er iets over zeggen. Herbie is niet iemand die je als vijand wilt. Simon Bibby evenmin. Hij is nu hoofd van Obligaties met vaste rente in New York.'

'Nou, ik ben blij dat ik weg ben.'

Abby kauwde peinzend. 'Het spijt me dat ik zo'n kreng was bij de opleidingscursus.'

Chris schrok. 'Jij was geen kreng.'

Abby glimlachte. 'Jawel, dat was ik wel. Ik wilde de gemeenste cursusadministrateur zijn die Calhoun ooit had gezien. Ik weet dat hij dat wilde, en ik dacht dat het de enige manier was om het ooit te rooien in een beleggingsbank. Ik was zo gespannen bij alles.'

'Ze maken je zo, nietwaar?' zei Chris.

'Dat doen ze zeker. Aanvankelijk was het hier even erg. Toen drong het langzaam tot me door dat het mogelijk was te werken bij Bloomfield Weiss en toch rustig te leven. Je moet gewoon weten hoe. Excuseer me.'
Een van de lampjes op een paneel flitste en Abby nam op. Ze kletste vriendelijk met iemand aan de andere kant en verkocht hem uiteindelijk drie miljoen dollar van een Turnpike-obligatie in New Jersey.
Ze legde op. 'Waar was ik?'
'Je herleefde de goeie ouwe tijd.'
'O ja,' lachte Abby. 'Zo, wat kan ik voor jou doen?'
'Ik wilde je iets vragen over de cursus. Volgens mij heeft het iets te maken met Lenka's dood.'
'Ga verder.'
'Het gaat over Alex Lubron.'
Abby trok haar wenkbrauwen op. 'Alex Lubron? Dat is eigenlijk een onderwerp waarvan ik dacht dat jij alle antwoorden wist, niet ik.'
Chris negeerde de steek. Hij wist dat hij voorzichtig moest zijn. 'Ik wilde eigenlijk met je praten over iets wat er gebeurde even vóór zijn dood.'
'Ik zal zien of ik het nog weet.'
'Ik begrijp dat hij positief werd bevonden bij een drugstest?'
Abby knikte. 'Dat weet ik nog. We werden verondersteld iets te doen aan het drugsmisbruik in het bedrijf. Misschien herinner je je dat er een paar verkopers betrapt werden op leveren aan cliënten. Kijk, het idee was een of twee employés heel openlijk te ontslaan, om te tonen dat het de firma menens was. Maar ze wilden geen employés ontslaan die echt geld verdienden. Daarom kwamen ze op het idee om een paar stagiairs te pakken. Niemand zou die missen, nietwaar?'
Chris glimlachte.
'Je kunt je voorstellen dat Calhoun dol was op dat idee. Daarom verzon hij een medisch neponderzoek, dat direct na het eindexamen zonder waarschuwing gehouden zou worden. De kantoren in Frankfurt en Londen protesteerden omdat hun employés ook opgeofferd zouden worden, daarom was Calhoun gedwongen zich te beperken tot mensen die in Amerika waren aangenomen.
Dus namen ze monsters en tot hun grote verrassing werd er maar één employé positief bevonden.'
'Alex?'
'Dat klopt. Alex. Hij had echter een soort mentor in de hypotheekhandel die stampij maakte. Calhoun bracht veel tijd door met Alex; ik weet niet precies wat voor deal er werd afgesloten. Hoe dan ook, nadat Alex was gestorven, werd alles vergeten. Bloomfield Weiss wilde een snel en

glad ontslag van iemand van wie nooit meer iets vernomen zou worden. Toen Alex eenmaal was verdronken, werd hij helemaal de verkeerde persoon om op drugs te worden betrapt.'

'Wist de politie dat?' vroeg Chris.

'Ik weet niet zeker wat de politie wist,' zei Abby. 'Een week of zo leken ze wantrouwig over de dood van Alex, en daarna lieten ze de hele zaak vallen. Maar ik weet zeker dat je je dat nog herinnert.'

'Dat doe ik,' zei Chris. 'Dat doe ik zeker.'

'Of Bloomfield Weiss hen op de een of andere manier onder druk zette, weet ik niet.'

'Kan Bloomfield Weiss dat doen?'

Abby keek om zich heen. 'Wat denk je dat we hier doen? Wij zijn een van de drie topbedrijven aan de straat om gemeentefinanciën te genereren. Wij kennen een boel ambtenaren.'

'Hmm.'

Abby boog zich naar voren. 'Vertel me eens,' zei ze met een lichtje in haar ogen. 'Wat gebeurde er op die boot?'

Chris zuchtte. 'Alex werd dronken. De boot voer snel. De zee was ruw. Hij viel erin. Ian, Eric en Duncan sprongen in het water in een poging hem te vinden. Dat konden ze niet. Eerlijk gezegd hadden we nog geluk dat we hen terugvonden. Alex verdronk.' Chris vertelde het met vlakke stem. Het was allemaal waar, al was het niet de hele waarheid.

'Het spijt me,' zei Abby en haar nieuwsgierigheid werd geprikkeld door de toon van Chris. 'Soms vergeet je dat rampen echte mensen betreffen.'

'Ja,' zei Chris. 'Inderdaad.'

'Het was heel belangrijk voor PZ. Weet je, ze hadden een paar jaar een nieuwe benadering voor rekrutering geprobeerd. Herinner je je nog dat je een paar psychometrische testen moest afleggen, voordat je werd aangenomen?'

'Vaag.'

'Nou, een van de dingen waarnaar ze zochten, was uiterste prestatiegerichtheid, agressie, zelfs meedogenloosheid. De theorie was dat beleggingsbankiers roofdieren, koningen van de jungle moeten zijn, dat soort onzin.'

'Net of ik George Calhoun hoor,' zei Chris.

'Precies. Ik denk zelfs dat dat alles zijn idee was. Een boel mensen die uit dit proces tevoorschijn kwamen, waren dus gemiddelde, gemene, viriele beleggingsbankiers. Maar een of twee waren grensgevallen, op het psychotische af.'

'En Bloomfield Weiss nam hen toch aan?'

'Je snapt het. Met open armen. Een van de psychologen die de testen deden, maakte er herrie over. Uiteindelijk hielden we ermee op.'

'Weet je wie die "psychotische grensgevallen" waren?'

'Ik ontdekte later wie een van hen was. Een vent die Steve Matzley heette werd veroordeeld wegens verkrachting, een paar maanden nadat hij weg was bij Bloomfield Weiss. Ik geloof niet dat hij op onze cursus zat. Maar hij werd omstreeks die tijd aangenomen. Het gerucht gaat dat het rapport van de psycholoog waarschuwde dat hij een gevaarlijke man was.'

'En ze namen hem toch aan?'

'Precies. Hij was een geweldige dealer in staatspapieren. Het was je reinste geluk dat hij hier niet werkte toen hij die verkrachting pleegde.'

'Verrek. Liep het gerucht dus dat iemand van ons op de boot zo'n zelfde profiel vertoonde?'

'Zo werd er gekletst. Na Steve Matzley was dat wel logisch. Maar het was zuiver speculatie. De dossiers waren veilig opgeborgen en vertrouwelijk. Bovendien heb je me juist verteld dat het een ongeluk was, nietwaar?'

Chris gaf geen antwoord op haar vraag. 'Ken je de naam van de psycholoog die klaagde over de testen?'

'Nee, sorry. Maar je moet George Calhoun eens vragen over dit alles. Hij moet je meer kunnen vertellen.'

'Zit hij nog op PZ?'

'Ze hebben hem zowat een jaar geleden ontslagen.'

'Och, wat jammer nou. En nog wel zo'n aardige kerel.'

'Vooral na alles wat hij voor ons heeft gedaan,' zei Abby grijnzend.

'Weet je hoe ik hem te pakken kan krijgen?'

'Ik weet niet of hij een andere baan heeft,' zei Abby . 'En voor het geval je je dat afvraagt, ik heb zijn telefoonnummer thuis niet.'

'Geeft niets. Ik spoor hem wel op. Bedankt voor je hulp.'

'Geen probleem,' zei Abby en ze pakte de telefoon op.

10

Chris nam de lift naar een paar verdiepingen hoger. Toen hij uitstapte, kwam hij in een grote, stille receptieruimte, bewaakt door een tot in de puntjes verzorgde jonge vrouw, die Chris vroeg plaats te nemen, hem een kop thee aanbood en beloofde dat meneer Astle spoedig bij hem zou komen.

Natuurlijk was dat niet zo. Maar Chris vond het niet erg even te moeten wachten. Hij keek naar het komen en gaan van de mensen door de zware deur van ondoorzichtig glas die telkens met hun pasjes zwaaiden naar een flitsend groen oog op een zwart paneel. Hij dacht aan het politieonderzoek naar de dood van Alex.

Het had er om gespannen. De eerste paar vragen waren snel en gemakkelijk. Ze waren allen overeengekomen te beschrijven wat er in feite was gebeurd, ook de ruzie van Duncan met Alex, maar niet over het gevecht te praten. Alleen Lenka en Duncan moesten toegeven dat ze Alex overboord hadden zien vallen, de rest van hen stond op de brug de andere kant uit te kijken. Maar een paar dagen na het eerste verhoor werden ze allen opnieuw ondervraagd, door een paar rechercheurs die veel dieper groeven. Ze leken te denken dat er iets niet klopte in het verhaal, maar ze wisten niet precies wat. Een van hen had aan Chris gevraagd of er gevochten was, en Chris zei dat hij het niet had gezien, als dat zo was. Later waren ze allen erg nerveus, maar ze meenden allemaal dat ze erin geslaagd waren zich aan hun verhaal te houden. Duncan aarzelde en zei dat hij de waarheid ging vertellen, maar Eric en Chris haalden hem over door te zeggen dat hij het net zo goed vol kon houden, nu ze tot dusver hadden gelogen. Uiteindelijk had Duncan ingestemd.

Aan Ian, Duncan en Chris werd gevraagd nog een extra week in New York te blijven, om beschikbaar te zijn voor verder verhoor. Het gaf hun ook de kans de begrafenis van Alex bij te wonen. Ze brachten veel tijd met elkaar door, en met Lenka en Eric. Zowel Lenka als Duncan waren verontrust en gaven zichzelf de schuld van wat er was gebeurd. Ian was kregelig, zei weinig en zat vaak te piekeren. Lenka bedronk zich die week twee keer hopeloos. Zij en Duncan pasten ervoor op niet met elkaar te praten en er heerste altijd spanning als ze in dezelfde kamer waren.

Eric, en in mindere mate Chris zelf, hadden een kalmerende invloed gehad op hen allen, ofschoon Alex beter bevriend was geweest met Eric dan de anderen. Toen had de politie na een week de zaak gesloten, en de drie Engelsen waren heel opgelucht naar huis gevlogen.

'Hallo, Chris, bedankt voor het wachten,' Het was Eric. 'Ik hoopte dat ik vanavond wat eerder weg kon komen, en dat hoop ik nog steeds, maar er is iets tussengeschoten. Ik ben er over ongeveer twintig minuten.'

'Kan ik in jouw kantoor wachten?'

'Sorry,' zei Eric. 'Je mag niet verder komen dan die deuren. Beveiliging is tegenwoordig alles bij F&A.'

'Ik begrijp het,' zei Chris. 'Maar ik vraag me af of ik je snel om een gunst kan verzoeken. Ik dacht te proberen morgen George Calhoun op te sporen. Ik weet dat hij een jaar geleden hier is ontslagen, maar ik weet niet waar hij is. Wie kan ik dat vragen?'

'George Calhoun, hè?' zei Eric. 'Maak je geen zorgen. Ik zal het iemand laten uitzoeken,' en daarmee verdween hij weer achter de mysterieuze glazen deuren.

Chris zag een telefoon in een stille hoek van de receptieruimte en vroeg de vrouw achter het bureau of hij die kon gebruiken. Geen probleem. Chris belde het kantoor van Carpathian. Ollie was er nog. Hij was geagiteerd.

'Slecht nieuws.'

Chris voelde de moed in zijn schoenen zinken. 'Wat nu?'

'Het is Melville Capital Management. Ze willen zich terugtrekken.'

Chris sloot zijn ogen. Melville was een kleine zaak, gevestigd in Princeton, die de kapitaalfondsen van een half dozijn privé-colleges overal in Amerika beheerde. Ze vormden een betrekkelijk kleine belegger in het fonds, met drie miljoen euro. Maar na zijn rampzalige gesprek met Rudy, was het terugtrekken van nog eens drie miljoen het laatste wat het fonds kon gebruiken. En twee beleggers die het schip verlieten, zou voldoende kunnen zijn om de rest schrik aan te jagen.

'Hebben ze gezegd waarom?'

'Nee. Alleen dat ze met een maand op wilden zeggen.'

Ofschoon Lenka het belangrijkste contact was geweest met alle beleggers, had Chris de meesten van hen enkele malen ontmoet. Maar Melville niet. Hij herinnerde zich zijn telefonische melding van haar dood.

'Wie is de man daar? Zissky of zoiets, nietwaar?'

'Dr. Martin Zizka,' zei Ollie.

'Geef me zijn nummer eens.'

Ollie las de cijfers op.

'Bedankt.'

'Wat ga je nu doen?' vroeg Ollie.

'Hem zeggen dat hij in het fonds moet blijven.'

'Veel succes.' Toen op aarzelende toon: 'Hoe is het afgelopen met Amalgamated Veterans?'

'Dat wil je niet weten.'

Chris hing op en toetste het nummer in dat Ollie hem had gegeven.

'Zizka,' antwoordde een stem, zo zacht dat Chris hem nauwelijks kon horen.

'Dr. Zizka?'

'Ja?'

'U spreekt met Chris Szczypiorski van het Carpathian Fund.'

'O ja.' Zizka leek niet direct blij hem te horen.

'Ik begrijp dat u overweegt uw investering terug te trekken?'

'Dat is juist.'

'Melville Capital is voor ons een heel belangrijke belegger en het spijt ons u te moeten verliezen. Ik vroeg me af of het mogelijk zou zijn dit verder te bespreken?'

Zoals Chris al had verwacht, klonk Zizka niet bepaald enthousiast over zijn voorstel. 'Bent u niet in Londen gevestigd?'

'Ik ben momenteel in New York. Ik zou u morgen kunnen opzoeken.'

'O, ja. Ik heb het morgen de hele dag erg druk. Ik weet niet zeker of ik tijd kan vrijmaken.'

'Dr. Zizka, ik heb niet meer dan een half uur nodig. Zoals ik al zei, voor mij bent u een belangrijke belegger. En ik weet dat u voor Lenka ook belangrijk was.' Chris kromp ineen toen hij dat zei, maar hij wist dat hij zoveel mogelijk Lenka's naam moest gebruiken als hij Carpathian overeind wilde houden.

Zizka zuchtte. 'Goed dan. Vier uur. Maar het mag echt maar een half uur zijn. Om half vijf heb ik een vergadering.'

'Dat is prima, dr. Zizka. Ik zie u dan.'

Chris legde net de hoorn neer, toen Eric terugkwam. 'Wat is er aan de hand?' vroeg hij toen hij de uitdrukking op het gezicht van Chris zag.

'Vraag het me niet. Dat komt ervan als je je kantoor belt.'

Eric glimlachte meelevend. 'Altijd fout. Laten we nu maken dat we hier wegkomen, voordat iemand anders me te pakken krijgt.'

Ze renden het gebouw uit en net toen Chris zich afvroeg of Eric erop zou staan een taxi naar het treinstation te nemen in plaats van de ondergrondse, reed er een zwarte limousine voor. Er stapte een chauffeur uit die het portier voor Chris en daarna Eric openhield.

'Dit is Terry,' zei Eric. 'Hij zal je morgenochtend naar George Calhoun brengen. Je logeert bij ons, toch?'

'Als je dat niet erg vindt.'

'Fantastisch. Zo laat op de avond moet je niet meer teruggaan naar de stad.'

'Waar woon je nu?' vroeg Chris toen de limo, eigenlijk gewoon een grote sedan, wegreed voor het gebouw van Bloomfield Weiss.

'Op Long Island. Een plaats die Mill Neck heet. Het is vlakbij Oyster Bay.' Het was spitsuur en ze deden er een uur over zich door het verkeer te worstelen. De meeste tijd bracht Eric aan de telefoon door. Het was geen opschepperij, er leken twee belangrijke deals tegelijk te spelen. Chris deed alsof hij niet luisterde, maar deed dat natuurlijk wel. Eric was irritant vaag en bleef maar zeggen dat hij 'nu niet kon praten', ofschoon hij vaak de woorden Rome, München en Dallas noemde. Hij sprak met iemand die Sergio heette over iemand anders die Jim heette. Misschien een grote Italiaanse deal met een Amerikaans bedrijf, gevestigd in Texas?

Na een bijzonder vaag gesprek draaide Eric zich om naar Chris. 'Doe me een plezier. Probeer niet te raden wat er aan de hand is.'

'Natuurlijk niet,' zei Chris.

Eric zuchtte. 'Je zou denken dat ik tenminste één avond om vijf uur zou kunnen vertrekken, nietwaar?' Daarop tsjirpte de telefoon zijn deuntje weer.

Ten slotte belandden ze op een smalle provincieweg die door de bossen kronkelde, langs landhuizen omgeven door hoge muren en met nu en dan een blik op de zee, die donker onder het maanlicht wiegde. Na een paar kilometer namen ze een bocht, Terry drukte op een afstandsbediening, een ijzeren poort zwaaide open en de auto stopte voor een rechthoekig wit huis dat baadde in het zachte licht van strategisch eromheen geplaatste lampen.

'We zijn er,' zei Eric.

'Is dit het huis dat je op de boot liet zien? Het huis, waarvan je zei dat je het altijd al wilde kopen? Is het niet ontworpen door de een of andere showarchitect?'

'Meier. Dat klopt. Ik was vergeten dat ik je dat had laten zien. Je hebt een goed geheugen.'

'Die avond herinner ik me in elk geval.'

'Ja. Zo, kom maar binnen.'

Ze stapten uit en Terry reed weg. Chris verwachtte bijna een livreiknecht, maar Eric had zijn eigen stel huissleutels en deed zelf de deur open. 'Hallo!' riep hij zodra ze de enorme hal inliepen, met een brede trap naar boven.

Een slanke vrouw in spijkerbroek, blouse en op sokken, met haar blonde haren naar achteren gebonden, verscheen en kuste Eric hartelijk.

'Chris, dit is Cassie.'

'Hallo,' zei ze met een vriendelijke glimlach en ze stak haar hand uit. Er weerklonk een kreet 'Papa!' en een kleine jongen met blond krulhaar, die erg op zijn moeder leek, tuimelde de hal in en greep het been van zijn vader vast.

'En dit is Wilson.'

'Kiekeboe,' zei de jongen van tussen Erics benen.

'Hallo,' zei Chris.

Eric tilde de jongen in zijn armen. 'Vind je het erg als ik hem boven een verhaaltje voorlees?'

'Nee, ga je gang,' zei Chris en hij liep achter Cassie aan een enorme keuken in. Hij kwam voorbij een Latijns-Amerikaanse vrouw die haar jas aantrok.

'Tot morgen, mevrouw Cassie.'

'Tot morgen, Juanita. Dank je.'

Cassie schonk Chris wat witte wijn in en hield zich bezig met het fornuis, dat op een soort marmeren eiland middenin het grote vertrek stond. 'Wilson vindt het heerlijk als zijn vader op tijd thuiskomt om hem naar bed te brengen,' zei ze. 'Hij blijft niet lang weg.'

'Werk je?' vroeg Chris.

'Deeltijd. Sinds de geboorte van Wilson en nu we dit huis hebben gekocht, leek het zonde de hele tijd in de stad door te brengen. Ik heb een pr-bedrijf. Gelukkig zijn mijn partners erg goed, maar er zijn 's avonds vaak gelegenheden waar ik niet weg kan blijven, en dat is vrij vervelend.'

'Dit is een mooi huis.'

'We wonen er graag. Erics familie komt hier uit de buurt.'

'Dat weet ik. Hoe zit het met jou?'

'Philadelphia. Belangrijke stad. Het is handig voor Washington, waar mijn hele familie uiteindelijk terecht lijkt te komen.'

'Eric ook?'

Cassie glimlachte. 'Misschien. Daar kan hij je zelf over vertellen. Hoe ken jij Eric eigenlijk? Hij heeft het me verteld, maar ik vind het moeilijk op de hoogte te blijven van al zijn vrienden.'

'We zaten samen op de opleidingscursus van Bloomfield Weiss. Tien jaar geleden.'

'Werk je daar nog?'

Chris glimlachte. 'Godzijdank niet.'

Cassie lachte. 'Dat zeggen ze allemaal. Ik weet niet hoe Eric het volhoudt.'

'Hij lijkt het vrij aardig te doen.'

'Dat geloof ik niet,' zei Cassie. 'Ik ben ervan overtuigd dat hij op de postkamer werkt. Heb je zijn kantoor gezien?'

182

'Nee.'

'Precies. Dat heeft niemand. En elke paar minuten belt hij zijn horoscooplijn op zijn gsm, om mij de indruk te geven dat hij belangrijk is.'

'En dan belt zijn horoscooplijn hem terug?'

'Misschien heeft hij voicemail. Ik weet het niet. Eric wel. Hij schijnt verstand te hebben van telefoons.'

Chris lachte. Megan had gelijk. Cassie was een aardige vrouw. En aantrekkelijk.

'Hij zegt dat hij vaak in het buitenland zit,' zei Chris.

'Moet je mij vertellen.' Cassie rolde met haar ogen. 'Maar ik geloof dat hij echt probeert terug te komen wanneer hij maar kan. Hier, schenk zelf nog maar een glas in als je wilt.'

Na twintig minuten of zo kwam Eric bij hen en ze droegen allen het diner naar de eetkamer. De tafel, stoelen en het bestek waren hypermodern en zagen er niet uit alsof ze bedoeld waren gebruikt te worden voor een echt diner. Maar de aandacht van Chris werd getrokken door een schilderij aan de muur. Het was het doek van de petrochemische fabriek in de woestijn van Saudie-Arabië dat hij zo goed kende.

'Dat herken ik,' zei hij.

'Ja,' zei Eric. 'Volgens mij was dat het beste van Alex. 'Ik heb het van zijn moeder gekregen.'

'Ik ben blij dat jij het nog hebt.'

Ze gingen zitten. Een andere wand van de kamer was helemaal van glas en gaf een fantastisch uitzicht op de baai en de in de verte flonkerende lichtjes.

'Is dat Oyster Bay?' vroeg Chris.

'Dat klopt,' zei Eric.

'Wonen je ouders daar nog?'

'Nee, niet meer. Vijf jaar geleden is mijn vader weggelopen naar Californië, met een afschuwelijke vrouw die twintig jaar jonger is dan hij. Mijn moeder schaamde zich zo dat ze ook wegtrok uit het stadje.'

'Dat vind ik erg,' zei Chris.

Eric zuchtte. 'Dat soort dingen gebeuren tegenwoordig nu eenmaal in gezinnen. Ik moet zeggen dat ik er behoorlijk van schrok. Ik heb mijn vader nooit als zo'n soort man gezien.'

Chris veranderde van onderwerp. 'Dit smaakt heerlijk,' zei hij en hij wierp zich op de exotische salade die Cassie had gemaakt. En dat was het ook. Evenals de hoofdschotel, tonijnsteaks in een pittige saus met ananas, en crème brûlée toe. De avond verliep uiterst prettig en toen zei Cassie dat ze naar bed ging.

'Wil je graag een cognac, Chris?' vroeg Eric.

'Wacht, ik zal je eerst helpen met de afwas,' zei Chris.

'O, maak je daar geen zorgen over,' zei Eric. 'Dat doet Juanita morgen wel.'

Chris zweeg even, bedacht hoe fijn het zou zijn nooit af te hoeven wassen na een dineetje, en liep toen achter Eric aan naar een grote woonkamer, met heel weinig meubilair en kilometers leeg vloeroppervlak. In een grote open haard smeulde een vuur. Alles zag er goed uit, maar Chris vermoedde dat Wilson daar heel weinig tijd doorbracht. Eric schonk twee cognacs in uit een gladde, gebogen karaf.

'Bedankt dat je bij Rudy Moss een goed woordje voor me hebt gedaan.'

'Geen probleem. Hoe is het gegaan?'

'Tijdverspilling,' zei Chris. 'Ik moest het proberen en ik dacht dat ik hem zou kunnen overreden, maar dat kwam niet bij hem op. Volgens mij wilde hij alleen maar zijn macht over mij demonstreren. Ik denk dat hem dat een kick gaf. Vervelend mannetje.'

Eric glimlachte. 'Het is zonde dat iemand die zo intelligent is, zo'n hufter kan zijn.'

'Het fonds zit nu echt in de problemen. Ik zal wat obligaties moeten verkopen om het geld te krijgen om Rudy uit te kopen, en op de markt is het helemaal het verkeerde moment. Bloomfield Weiss wil me geen fatsoenlijk bod doen voor die stomme Eureka Telecom-positie waar Ian Darwent ons mee heeft opgescheept. En nu wil er nog een belegger uitstappen. Ik weet niet wat ik moet doen.'

'Je vindt er wel iets op,' zei Eric.

'Ik wilde dat ik jouw vertrouwen had. Ik heb er de pest aan Lenka in de steek te laten.'

'Vat het niet zo persoonlijk op. Zij zou het begrijpen.'

Nee, dat zou ze niet, dacht Chris. Ze zou zich met hand en tand verzetten om Carpathian te redden. En dat hoorde hij ook te doen.

'Heb je Marcus Lubron al gevonden?' vroeg Eric.

'Nog niet. Dat moet ik morgen doen. Als ik George Calhoun heb gesproken.'

'O ja. Waar wil je in hemelsnaam met hem over praten? Die slechte herinnering stouw ik liever weg.'

Chris vertelde Eric over zijn gesprek met Abby Hollis. Eric luisterde aandachtig. Toen hij klaar was, vroeg Chris hem over het drugsgebruik van Alex.

'Ik wist dat hij nu en dan drugs gebruikte,' zei Eric. 'Maar het stelde niet veel voor. Hij had er geen probleem mee of zoiets. We hebben er niet veel over gesproken.'

'Totdat hij werd gepakt.'

'Zelfs toen nog niet. Natuurlijk maakte hij er zich echt zorgen over, en toen ik het hem vroeg, vertelde hij me eindelijk wat het probleem was. Maar hij wilde er niet over praten.'

'Abby zei dat Calhoun hem bedreigde.'

'Misschien. Er was iets aan de hand. Maar zoals ik al zei, hij wees mijn hulp af. Dat respecteerde ik. Hij en ik waren goede vrienden. Alex wilde nu eenmaal soms alleen gelaten worden. En dit was een van die keren.'

'Je weet dus niet precies wat er aan de hand was?'

Eric schudde zijn hoofd.

'En je hebt er later niets van tegen een van ons verteld?'

'Natuurlijk niet,' zei Eric. 'Het leek nu eenmaal niet goed erover te praten. Vooral na wat er met hem was gebeurd. Wat zijn problemen ook waren, ze zijn met hem gestorven.'

'Ik probeer te bedenken hoe dit verband kan hebben met Lenka's dood,' zei Chris.

Eric keek verbaasd. 'Ik zie niet in hoe. Waarom zou het dat?'

'Nou ja, ik weet dat Lenka Marcus iets wilde vertellen voordat ze stierf. Ik ben er nu vrij zeker van dat het meer was dan dat Duncan Alex overboord heeft geslagen. Ik dacht dat het ermee te maken kon hebben dat Alex op drugs werd betrapt.'

Eric fronste zijn wenkbrauwen. 'Ik kan onmogelijk het verband zien.'

Chris zuchtte. 'Misschien kan Marcus het me vertellen. Als ik hem kan vinden.'

'Misschien,' zei Eric. 'Laat het me weten.'

Chris leunde achterover in zijn stoel bij het warme vuur en nipte van zijn cognac. Hij keek naar Eric. Ofschoon hij een schitterende toekomst voor zich had, er in feite al in leefde, was hij in veel opzichten de meest oprechte vriend van Chris uit de cursus. Duncan was een emotioneel wrak, Ian was cynisch en zelfzuchtig geworden naarmate hij verder kwam in zijn loopbaan, maar Eric was in de grond nog steeds een vriend. Hij hoefde Chris niets te bewijzen en het had geen enkele zin dat Chris probeerde zich met hem te meten. Hij was blij dat het Eric was en niet Ian, die het zo goed had gedaan.

'Wat is er?' vroeg Eric.

'O, niks,' zei Chris. 'Ben je nog steeds van plan in de politiek te gaan?'

Eric glimlachte. 'Ik denk van wel.'

'Tot nu toe lijkt alles volgens plan te verlopen.'

'Gedeeltelijk. Ik verdien veel geld bij Bloomfield Weiss en ik heb ook een paar gelukkige beleggingen gedaan. Ik kan uitstekende contacten in de zakenwereld leggen; het is verbazingwekkend hoe dankbaar de baas van een grote onderneming kan zijn als je hem helpt de grootste acquisitie van zijn carrière te maken. Het probleem is dat ik nooit tijd heb voor al dat gesmoes. Ik zal iets moeten verzinnen om meer tijd te maken. Maar ja, ik ben nog steeds geïnteresseerd in de politiek.'

'En dan volg je de familietraditie?'

Eric keek Chris scherp aan. 'Bedoel je Cassies familie? Wilson is een goede man. Ik respecteer hem. Ik kan veel van hem leren.'

Het duurde even voordat Chris besefte dat hij het over zijn schoonvader had. Eric had zelfs zijn zoon naar Cassies vader genoemd! Maar misschien was Chris te cynisch: hij nam aan dat sommige Amerikaanse families dat deden. Hij kon merken dat het hele onderwerp een gevoelige plek was voor Eric.

'Het spijt me,' zei hij. 'Veel succes ermee. Het komt je toe het ver te schoppen.'

'We zullen zien,' zei Eric. Maar hij glimlachte niet. Zijn stem klonk verrassend serieus. Dit was duidelijk meer dan een terloopse fantasie. Ineens kwam de kracht van Erics ambitie, die hij goed verborgen hield maar waarover Megan had gesproken, boven water. Maar wat was daar verkeerd aan? Allemaal waren ze ambitieus, ook Chris. Daarom waren ze tenslotte door Bloomfield Weiss met open armen ontvangen.

11

Erics chauffeur Terry opende het portier van de limo en Chris stapte in. Het was negen uur. Terry had Eric al een paar uur eerder naar Manhattan gereden, en Cassie was om acht uur vertrokken, Wilson en het huis achterlatend in de handen van Juanita.

'Ik hoop dat je weet waar we moeten zijn,' zei Eric tegen het kortgeknipte, blonde achterhoofd van de chauffeur.

'Westchester,' antwoordde Terry. 'Huis van de heer en mevrouw George Calhoun. Maak u geen zorgen, ik weet de weg.'

'Goed dat je me wilt rijden,' zei Chris.

'De baas heeft het voor het zeggen.'

'Ik wist niet dat Bloomfield Weiss directeuren in limo's liet rijden.'

Terry lachte. 'Ik geloof ook niet dat ze dat doen. Dit is meer een privé-regeling. Ik rij voor meneer Astle als ik geen ander werk heb.'

'O. En wat voor werk is dat?'

'Privé-lijfwacht. Zo hebben we elkaar leren kennen. Een paar jaar geleden heb ik meneer Astle uit een netelige situatie in Kazachstan gehaald. Sindsdien heb ik vrij veel voor hem gedaan.'

Chris was verrast en geïntrigeerd. 'Ik realiseerde me niet dat Eric een lijfwacht nodig had. Wat gebeurde er?'

'Een poging tot ontvoering. We ontsnapten.'

'Wauw. Beleggingsbankieren is heel wat linker geworden dan in mijn tijd.'

'Niet echt. Ik begeleid cliënten alleen naar bijzonder roerige delen van de wereld. Of bij ontmoetingen met bijzonder gevaarlijke mensen. Zelfs dan is vijfennegentig procent van mijn werk gewoon waakzaam zijn en afwachten. Alleen nu en dan moet ik mijn training in praktijk brengen. Ik heb nog geen cliënt verloren.'

'Ik zal Westchester dus wel halen.'

Terry lachte. 'U haalt Westchester, meneer.'

Ze voegden zich in de rijen verkeer op de Long Island Expressway.

'Neem me niet kwalijk dat ik het vraag, maar bent u familie van Stanislaw Szczypiorski?' vroeg Terry.

'Inderdaad. Ik ben zijn zoon. Maar jij bent de eerste persoon die ik ooit heb ontmoet die van hem heeft gehoord. Schaak je?'

'Jazeker. En ik lees graag de boeken waarin de oude partijen beschreven zijn. Ik heb een oud boek over de King's Indian Defense waarin veel van zijn partijen staan. Ze hebben zelfs een variant naar hem genoemd.'

'Dat klopt. Het was zijn favoriete opening met zwart.'

'Speelt u ook?'

'Niet meer,' zei Chris. 'Als jongen heb ik veel gespeeld, maar ik zou nooit zo goed zijn geworden als mijn vader.'

Ze kletsten wat over schaken totdat ze het bosrijke district Westchester bereikten. George Calhoun woonde in zo'n klassiek Amerikaans huis uit een voorstad: hout, wit geschilderd, met een groot stuk gazon ervoor, aflopend tot aan de brievenbus en het trottoir. Terry wachtte in de auto en Chris belde aan.

Calhoun deed open. Hij was grijzer, kaler, gezetter en met wat meer rimpels. Zijn scherpgetekende gezicht was tegelijk zachter en meer verbitterd geworden. Hij herkende Chris niet.

'Chris Szczypiorski,' zei Chris en hij stak zijn hand uit. 'Van de opleidingscursus van Bloomfield Weiss.'

'Och ja. Ik weet het weer,' zei Calhoun. 'Ik weet het nog heel goed. Wat wilt u?'

'Ik wil over Alex Lubron praten.'

'Alex Lubron, hè? Weer zo een. Kom maar naar binnen.' Hij ging Chris voor naar de woonkamer. De tv stond aan. Reclame voor een laxeermiddel of zoiets. 'Ga zitten. Kom je me vertellen wat er in werkelijkheid is gebeurd?'

'Nee,' zei Chris. 'Ik kom uitzoeken wat er in werkelijkheid is gebeurd.' Calhoun snoof verachtelijk. 'Jij was erbij. Jij hoort het te weten. Het zou heel interessant zijn als je de rest van ons deelgenoot zou maken.'

'Ik weet wat er op de boot is gebeurd,' zei Chris. 'Alex viel overboord en verdronk. Maar wat me interesseert, is wat er tevoren gebeurd is.'

'Tevoren?'

'Ja. Had Alex problemen met drugs?'

Calhoun keek Chris achterdochtig aan. 'Dat is allemaal heel vertrouwelijk.' Chris sloeg zijn ogen niet neer. 'Ik weet zeker dat dat zo is,' zei hij na even te hebben gezwegen. 'En ik weet zeker dat u, na al uw jaren trouwe dienst bij Bloomfield Weiss, niet wilt praten over iets vertrouwelijks dat tien jaar geleden is gebeurd met iemand die nu dood is.'

Hij raakte de juiste snaar. Calhoun lachte. Of Chris dacht tenminste dat hij lachte. Het klonk eigenlijk meer als geblaf.

'Ik kan het nog niet geloven. Zesentwintig jaar. Op een half jaar na vijftig en ze zetten me op straat. Wat voor kans heb ik om op mijn leeftijd een andere baan te vinden?'

Chris glimlachte, naar wat hij hoopte op een meelevende manier. Hij zag de ironie ervan in. Calhoun was dol op het ontslaan van mensen. Hij had er een persoonlijk zakenfilosofie van gemaakt. Als er ooit een ego een kopje kleiner gemaakt moest worden, was het wel dat van hem. 'Goed. Ik zal het je vertellen. We testten de Amerikaanse stagiairs na het eindexamen. Alex Lubron was de enige die positief bleek. Ik wilde hem de volgende dag ontslaan, maar het hoofd van de hypotheekhandel, Tom Risman, wilde hem niet zomaar laten gaan. Dus wilde ik proberen hem zijn drugsdealer te laten aanwijzen. Hij had het weekend om daarover na te denken. Ik denk dat hij het ons verteld zou hebben. Zijn moeder was erg ziek en hij moest leningen en hoge medische rekeningen afbetalen. Hij leek zich ook zorgen te maken over de uitwerking die een openbaar ontslag en een veroordeling op haar zouden hebben. Hij vroeg ons het stil te houden.' Calhoun glimlachte bij zichzelf. 'Helemaal fout. Ik zei dat ik het zo publiek mogelijk zou maken. Persbericht, de hele reutemeteut. Ik had hem. Ik weet zeker dat hij gepraat zou hebben.'

'Maar zou dat geen slechte publiciteit voor Bloomfield Weiss zijn geweest?'

'Nee. Daar ging het juist om. We hadden er een paar pr-consulenten bijgehaald, nadat die verkopers veroordeeld waren wegens dealen in drugs. Ze zeiden dat het uiterst belangrijk was voor Bloomfield Weiss om in het openbaar schoon schip te maken.'

'Wie was nu de man die Alex drugs leverde?'

Calhoun zuchtte. 'Dat hebben we nooit ontdekt. Hij stierf voordat hij het ons kon vertellen.'

'Weet u of het iemand in de zaak was?'

'Niet zeker. Het had iedereen kunnen zijn, van de portier tot Sidney Stahl. Maar volgens mij zou hij het ons snel hebben verteld als het de portier was.'

Chris knikte. 'Hebt u het onderzoek na zijn dood voortgezet?'

'Zeer zeker niet,' zei Calhoun. 'Toen hij eenmaal dood was, wilden we alles zo snel mogelijk in de doofpot stoppen. Vooral toen de politie argwaan begon te krijgen.'

'Ik herinner me dat ze ons heel wat vragen stelden.'

Calhoun glimlachte. 'Het komt erop neer dat ze jullie niet geloofden. Dat was een probleem. We moesten druk uitoefenen.'

'Hoe hebben jullie dat gedaan?'

'Ik weet het niet,' zei Calhoun. 'Het gebeurde op heel hoog niveau. Maar de ene dag stelden ze een heleboel vragen. De volgende dag hielden ze ermee op.'

Godzijdank, dacht Chris. 'Kunt u iets vertellen over het psychometrische testprogramma?' vroeg hij.

Calhoun leek verrast door die koerswijziging. Maar hij beantwoordde de vraag. 'Dat was erg succesvol. Psychometrische testen worden vaak gebruikt om te meten wat voor teamspeler iemand is, leiderschap, dat soort zaken. Ik besefte dat dat niet echt was wat Bloomfield Weiss wilde. Natuurlijk zeiden we dat we het wilden, net als elke onderneming in Amerika, maar we hielden onszelf voor de gek. We wilden winnaars. Mensen die vastbesloten waren aan de top te komen, hoe dan ook. Het is niet zo dat we alleen de psychometrische testen gebruikten om mensen aan te nemen, maar ze vormden een nuttige aanwijzing.'
'Kwam er bij bepaalde mensen niet uit dat ze tegen de grens van het psychotische aan zaten?'
'Nee. Ik bedoel niet echt. Iedereen heeft psychotische problemen. Je zou kunnen zeggen dat echt succesvolle mensen er meer hebben dan de meeste anderen. De meeste bezielde mensen worden door iets gedreven als je begrijpt wat ik bedoel. En dat iets kan bedenkelijk zijn. Maar we waren niet geïnteresseerd in privé-problemen. We keken alleen hoe ze hun werk deden.'
'Hoe zit het met Steve Matzley?'
'Een goed voorbeeld. Hij heeft uitstekend voor ons gewerkt voordat hij wegging.'
'Maar daarna verkrachtte hij toch iemand?'
Calhouns ogen schoten vuur. 'Dat is mijn schuld niet! Dat is zijn eigen verantwoordelijkheid.'
'Maar wees de psychologische beoordeling bij hem niet op een groot risico?'
'Wie heeft je dat verteld?' snauwde Calhoun.
Chris schokschouderde. 'Het is gewoon een gerucht.'
Calhoun zuchtte. 'Als je met wijsheid achteraf dat rapport had gelezen, kan het misschien zijn dat je aanwijzingen naar wat er gebeurde gevonden zou hebben. Maar met wijsheid achteraf kun je zoiets met van alles doen.'
'Ik denk het ook,' zei Chris en hij probeerde meelevend te klinken. Hij wilde Calhoun niet op stang jagen. Hij had nog meer wat hij van hem te weten wilde komen. 'Waren er anderen van wie de rapporten ook redenen tot ongerustheid gaven?'
'Dat weet ik echt niet meer,' zei Calhoun.
'Mensen op de boot op de avond dat Alex verdronk? Alex zelf misschien?'
Calhoun keek Chris kwaad aan. 'Ik zei je toch, dat weet ik niet meer.'
'Na de dood van Alex hebt u de dossiers nagekeken, nietwaar?'
'Ik heb geen idee.'
'Wat bedoelt u, u hebt geen idee? We praten hier niet over een norma-

le personeelszaak. Dit was heel belangrijk. U moet zich herinneren of u de dossiers hebt nagekeken of niet.'

'Ik weet het niet meer,' gromde Calhoun met opeengeklemde kaken. 'En als ik het wel wist, zou ik het jou niet vertellen. Die dossiers zijn privé en heel vertrouwelijk.'

Chris wist zeker dat in die rapporten iets had gestaan dat George Calhoun erg had geïnteresseerd. Hij wist ook zeker dat Calhoun het hem niet zou vertellen. Aandringen had geen zin.

'Oké, ik begrijp het,' zei hij. 'Hoe zit het met de psychologen die de testen uitvoerden? Was er niet een bij die er niet gelukkig mee was?'

Calhoun snoof verachtelijk. 'Marcia Horwarth. Ik herinner me haar. Zij was degene die de zaak aanried met het programma te stoppen.'

'Heeft zij Steve Matzley getest?'

'Inderdaad.'

'En nog iemand over wie ze zich zorgen maakte?'

'Kan zijn. Ik weet het echt niet meer.'

Chris besefte dat hij niet verder meer zou komen. 'Dank u hartelijk, meneer Calhoun.'

'Je gaat dus niet vertellen wat er in werkelijkheid is gebeurd?' vroeg Calhoun sluw.

'Dat heb ik al.' Op een bepaalde manier had Chris er geen moeite mee tegen hem te liegen.

'Toe nou. Al die vragen of iemand van je vrienden op de boot een psychopaat was. Er moet iets zijn gebeurd.'

'Alex Lubron viel in het water en verdronk,' zei Chris.

'Oké,' zei Calhoun. 'Als jij dat zegt.'

Chris stond op om weg te gaan. Toen bleef hij even staan. 'Toen ik binnenkwam zei u "weer zo een". Heeft iemand anders iets gevraagd over Alex?'

'Ja. Zijn broer. Hij zei tenminste dat hij zijn broer was.'

'Marcus Lubron. Lange, magere vent?'

'Precies. Slordig. Was waarschijnlijk in geen week in bad geweest. Hij was met een soort onderzoek bezig om de waarheid over de dood van zijn broer te ontdekken.'

'Wat hebt u hem verteld?'

'Niet veel. Rare kerel, weet je wel.' Hij trok zijn neus op in wat op een sneer leek.

'Hij heeft u geen adres of zoiets gegeven?'

'Nee. Ik geloof ook niet dat hij me erg mocht. Maar zijn auto had een kenteken uit Vermont.'

'Kenteken uit Vermont? Dank u.' Dat zou het gemakkelijker maken hem te vinden. 'Zo, tot ziens, George,' zei Chris en hij stak zijn hand uit. Calhoun schudde die. Toen hij eenmaal uit het huis was en de afrit afliep, veegde Chris zijn hand af aan zijn broek. Hij hoopte dat George Calhoun nooit meer een baan kreeg.

Terry reed Chris terug naar de stad en zette hem af bij een karakterloos zakenhotel in het centrum. Nadat Chris een kamer had geboekt zette hij zijn laptop aan, opende internet en begon naar Marcus Lubron te zoeken. Het was niet echt zo gemakkelijk als hij had gehoopt. In heel Amerika stond nergens een Marcus Lubron in de telefoonboeken vermeld. Er waren twee M. Lubrons, een in de staat Washington en een in Texas. Chris belde hen. Een Matthew en een Mike. Marcus moest een geheim nummer hebben.

Hij zocht 'Lubron' op in een van de zoekmachines en ontdekte dat het de naam was van een anti-kreukoplossing voor textiel. Wat meer beloofde: er werd meubilair genoemd dat gemaakt was door Marcus Lubron, in het appartement van een rijke familie in Manhattan die Farmiloe heette. Hun nummer was gemakkelijk te vinden. Mevrouw Farmiloe was verrukt dat Chris over haar appartement had gelezen, maar ze had niet rechtstreeks met Marcus Lubron te maken gehad, al wist ze dat hij uit Vermont kwam. Ze gaf Chris het nummer van haar binnenhuisarchitect, die eerst niet wilde meewerken, maar toen Chris haar overtuigde dat hij een oude vriend uit Engeland was die Marcus na tien jaar dolgraag weer eens wilde zien, zwichtte ze en gaf ze hem de naam en het adres. Chris zocht het op op de kaart. Marcus woonde in een stadje in de bergen, midden in de wildernis van Vermont.

Hij besloot hem niet te bellen. De kans dat Marcus met hem over de telefoon wilde praten, of zou toestemmen hem te ontmoeten, was klein en het had geen zin hem te waarschuwen dat Chris naar hem op zoek was. Het was veel beter hem te verrassen. Daarom belde Chris een reisbureau en boekte een vlucht naar Burlington voor de volgende dag.

Dr. Marcia Horwarth vinden was veel gemakkelijker. Ze had een kantoor aan de West Side en zei dat ze Chris een kwartier kon geven, de volgende morgen om kwart voor negen. Blij dat er eindelijk wat schot in leek te komen, nam hij een taxi naar Penn Station en een trein naar Princeton.

Melville Capital had de eerste verdieping van een keurig geschilderd, houten gebouw dat meer leek op een woonhuis dan op een kantoor; op de benedenverdieping zat een effectenmakelaar voor de betere inkomensklassen. Chris arriveerde een paar minuten vóór vier en werd door een corpulente dame van middelbare leeftijd binnengelaten in het kantoor van dr. Zizka. Groot en luchtig met een paar comfortabele sofa's, mooie reproducties van universiteitsgebouwen aan de muren, planken vol boeken en academische tijdschriften, en slechts één computer in het vertrek; het leek een heel vriendelijk plekje om de dag door te brengen zonder last te hebben van de chaotische markten. De late namiddagzon scheen door het raam en wierp een zacht licht op het gepolijste hout van het bureau en het kale hoofd van de man die erachter door een half leesbrilletje een of ander tijdschrift zat te lezen.

Het duurde even voordat de man zijn tekst opzij legde en opkeek. Hij sprong glimlachend overeind en haastte zich met uitgestoken hand om het bureau heen. 'Ik ben Martin Zizka.'

'Chris Szczypiorski.'

'Kom binnen, kom binnen. Ga zitten,' zei Zizka en hij wees op een van de sofa's. Hij was een kleine man van in de vijftig, met helderblauwe ogen die in een rond gelaat twinkelden. 'Het spijt me heel erg dat we maar een half uur hebben, maar het is hier een gekkenhuis,' zei hij en hij gebaarde vaag naar zijn vredige kantoor.

'Ik begrijp het,' zei Chris. 'Het is nooit rustig op de markten.'

'Nooit,' zei Zizka en hij schudde zijn hoofd.

'U beheert geld voor een aantal universiteiten, begrijp ik?'

'Dat klopt,' zei Zizka. 'Vroeger was ik professor in de economie op de Melville Universiteit in Ohio. Ze waren erg teleurgesteld over de houding van de bedrijven die hen adviseerden over hun kapitaalfonds. Tegenstrijdige belangen, slechte prestaties, gebrek aan persoonlijke belangstelling. Daarom bood ik aan hun geld voor hen te beheren. Ik heb een paar goede jaren gehad, ik heb veel contacten in de wetenschapswereld en nu adviseer ik over de fondsen van nog eens vijf soortgelijke instituten.'

'En u doet dat van hieruit?' zei Chris en hij keek rond in het kantoor.

Zizka glimlachte. 'O, ik handel zelf niet meer. Daar begon ik mee, maar nu merk ik dat het niet nodig is. Ik verdeel het geld over anderen om dat te doen, zoals uzelf. Ik neem de belangrijke strategische beslissingen. Ik merk dat het rendement vanzelf komt, als die beslissingen juist zijn. Wat ik nooit genoeg kan krijgen, zelfs hier, is vrede en rust om te lezen en te denken.'

Daar zat iets in, dacht Chris. Hij besefte dat hij op moest passen dr. Zizka niet te onderschatten.

'En dat was waarschijnlijk waarom u in Carpathian investeerde. Leek het de juiste strategische beslissing?'

'Gedeeltelijk.'

'Gedeeltelijk?'

'Gedeeltelijk. Het meeste was Lenka.'

'U hebt haar lang gekend?'

'Ja. Toen ik in deze zaak begon, raakte ik betrokken bij de markt voor obligaties met hoog rendement. Dat was toen ik nog zelf individuele effecten kocht. Ik handelde met alle grote makelaars, ook Bloomfield Weiss. Terwijl de anderen er tevreden mee leken me welke deal ook te verkopen, zolang die van henzelf was, verkocht Lenka me alleen obligaties die werkten. Ik was slechts een kleine klant, maar ze zorgde voor me. Ten slotte gaf ik haar al mijn zaken. Het rendement was goed en ze heeft mijn vertrouwen nooit misbruikt. We konden goed met elkaar opschieten: mijn ouders kwamen uit een kleine stad buiten Praag, weet u. Toen ze me dus vertelde dat ze met Carpathian begon, dacht ik, waarom zou ik haar niet steunen? Dat verdient ze. En tot dusver heeft het prima gewerkt. Het probleem is dat sommige regenten er vragen over blijven stellen. Het valt een beetje op op onze lijst van beleggingen.'

Zizka zweeg en zette zijn brilletje af. 'Ik schrok erg van wat er met haar is gebeurd. Een afschuwelijke zaak.' Hij schudde zijn hoofd en wreef in zijn ogen. Toen keek hij Chris aan. 'Maar nu ze er niet meer is, lijkt het de juiste tijd om eruit te stappen, gezien alle andere factoren. Ik weet zeker dat u dat begrijpt.'

Chris begreep het inderdaad. Maar hij kon zich niet veroorloven het ermee eens te zijn. 'Gelooft u nog steeds dat het strategische argument verstandig is? Dat er kansen bestaan geld te verdienen, naarmate de Midden-Europese economieën met Europa geïntegreerd raken?'

'Ja, dat geloof ik, maar...' Zizka haalde zijn schouders op.

Chris begon aan zijn verhaal over de kansen in Midden-Europa, zijn mening over de economische vooruitzichten daar, het resultaat van het fonds sinds zijn begin, hoe de nerveuze markt van dit moment een kans bood om meer geld te verdienen. Zizka luisterde beleefd, maar Chris kon merken dat hij niets bereikte. Zizka had geïnvesteerd om Lenka te steunen. Nu Lenka er niet meer was, had hij geen reden meer om betrokken te blijven. Zijn besluit stond vast.

De minuten tikten voorbij. Zijn halfuur was bijna verstreken. Chris stond op om te gaan.

'Dank u dat u naar me hebt geluisterd, dr. Zizka.'

'Het is het minste wat ik kon doen,' zei hij. 'U was tenslotte Lenka's partner.'

'Dat was ik.' Chris gaf Zizka een hand. Een fatsoenlijke man. Een eerlijke man. Een heel verschil met Rudy Moss. 'Weet u, ik voel me nog steeds haar partner. Dat zij er nog is en over mijn schouder meekijkt.

Carpathian is nog steeds haar bedrijf. Ze vertrouwde me en ik zal haar niet in de steek laten.'

Zizka's ogen namen Chris snel op en bekeken hem nadrukkelijk. 'Dat weet ik zeker.'

'Wilt u het niet eens opnieuw bekijken?' vroeg Chris. 'Zo niet voor mij, dan voor haar?'

Zizka aarzelde. Het leek alsof hij iets wilde gaan zeggen, maar toen liep hij naar de deur en opende die.

'Tot ziens,' zei hij. 'En veel succes.'

Chris kwam gedeprimeerd terug in zijn hotel. Zizka had niet echt gezegd dat hij zijn geld wilde terugtrekken. Maar hij had ook niet gezegd dat hij van gedachte was veranderd. Chris belde Ollie in Engeland. Bij hem was het bijna middernacht, maar Ollie wilde graag praten. De markt was zwakker, de koersen waren gezakt. Er was geen miraculeus bod voor Eureka Telecom gekomen. Toch was Ollie enthousiast. Hij dacht dat het laatste nieuws over de Slowaakse economie bemoedigend was en dat de beleggers dat nog niet door hadden. De eerste gedachte van Chris was Ollie te zeggen te wachten totdat hij terug was. Maar Ollie klonk overtuigend en nu Lenka er niet meer was, moest Chris spoedig beginnen op hem te vertrouwen. Waarom dus nu niet? Hij zei Ollie dat hij morgen Slowaakse obligaties moest kopen. Ollie vroeg niets over Melville, daarom vertelde Chris het hem niet.

Hij legde de hoorn neer en keek rond in zijn steriele hotelkamer. Hij kon er niet tegen hier de hele avond te blijven kniezen, daarom kleedde hij zich om, pakte zijn portefeuille en liep de straat op. Hij had honger. Hij ging de kant van de East Side op, op zoek naar zijn oude kroegen. Hij vond een bar waar hij, Duncan en Ian vaak heengingen, op de hoek van 71st Street en 2nd Avenue, en bracht een plezierig uur door met het drinken van een paar biertjes, het verorberen van een grote cheeseburger en terugdenken aan de goede tijd van die zomer in New York tien jaar geleden.

Hij wilde dat hij Megan toen beter had leren kennen. Achteraf bezien was alle tijd die hij met Tamara had doorgebracht totale verspilling geweest. Het had natuurlijk nooit kunnen gebeuren, hij zou haar nooit los hebben kunnen weken van Eric. Maar het was een mooie gedachte. Hij zou haar spoedig weer zien. Ook dat was een mooie gedachte.

Hij liep op goed geluk terug en bevond zich ten slotte in de zijstraat bij zijn hotel. Het was koud voor maart in New York en het begon te regenen. De temperatuur was vast maar net boven het vriespunt en de koude, harde regendruppels prikten op zijn gezicht. Hij was blij dat hij destijds naar de tweede opleidingscursus van het jaar was gestuurd: vijf maanden doorbrengen in het donker, de kou en de regen zou niet half zo prettig zijn geweest. Nu was het moeilijk je de broeiende hitte en de vochtigheid voor te stellen van het New York dat hij had ervaren. Het ging harder regenen. Met neergeslagen ogen versnelde hij zijn pas, zijn handen diep in zijn jaszakken, ernaar verlangend terug te zijn in de warmte van zijn hotel, slechts een straat verderop.

Plotseling werd hij door een felle duw in zijn rug in een portiek gestoten. Hij verloor zijn evenwicht en botste tegen een metalen deur. Toen hij probeerde zich om te draaien, voelde hij koud staal tegen zijn wang. De vlakke kant van een mes duwde zijn gezicht tegen de deur. Hij probeerde zijn hoofd te bewegen om zijn overvaller te kunnen zien, maar het mes sneed in zijn wang. Wel ving hij een glimp op van een zwarte sjaal, snor, zonnebril en wollen muts, en lang haar dat onder de rand uitkrulde. De man was een paar centimeter kleiner dan hij, maar hij was sterk en vastberaden.

'Sta stil,' siste een schorre stem. 'En luister.'

Chris' wang deed pijn. Hij kon bloed langs zijn kaak voelen druppen. Hij bleef stilstaan.

'Ik ga je dit maar één keer vertellen,' fluisterde de stem in een goede imitatie van Marlon Brando. 'Je gaat geen vragen meer stellen. Je stapt op het volgende vliegtuig naar huis. Je gaat alles over Lenka vergeten. Begrepen?'

'Ja,' zei Chris met opeengeklemde tanden.

'Weet je het zeker?'

'Ik weet het zeker.'

'Oké. Ik hou je in de gaten.' Toen werd het mes van zijn kin gehaald en hij voelde een klap tegen zijn ribben die hem dubbel deed slaan. Hij snakte naar adem, draaide zich om en zag een figuur wegrennen. Hij keek om zich heen. Hij zag een vrouw naar hem kijken, die vanaf de overkant van de straat met open mond had toegezien. Ze dook ineen en haastte zich de andere kant op. Er waren geen andere getuigen.

Chris krabbelde op van het trottoir en betastte zijn wang die flink bloedde. Op een holletje liep hij naar de ingang van het hotel.

De portier schrok hevig toen hij hem zag en zocht snel een eerstehulpdoos. Hij bood aan de politie te bellen, maar Chris zei dat hij niet zo erg gewond was, en er was hem niets afgenomen, daarom had het geen zin. Dus nam hij, zwaar hijgend en trillend, de eerstehulpdoos mee naar zijn kamer.

Hij liep recht naar de badkamer en hield zijn zakdoek tegen zijn wang. Hij keek in de spiegel en verstijfde. Daar, in bloed op het glas geschreven, stonden de woorden: 'Ik heb Lenka vermoord.'

Hij wankelde de slaapkamer weer in en klapte de badkamerdeur dicht. Hij liet zich op het bed vallen en nam zijn gezicht in zijn handen. Hij beefde nu over zijn hele lijf. Wie was die vent? Waar was hij? Was hij nog in de kamer?

Hij sprong overeind en doorzocht de kamer, achter de gordijnen, in de kleerkast en in de badkamer achter het douchegordijn. Er was natuurlijk niemand. Hij ging op bed zitten en probeerde zichzelf meester te worden. Na vijf minuten was het ergste trillen opgehouden en belde hij de hotelmanager.

Die kwam, snel gevolgd door twee politieagenten in uniform. Het waren grote kerels, die nog groter leken door het hele wapenarsenaal dat ze om hun middel droegen. Hun hardheid was zowel intimiderend als verkwikkend. Ze maakten aantekeningen. Hun interesse werd aanzienlijk groter toen ze hoorden dat Lenka slachtoffer van een moord was geweest, en zakte weer ineen toen hun werd verteld dat de misdaad in de Tsjechische Republiek was gepleegd, wat Chris voor hun moest spellen. Ze vroegen hem of de man die Lenka had aangevallen dezelfde was die hem die avond had aangepakt.

Chris dacht diep na alvorens te antwoorden. De kleren leken hetzelfde, maar waren toch anders. De snor zou dezelfde geweest kunnen zijn. Hij kon zich niet herinneren dat hij in Praag lang krullend haar had gezien. Maar de manier van lopen was bekend. Hij had beide mannen weg zien rennen en ze waren dezelfde.

De politieagenten waren er niet van overtuigd dat dit telde als een positief signalement, maar ze schreven het toch op. Toen kraakte hun radio en werden ze naar een schietpartij ergens anders geroepen, en weg waren ze.

De manager maakte zich druk om hem. Hij zei dat hij geen idee had hoe iemand langs de receptie en in zijn kamer had kunnen komen. Chris vermoedde dat het gemakkelijk was. De manager gaf hem een nieuwe kamer en Chris verzocht het hotel erg goed op te passen en zijn kamernummer aan niemand bekend te maken. De manager verzekerde hem dat plechtig en liet hem verder alleen.

Chris nam een bad en ging naar bed. Hij kon niet slapen. De waarschuwing had niet duidelijker kunnen zijn. Iemand wilde dat hij ophield met vragen stellen. Deed hij dat niet, dan zou hij waarschijnlijk worden vermoord. En wie dat dreigement had geuit, leek volledig in staat het uit te voeren. Wat moest hij nu doen?

Het voor de hand liggende antwoord was: opgeven en naar huis gaan. Chris besloot zijn ticket naar Vermont te annuleren en de volgende dag terug te vliegen naar Londen.

Nadat hij dat besluit had genomen, hoopte hij dat zijn hersenen tot rust zouden komen en dat hij kon slapen. Maar dat was niet zo. Ergens diep in hem protesteerde een stem. Hij noemde hem een lafaard. Een slappeling. Hij fluisterde Lenka's naam. Chris probeerde niet te luisteren, maar de stem liet hem niet met rust. Hij wees erop dat Chris, als iemand hem zo dringend tegen wilde houden, op het punt moest staan iets belangrijks te ontdekken. Iets over de moord op Lenka. Als hij doorzette, zou hij ontdekken wie Lenka had vermoord en er misschien iets aan doen.

Maar waarom zou hij? Hij was geen held. Het was niet zijn werk misdaden op te lossen. Lenka was dood; niets van wat hij kon doen, zou haar weer tot leven wekken.

Hij wist wat zijn grootvader zou doen. Hij zou zijn leven op het spel zetten om te ontdekken wat er met Lenka was gebeurd, zoals hij vijftig jaar geleden zo vaak had gedaan.

Maar zijn grootvader was een bloeddorstige fanaticus. Een klootviool.

Hoe zat het met zijn vader, vroeg de stem. Die rustige man met zijn vaste principes zou ook niet opgeven. Er was moed voor nodig geweest om asiel te vragen toen hij dat deed. En er was moed voor nodig geweest om vast te blijven houden aan zijn idealen tussen zijn meer conservatieve landgenoten in Halifax. En hoe zat het met zijn moeder? De vrouw die zich door zoveel ontberingen had heengeslagen om zoveel mogelijk te doen voor hem en zijn zus? Zij zou het nooit opgeven en naar huis vliegen.

Hij had die mensen achtergelaten toen hij naar de universiteit was gegaan en daarna in de beleggingswereld was gedoken. Hij was van plan geweest iemand anders te worden, iemand die beter was, succesvoller, rijker, en ja, meer Engels. Maar zo was het helemaal niet gegaan. Hij was er dichtbij geweest: hij had zichzelf in elk geval bewezen dat hij een goede handelaar was, hij kon veel geld verdienen, hij kon zijn ogen sluiten voor de dagelijkse trucjes van mensen als Ian Darwent of Herbie Exler. Maar hij was tenslotte versmaad door het systeem, onterecht uitgeworpen op de vuilnisbelt van uitgebrande, giftige handelaars, genegeerd, achtergelaten om te verrotten.

Hij zag dat hij geen keus had. Hij kon in de wereld van Bloomfield Weiss en George Calhoun blijven, of hij kon doen wat zijn ouders, zijn grootvader en Lenka in zijn plaats zouden doen.

Als hij met zichzelf wilde blijven leven, hoe kort dat leven ook zou zijn, was er maar één keus. Die maakte hij en hij viel snel in slaap.

198

12

Chris werd bang wakker. Hij wist nog steeds dat hij het juiste besluit had genomen, maar hij vreesde de gevolgen. Hij ging er prat op dat hij goed risico's kon beoordelen. En hij wist dat hij met recht bang was. Maar hij had wat speling. Hij was veilig totdat wie er ook achter hem aanzat besefte dat hij besloten had zich niet te laten afschrikken. Hoe langer wie het ook was dacht dat hij het misschien had opgegeven, des te meer ruimte hij had.

Hij at zijn ontbijt op zijn veilige kamer en pakte zijn koffers. Voor het hotel nam hij een taxi, die door de stad naar de Lincoln Tunnel kroop. Toen de taxi door een verkeerslicht reed dat van groen op rood sprong, vroeg Chris de chauffeur naar het noorden te gaan rijden. Hij keek over zijn schouder. De straten waren vol auto's die alle kanten opreden. Als iemand hem volgde, was hij hem misschien kwijtgeraakt. Of misschien ook niet. Hij liet de taxi links en rechts afslaan door een paar zijstraten, voordat hij snel 10th Avenue opreed naar de Upper West Side. Het was onmogelijk uit te maken of hij gevolgd werd. De Indiase chauffeur dacht dat hij gek was, maar dat kon hem niets schelen.

Het kantoor van dr. Marcia Horwarth bevond zich in een gebouw van vijf verdiepingen in een rustige zijstraat. Chris sprong de taxi uit, gaf de chauffeur te veel geld, bekeek snel de lege straat en rende het gebouw in. Het was tien minuten voor negen en dr. Horwarth wachtte op hem. Ze was in de vijftig, had kort, grijs haar en een autoritair voorkomen. Haar kantoor was een kantoor, geen spreekkamer. Geen leren divan, geen kamerplanten. Archiefkasten, grafieken aan de muur, een computer, een duur maar zakelijk bureau. Het leek meer op de werkplek van een management consultant dan van een psycholoog.

Ze had niet veel tijd en dat liet ze hem weten. 'Hoe kan ik u helpen, meneer...?'

'Szczypiorski. Ik zou graag met u praten over Bloomfield Weiss.'

'Zo. Bloomfield Weiss was vroeger een cliënt van mij. Ook al is onze relatie vele jaren geleden beëindigd, mijn plicht tot geheimhouding bestaat nog steeds.'

'Dat begrijp ik,' zei Chris. 'Misschien moet ik maar eens beginnen en dan kunt u beslissen hoeveel u me kunt vertellen.'

'Ga uw gang.'

'Ik werd tien jaar geleden door Bloomfield Weiss aangenomen als afgestudeerd stagiair. Als onderdeel van de rekruteringsprocedure moest ik wat psychometrische testen afleggen. Het resultaat ben ik nooit te weten gekomen en heel eerlijk gezegd ben ik alles over die testen weer vergeten. Maar ik begrijp dat Bloomfield Weiss die testen gebruikte om bijzonder agressieve mensen te vinden.'

'Dat klopt.'

'En u was een van de psychologen die vroeger die testen afnam?'

'Dat klopt ook.'

'Wat dacht u van hun benadering?'

Eindelijk glimlachte dr. Horwarth en ze werd wat minder voorzichtig. 'In het begin intrigeerde het me. Ik heb het altijd een beetje hypocriet gevonden zoals bedrijven beweren dat ze zoeken naar alle edele deugden in hun employés. Een van de goede dingen van psychometrisch testen is dat het niet noodzakelijkerwijs laat zien dat mensen goed of slecht zijn. Je slaagt of zakt niet. Verschillende mensen hebben verschillende sterke en zwakke punten, die betekenen dat ze min of meer geschikt zijn voor hun uiteenlopende rollen. Bloomfield Weiss realiseerde zich dat velen van de succesvolle mensen in hun organisatie vaak negatief werden bekeken door hun rekruteringsmensen.'

'Zoals?'

'Als u daar hebt gewerkt, weet ik zeker dat u hen hebt gezien. Agressie. De wil om tegen elke prijs te winnen. Het vermogen te liegen en te bedriegen. Een zekere roekeloosheid. Zelfs een neiging tot geweld.'

'Geweld?'

'Veel handelaren zijn gewelddadige mensen, vindt u niet?'

'Sommige,' zei Chris.

'De beschaafde maatschappij sublimeert de neiging tot geweld op een aantal manieren. De meest voor de hand liggende is aan sport doen, of ernaar kijken. Maar handelen op de financiële markten schijnt er ook een te zijn. Toe nou, vertel me nu niet dat u het machotaalgebruik niet hebt opgemerkt, het poseren, de wens om de handelsvloer te domineren.'

'Ik geloof van wel,' gaf Chris toe.

'Welnu, daarnaar zochten we.'

'Wat liep er dan fout?'

'Ik vrees dat ik dat niet kan zeggen.'

Dr. Horwarth keek Chris onbewogen aan. Hij kon niets opmaken uit haar uitdrukking.

'Voor zover ik begrijp, is een van de psychologen die verantwoordelijk waren voor de testen, u namelijk, verontrust geworden over enkele employés die u uittestte. U was bang dat ze gevaarlijk zouden blijken te

zijn. Een van hen, Steve Matzley, werd later veroordeeld wegens verkrachting. Mij interesseert het of er anderen waren die u niet bevielen.'
'Misschien wel,' zei dr. Horwarth. 'Maar als dat zo was, kan ik die onmogelijk met u bespreken. En ik weet niet zeker waarom u hiervoor belangstelling hebt. U werkt niet meer voor Bloomfield Weiss, nietwaar?'
'Nee, ik ben drie jaar geleden weggegaan. Maar ik was getuige van de dood van een van de stagiairs op mijn cursus, Alex Lubron. Hij viel van een boot en verdronk. Hebt u dat gehoord?'
'Ja, inderdaad,' zei dr. Horwarth. 'Waren de omstandigheden niet verdacht?'
Nu bevond Chris zich op glad ijs. Dr. Horwarth was hem geen vertrouwen verschuldigd, daarom moest hij voorzichtig zijn niet iets te zeggen dat later tegen hem kon worden gebruikt, of tegen Duncan of een van de anderen.
'Ik dacht in die tijd dat de omstandigheden duidelijk waren,' zei hij. 'Maar nu ben ik daar niet zo zeker van. Een van de stagiairs op de boot, Lenka Němečková, werd een paar weken geleden in Praag vermoord.'
Daarop schoten de wenkbrauwen van dr. Horwarth omhoog. 'Volgens mij is er misschien enig verband met wat er op die boot gebeurde.'
'Wat voor verband?'
Chris zuchtte. 'Dat weet ik niet.'
'Wat wilt u dus van mij?'
'Als ik u de namen noem van de mensen op de boot, kunt u me dan vertellen of u zich zorgen maakte over een van hen?'
'Het korte antwoord, meneer, eh..., is nee. Om redenen die ik al heb uitgelegd.'
Toch ging Chris door. 'We waren met zijn zevenen. Ikzelf, Lenka, Alex, Duncan Gemmel, Ian Darwent, Eric Astle en een andere vrouw die u niet zult kennen.' Chris noemde de namen langzaam en lette goed op het gezicht van dr. Horwarth terwijl hij dat deed. Niets. Geen ooggeknipper. 'Zegt een van die namen u iets?'
'Al die mensen vertelden mij of mijn partners privé-details in het strikste vertrouwen. Zoals uzelf ook deed. Al keur ik de benadering van dit programma door Bloomfield Weiss niet goed, ik moet toch die vertrouwelijkheid respecteren.'
'Maar dr. Horwarth, een vriendin van me is al vermoord. Ikzelf ben gisteravond overvallen door een man met een mes.' Chris raakte de snee op zijn gezicht aan. 'Alstublieft. Vertel me tenminste of er iets te zien was in de testen van een van ons.'
Dr. Horwarth keek lange tijd naar het plafond en daarna heel weloverwogen naar Chris. Ze zei niets.

'Dat kunt u me niet vertellen, nietwaar?'

Nog steeds niets.

Chris boog zich naar voren, erop gespitst haar in het nauw te drijven. 'Er was iets fout met een van hen. Wie? U hoefde de namen niet na te kijken in een dossier. Een van hen betekent iets voor u, nietwaar? Een van hen die u zich na tien jaar herinnert?'

Dr. Horwarth keek op haar horloge. 'Ik begrijp echt de ernst van uw verzoek. Maar ik kan u niet helpen. Absoluut niet. Nu heb ik om negen uur een afspraak.'

Chris besefte dat hij niet verder zou komen. Maar hij had iets, daar was hij zeker van.

'Dank u, dr. Horwarth. Als u van gedachte verandert, is dit mijn kaartje. En,' hij zweeg even. Wat hij wilde zeggen zou melodramatisch klinken, maar het moest worden gezegd. 'Als u in de komende paar weken hoort dat mij iets is overkomen, denk dan alstublieft terug aan dit gesprek en geef het door.'

Dr. Horwarths ogen keken hem doordringend aan. Hij wist dat hij paranoïde klonk, maar hij hoopte dat ze kon merken dat hij niet gek was. 'Dat zal ik doen,' zei ze.

Chris verliet het vertrek en toen hij voor haar kantoor zijn jas aantrok, zag hij dr. Horwarth in een lade van haar archiefkast kijken.

De gehuurde wagen met vierwielaandrijving werkte zich met moeite tegen de heuvel op en de banden kregen op de een of andere manier grip op de aangekoekte sneeuw onder de wielen. Chris wist dat hij niet werd gevolgd. Hij hoefde alleen maar achter zich te kijken, omlaag in het ravijn naar de snelweg drie kilometer achter hem en een paar honderd meter onder hem. Hij was met een taxi naar Newark Airport gereden, had rondgehangen in de internationale vertrekhal en daarna de bewegende band naar de uitgang voor Burlington genomen. Tot dusver wist niemand waar hij was.

In Vermont lag sneeuw. De vallei zou er op een zonnige dag schilderachtig uit hebben gezien, maar de lucht was nu loodgrijs, de donkere wolken vlijden zich op slechts honderd meter boven hem tegen de berghelling, en Chris dwong de wagen dingen te doen die voor een normale auto onmogelijk waren. Tot dusver was hij niet geslipt. Maar goed ook, want links van hem gaapte een afgrond van dertig meter.

Wat hem op gang hield, waren de duidelijke sporen van een ander voertuig op de weg vóór hem. Hier was iemand anders langsgereden sinds het voor het laatst had gesneeuwd. Als die het had gehaald, kon hij dat ook. Na zowat zes kilometer van de snelweg kwam hij via een bocht op een hooggelegen weide. Tot bijna een kilometer tegen een flauwe helling naar een wit geschilderd huis, waren de bomen gekapt. Uit een schoorsteen kwam een sliertje rook. Een auto met vierwielaandrijving zoals die van hem stond ervoor. Opgelucht dat hij heelhuids was gearriveerd, parkeerde Chris zijn voertuig ernaast en stapte uit. Na de warmte van de auto werd hij bevangen door een kou die hem naar adem deed snakken. Hij keek naar de lucht. Hij was geen deskundige, maar hij dacht dat er sneeuw zou komen.

Hij liep naar de voordeur. Die ging open toen hij er een paar passen van verwijderd was. Een lange vrouw met lang grijzend haar bekeek hem achterdochtig.

'Hallo,' zei hij. 'Mag ik binnenkomen? Ik sta hierbuiten te bevriezen.'

'Wat wilt u?'

'Met Marcus praten.'

De vrouw aarzelde. Ten slotte bleek haar sympathie groter dan haar achterdocht en ze liet hem binnen. Ze bracht hem naar een warme woonkamer en vroeg hem te gaan zitten. Dat deed hij, op een vreemd uitziende vierkante houten stoel die verrassend comfortabel bleek. De vrouw ging op de vloer bij een kachel zitten. De kamer was behangen met stoffen in Indiaanse stijl. Er was nog meer meubilair in dezelfde stijl als de stoel waarop hij zat, en minstens een dozijn potten in allerlei afmetingen en vormen, alle gedecoreerd in primitieve bruine en groene kleuren. En geen televisie.

'Is deze van Marcus?' vroeg Chris en hij klopte op de stoel.

De vrouw knikte. Ze had een glad en vredig gelaat. Ondanks haar grijze haren leek ze niet veel ouder te zijn dan Chris.

'Is hij hier?'

'Hij is buiten achter het huis. Hij zal zo hier zijn.'

Chris hoorde een metaalachtige klik en keek op. Een rijzige man in een lange jas stond in de deuropening. Hij had een geweer in zijn handen. Het was op Chris gericht.

Chris kwam langzaam overeind en stak in een kalmerend gebaar zijn handen op. Hij wist dat het moeilijk zou zijn met Marcus te praten. De geweerloop maakte het niet gemakkelijker.

'Dat is niet nodig,' zei Chris vriendelijk.

'Ik vind van wel,' gromde Marcus. Hij klonk als Alex. Hij leek ook op hem, alleen veel langer. Hij had hetzelfde smalle gezicht en donkere wenkbrauwen. De stoppels op zijn wangen deden Chris denken aan Alex op een zondagavond. Maar Marcus zag er ouder uit, meer dan tien jaar ouder, en hij miste het gevoel voor humor van Alex. In elk geval met een geweer in zijn handen.

203

'Marcus, toe nou,' zei de vrouw.

'Stil, Angie. Ik vertrouw die vent niet.'

'Leg dat geweer neer,' zei ze.

'Nee. Ik blijf het geweer vasthouden. Kom op, hoe heet je?'

'Chris. Chris Szczypiorski.'

'Dat dacht ik al. Heb ik je niet gezegd dat ik niet met je wilde praten?'

'Ja, dat heb je. Maar ik wil met jou praten. En nu ben ik hier.'

'Nou dan, draai je maar om en ga weer weg, precies zoals je binnengekomen bent.'

Chris haalde diep adem. 'Toe nou, Marcus. Ik heb een hele reis gemaakt om jou te zien. Geef me tien minuten.'

Daar dacht Marcus over na. Hij fronste zijn wenkbrauwen. 'Omdat je toch hier bent,' zei hij. 'Vertel op.'

Chris ging weer op zijn stoel zitten en Marcus nam tegenover hem plaats. Angie keek nauwlettend toe vanaf haar plek op de vloer. Het geweer bleef op de knieën van Marcus rusten, gericht op Chris.

'Vertel me eens wat er op de boot is gebeurd.'

'Goed.' Chris kon onmogelijk zijn ogen afwenden van het geweer, en had er veel moeite mee zijn gedachten op een rijtje te krijgen. Maar nu hij zo ver was gekomen, had het geen zin eromheen te draaien. Hij vertelde Marcus enigszins in bijzonderheden over die avond op de boot. De intens bruine ogen van Marcus volgden elk woord. Toen Chris klaar was, zweeg hij.

'En dat is het?' vroeg Marcus.

'Dat is het.'

'Je hebt niets verzwegen?'

Chris schudde zijn hoofd.

'Als het zo is gebeurd, waarom hebben jullie dat niet tegen de politie gezegd?'

'We wilden Duncan niet in de problemen brengen.'

'Waarom niet? Hij heeft mijn broer toch gedood?'

'Het was een ongeluk. Hij had niet de bedoeling Alex overboord te slaan. Hij was dronken en werd uitgedaagd.'

'Dus verzwegen jullie het. Ik dacht dat Alex jullie vriend was.' Woede en minachting kookten in de stem van Marcus.

'Dat was hij ook,' zei Chris. 'Daarom hebben drie van ons, ook Duncan, hun leven op het spel gezet in een poging hem te redden. Ze hadden geluk dat ze niet alle drie verdronken. Uiteindelijk dacht ik niet dat we Ian nog zouden vinden.'

'Zonde dat jullie die hebben gered,' mompelde Marcus.

Chris negeerde die opmerking.

204

'Het probleem is,' zei Marcus langzaam, 'dat het zo niet is gebeurd.'
Chris haalde de schouders op. Hij had Marcus de waarheid verteld. Meer kon hij niet doen.
'Jullie beleggingsbankiers kunnen nooit ophouden met liegen, nietwaar?'
'Ik lieg niet, Marcus.'
'Hoe kan ik jou nu geloven? Je hebt ook tegen de politie gelogen, nietwaar?' Een verachtelijk glimlachje flitste over zijn gelaat. 'Ik ben op de hoogte van het politieonderzoek. Een paar maanden geleden liep ik wat oude spullen van mijn moeder door en er zat een brief bij van mijn tante, waarin ze zei dat de politie dacht dat Alex was vermoord. Ik belde mijn tante en die zei dat er vlak na de dood allerlei vermoedens waren, maar daar is nooit iets van gekomen. Nu en dan ga ik naar New York om mijn meubilair te verkopen, dus zocht ik de volgende keer een rechercheur op die aan de zaak had gewerkt. Hij zei dat hij achterdochtig was. Op de kaak van Alex zat een blauwe plek die wees op een klap. Hij dacht dat jullie allemaal logen. Toen zei zijn baas hem ineens dat hij alles moest vergeten. Dus vergat hij het. Maar dat niet.'
'Was je daarom op zoek naar Lenka?'
'Precies. Eerst probeerde ik Eric Astle, maar die wilde me niet eens ontvangen. En aan de kerel die de leiding had over de cursus had ik ook niet veel. Ik besefte vrij snel dat de meeste mensen op die boot in Londen waren, dus ging ik daarheen om hen te vinden. Jij was ergens in het buitenland, maar ik heb met die Tsjechische vrouw gesproken. Lenka.'
'Die je hetzelfde vertelde als ik,' zei Chris.
'Min of meer.'
'En daarna vond je Duncan en heb je tegen hem staan schreeuwen?'
'Ja.'
'Wat is dus de moeilijkheid?'
'Dat weet ik niet zeker,' zei Marcus. 'Maar er is er wel een.'
'Is het iets wat Lenka je heeft verteld?'
Marcus gaf geen antwoord.
'Ik weet dat Lenka je een e-mail heeft gestuurd waarin stond dat ze je iets belangrijks moest vertellen. Je zei dat je haar had gebeld. Heb je dat?'
Marcus knikte.
'Wat zei ze?'
'Ze zei dat ze van plan was over een paar weken naar Amerika te gaan en ze wilde hierheen komen en met me praten. We spraken een dag af.'
'Zei ze waarover ze wilde praten?'
'Ik vroeg het haar. Ze zei dat het iets te maken had met de dood van

Alex. Maar ze zou me de bijzonderheden pas vertellen als we elkaar zagen.'

'Heeft ze gezegd waarom?'

'Dat heb ik haar ook gevraagd. Ze zei dat ze me iets wilde vertellen waarop ik het recht had het te weten, maar dat ze ongerust was over wat ik met de informatie zou doen. Ze zei dat het beter was er onder vier ogen over te praten.'

'Je hebt dus geen idee wat dat "iets" was?'

'Ze zei alleen dat het niet was gebeurd zoals ze me had verteld. Ik vroeg haar of Duncan Alex overboord had geslagen of niet. Ik bedoel maar, het lijkt me vrij moeilijk zoiets verkeerd te begrijpen. Lenka zei dat hij dat had gedaan, maar dat dat niet de reden was dat Alex was verdronken.'

Chris was verbijsterd. 'Wat kan ze daarmee hebben bedoeld?'

'Dat weet ik niet. Ik vroeg het haar maar meer wilde ze me niet vertellen. Zeg jij het me nu maar.'

'Wat?' vroeg Chris.

'Hoe is mijn broer gestorven?'

'Ik heb geen idee.'

'Jij was erbij. Wat gebeurde er? Hebben jullie hem met z'n allen in zee gegooid? Is dat gebeurd? Hebben jullie hem bewusteloos geslagen en daarna overboord gegooid?' Marcus verhief zijn stem. 'Zeg het me, in godsnaam!'

'Ik weet het niet,' zei Chris. 'Als het verkeerd is wat Lenka je oorspronkelijk vertelde, weet ik het gewoon niet.'

'Hoe kan dat nu?' zei Marcus. 'Je was erbij.'

Chris trok zijn schouders op.

'Jullie gaan dat allemaal verzwijgen, nietwaar? En dan komt een van jullie hierheen om mij ook te vermoorden.' Zijn ogen glinsterden toen de gedachte post vatte. 'Gaan jullie dat doen? Ga staan!'

Chris bewoog zich niet.

'Ik zei, ga staan.' Het uiteinde van het geweer bewoog.

Dit keer deed Chris wat hem werd bevolen.

'Fouilleer hem, Angie.'

'Wat?' Angie keek hem aan alsof hij gek was.

'Misschien heeft hij een wapen.'

'Ik heb geen wapen,' zei Chris.

'Fouilleer hem. Ik kan het niet. Ik wil hem onder schot houden.'

'Oké.' Angie streek zacht met haar handen over de benen van Chris en doorzocht daarna zijn jas. Ze tastte in zijn zakken. 'Niets,' zei ze.

'Doorzoek de auto!'

Angie keek naar Marcus en daarna naar Chris. 'Sleutels?'

'Hij is niet op slot,' zei Chris.

Hij ging weer zitten. Hij en Marcus wachtten op Angie en keken elkaar aan. In de bruine ogen van Marcus blonk woede.

'Je lijkt op hem, weet je dat?' zei Chris.

'Nee, niet waar.'

'Volgens mij wel.'

'Hij is dood.'

'Och, toe nou,' zei Chris. 'Je weet wat ik bedoel.'

'Ik snap niet hoe jullie dat konden doen,' zei Marcus. 'Over hem liegen. Jullie zeiden allemaal dat hij een vriend van jullie was. Waarom handelden jullie niet als vrienden?'

Chris voelde een vlaag van woede opkomen. 'Wat bedoel je: "waarom handelden jullie niet als vrienden"? We mochten Alex allemaal graag, en terecht. Hij was een goed mens in een omgeving waar niet veel goede mensen zijn. Hij bracht wat leven in de brouwerij. Hij had humor.'

Marcus luisterde met tegenzin. Ze hoorden de deur. Angie kwam hoofdschuddend terug van de auto.

'Het heeft Duncan zowat ten gronde gericht,' vervolgde Chris met zachtere stem. 'En Lenka, al kwam zij er beter overheen. Ik moet steeds weer aan die avond terugdenken. Vooral nu. Ik weet zeker dat het erg is als je een broer verliest. Maar het is ook best erg als je een vriend verliest, zeker wanneer het gebeurt waar je bij staat en je kunt er niets aan doen.'

'Weet je,' zei Marcus. 'Ik was zo teleurgesteld toen hij op een beleggingsbank ging werken. Hij was een goede kunstenaar. Zie je dat schilderij daar?' Hij wees over Chris' schouder naar een schilderij van een petrochemische fabriek bij avond: hoog oprijzende metalen rondingen, oranje gloed en heldere flitsen van halogeenlampen. Chris herkende het niet. Vanaf de deur was het niet te zien, daarom had hij het doek bij het binnenkomen niet opgemerkt. Het leek helemaal niet op zijn plaats in de kamer, maar het was kennelijk met trots opgehangen.

'Dat heeft hij geschilderd. Hij kreeg er een prijs voor op de universiteit. Hij was begonnen iets van zijn werk te verkopen en daarna gaf hij alles op om naar Wall Street te gaan. Goed, vind je niet?'

Chris knikte en hij was verrast tranen te voelen prikken in zijn ooghoeken bij zo'n tastbaar teken van Alex. Hij knipperde en keek Marcus recht in de ogen. 'Heb je hem ooit vergeven?'

'Wat? Wat bedoel je?'

'Sorry. Dat had ik niet moeten zeggen.' Maar hij kon merken aan de wantrouwige blik van Marcus dat hij juist had geraden.

'Je hebt gelijk. Ik heb het hem niet vergeven. Ik was een paar jaar ouder dan hij. Het was het eind van de jaren tachtig, iedereen wilde alleen maar een vette baan en dik geld verdienen. Ik werd er misselijk van. Ik wilde reizen. De wereld zien. Met mezelf in contact blijven. Me ontwikkelen tot een menselijk wezen. Alex was mijn jongste broer en hij dacht er hetzelfde over als ik.'

Chris had het gevoel dat Marcus zijn sterke aandrang om over zijn broer te praten jarenlang had opgekropt, en dat hij zijn wantrouwen overwon nu hij de kans had het allemaal te spuien. Chris probeerde hem aan te moedigen.

'En je moeder?'

'Ze begreep er niets van. Sinds de dood van vader was ze er helemaal op gebrand dat wij een goede baan zouden krijgen. Niets opwindends, gewoon iets dat ons voor de rest van ons leven een regelmatig inkomen zou garanderen. En toen ik de universiteit verliet, werd het erger. Weet je, ik heb niet eens naar een baan gesolliciteerd; ik zwierf wat over de Caribische Zee, als bemanningslid op zeilboten. Moeder kon het niet uitstaan. Dus verdween ik helemaal. Ging naar Europa. Australië. De Filippijnen.'

'En raakte het contact met Alex kwijt?'

'In het begin niet. Nu en dan kwam ik terug en bleef een tijdje bij hen beiden. Maar het was geen beste tijd, zeker niet met mijn moeder. Ik weet nog dat ik op een keer thuiskwam met Kerstmis en dat ze zei dat ze borstkanker had. Daar schrok ik natuurlijk van, maar daarna bleek dat ze eroverheen was. Of dat dacht ze tenminste. Toen nam Alex die baan bij Bloomfield Weiss en ik dacht, laat ze doodvallen, en nam bijna een jaar geen contact meer op.'

Hij zuchtte. 'De kanker kwam weer op. Later geloof ik dat ik ontdekte waarom Alex die baan had genomen.'

'Waarom dan?'

Het duurde even voordat Marcus antwoordde. Hij ademde zwaar, in een poging zichzelf meester te blijven. Chris zag de bezorgde blik op Angies gezicht toen ze naar hem keek.

'Moeder was niet voldoende verzekerd. Voor ziektekosten. Na de dood van Alex ontdekte ik dat hij een paar grote leningen was aangegaan. En ik vond de rekeningen voor de ziektekosten van moeder. Die waren vrij hoog.'

'Alex heeft veel tijd bij haar doorgebracht,' zei Chris. 'Hij werd er een paar keer voor gewaarschuwd. Hij zorgde voor haar.'

'Ja. En ik denk dat ik hem daar dankbaar voor ben. Al maakt het me soms zo kwaad. Ik word kwaad op hem en op haar omdat ze me niet vertelden wat er gaande was. Maar ik besef natuurlijk dat ik in feite kwaad ben op mezelf. Ik was zo stom, zo zelfzuchtig.' Marcus schudde zijn hoofd. 'Weet je, pas twee maanden na de dood van mijn moeder kwam ik erachter wat er gebeurd was. Ik bleef haar maar bellen en kreeg geen gehoor, en toen belde ik mijn tante en ontdekte wat er met hen tweeën was gebeurd. Ik miste hun begrafenissen, alles.

Ik kwam direct naar huis. Zocht al hun spullen na, maakte de zaak in orde en verhuisde naar Vermont.' Hij keek om zich heen in de kleine hut. 'Het bevalt me hier. Het is rustig. Soms kan ik hier vrede voelen. En eindelijk begin ik wat geld te verdienen met het meubilair. Maar ik mis Alex nog. Moeder soms ook, maar vooral Alex.' Hij zuchtte diep. 'En geloof me, als ik ontdek dat iemand, een van jouw vrienden, hem met opzet heeft gedood, hem heeft vermóórd, dan, dan...'

Chris bleef zwijgen. Hij wilde niet weten wat Marcus zou doen. Maar die vertelde het hem toch.

'Dan maak ik hem af.'

13

Chris was niet voorbereid op wat er op kantoor op hem wachtte. Vanaf Heathrow was hij er recht naartoe gereden, na een rotnacht zonder slaap. De avond tevoren was de Duitse aandelenmarkt gaan wankelen en die was nu volop aan het inzakken. Er bestonden twijfels over de kracht van het Duitse herstel, wat betekende dat er ernstige twijfels waren over de vooruitzichten voor Oost-Europa, wat betekende dat de meeste staatspapieren in het bezit van Carpathian gezakt waren. Ironisch genoeg waren de Duitse obligatiekoersen en die van andere landen in de eurozone in feite gestegen, omdat men lagere rentetarieven verwachtte. Dat was de slechtst mogelijke combinatie voor de posities van Chris. En natuurlijk had Bloomfield Weiss de kans waargenomen Eureka Telecom nog eens met vijf punten te verlagen.

Ollie was wanhopig. De Slowaakse obligaties die hij had gekocht, waren gezakt met de rest van de markt, en hij leek zichzelf de schuld te geven van de economische zenuwtrekken van Duitsland. Chris probeerde hem te steunen, zoals hij wist dat hij moest doen, maar het was moeilijk. Hij wist dat de zaken over een maand of twee weer normaal zouden zijn, maar hij had geen maand of twee. Rudy Moss zou over twee weken zijn geld terugeisen, en Chris zou voor het blok staan om ofwel te proberen zijn Eureka Telecom-obligaties tegen een enorm verlies te verkopen, of zijn in feite sterke posities in staatsobligaties precies op het verkeerde moment af te wikkelen. Het resultaat van Carpathian zou hoe dan ook zwaar beschadigd worden, misschien zelfs dodelijk.

En er was geen bericht van Melville Capital. Chris had half gehoopt dat dr. Zizka van gedachte zou veranderen. Maar dat was niet zo.

Chris bracht de dag door met Ollie, vergeefs worstelend met de markten. Er was echt niets wat ze konden doen. Ze wilden nog niet verkopen als ze het nog konden tegenhouden. Er waren weliswaar obligaties op de markt die de moeite van het kopen waard waren, maar ze hadden geen geld over om ze te kopen. Ze konden alleen maar luisteren naar het sombere noodlot van een dalende markt op een kille, grauwe vrijdagmiddag.

Er bestond absoluut geen kans Rudy weer in het fonds te krijgen. Maar Chris had nog hoop voor dr. Zizka. Helemaal aan het eind van hun gesprek had hij een sterk gevoel dat hij eindelijk tot hem doordrong. Er viel niets te winnen met wachten tot Zizka van gedachte veranderde. Dat zou hij doen of niet doen. Chris moest weten wat het werd. Hij pakte de telefoon.

'Zizka.' De stem klonk niet veel luider dan een gemurmel.

'Dr. Zizka? Met Chris Szczypiorski, de partner van Lenka.'

Even dacht Chris dat Zizka was gevlucht en de telefoon had laten bungelen, maar hij kon het zachte ademhalen aan de andere kant van de lijn zowel voelen als horen.

'Dr. Zizka?'

'Ja, ja,' antwoordde hij ten slotte. 'Hoe is het met u?'

'Met mij prima. Luister, ik vroeg me af of u had besloten van gedachte te veranderen over het verlaten van Carpathian.'

'Aha.'

'Hebt u dat?'

'Het is moeilijk,' zei Zizka. 'Volgende week heb ik een gesprek met een paar regenten. Ik zou hun graag willen vertellen dat we die investering kwijt zijn.'

'De markten zijn momenteel nerveus. Ik ben ervan overtuigd dat u een betere koers krijgt als u een paar maanden wacht. Lenka heeft u in het fonds gehaald met een belofte van een goed rendement en ik zou niet graag zien dat u eruit stapt zonder dat.'

Opnieuw stilte. Chris kon zijn hart voelen kloppen. Hij wilde in de leemte springen, het zwijgen vullen met overredend praten, maar hij hield zijn mond. Zizka zat te denken. En Chris wist aan wie hij dacht. Lenka.

'Goed dan,' zei Zizka ten slotte. 'Waarom niet? Persoonlijk denk ik trouwens dat die zorgen over Duitsland allemaal overdreven zijn. Het kan geen kwaad een paar maanden te wachten. Ik zal erin blijven. Zullen we de situatie in mei weer eens onder de loep nemen?'

'Uitstekend. Dan gaan we praten. Heel hartelijk bedankt, dr. Zizka.'

Chris legde juichend de hoorn op. Het geld van Amalgamated Veterans zouden ze nog steeds verliezen, maar Melville Capital in het fonds houden was een psychologische opkikker die zowel hij als Ollie nodig hadden.

Na die Pyrrusoverwinning konden ze laat op een vrijdagmiddag niets meer doen op kantoor, daarom zei Chris tegen Ollie dat hij maar naar huis moest gaan. Hij nam de ondergrondse naar King's Cross Station en de trein naar Cambridge, elke paar minuten over zijn schouder kijkend of hij werd gevolgd. Tot zijn opluchting zag hij niemand.

In de trein dacht hij nog eens na over het gesprek met Marcus. Aannemend dat Lenka de waarheid had verteld en niet had geprobeerd Mar-

211

cus op een dwaalspoor te brengen, waren zijn conclusies onontkoombaar. Ze had gezegd dat Duncan Alex overboord had geslagen, *maar zo was Alex niet gestorven*. Alex was prima in orde voordat Duncan hem raakte. Hij moest dus gestorven zijn door iets wat daarna gebeurde.

Iemand had hem verdronken. En die iemand moest een van de drie mensen zijn geweest die achter hem aan in zee waren gedoken. Eric, Ian of Duncan. Een van de vrienden van Chris. Iemand die hij tien jaar lang had gekend.

Maar wie?

Duncan was op dat moment te zeer van streek om iets te doen. Eric was een mogelijkheid. Maar Ian leek de meest waarschijnlijke. Om te beginnen was hij het langst in het water. Hij was ook de duidelijkste band met Lenka's dood. Uit zijn e-mails met haar was op te maken dat hij problemen met haar had gehad, vlak voordat ze stierf. Liever gezegd, zij had problemen met hem gehad. Ian wist dat Lenka contact had met Marcus, hij wist dat ze hem iets zou gaan vertellen en hij wilde haar tegenhouden.

Misschien was hij bang dat Lenka op het punt stond Marcus te vertellen dat hij tien jaar geleden Alex had verdronken. Dus ging hij naar Praag om haar het zwijgen op te leggen. Of hij had iemand betaald om dat te doen.

Chris walgde van het idee. Maar hoe hij het ook bekeek, het was het enige dat leek te kloppen.

Het was donker toen de trein het station van Cambridge inreed. Chris nam een taxi naar het collegegebouw van Megan. Hij vrolijkte op toen hij door de oude collegepoort het rustige First Court opliep en daarna de breed vertakte plantaan voor haar gebouw passeerde. Hij keek omhoog: de lichten in haar kamer waren aan.

'Wat heerlijk jou te zien!' zei Megan toen ze de deur voor hem opendeed. Voordat hij de kans had iets te zeggen, gaf ze hem een lange, warme kus. Hij omarmde haar en dacht dat het ook goed was haar te zien.

'Je ziet er gebroken uit,' zei ze. 'Heb je geslapen in het vliegtuig?'

'Nee. Op dit moment is slapen vrij moeilijk.'

'Kom hier.' Megan loodste Chris naar de sofa en nestelde zich onder zijn arm. Haar kamer beviel Chris. Hij had witte muren en grote ramen met uitzicht op de binnenplaats beneden. In het plafond zaten zwart geschilderde balken. Ze had haar best gedaan de weinige bezittingen die ze mee had kunnen nemen naar Engeland in het vertrek te verspreiden. Op de schoorsteenmantel stonden twee foto's van haar ouders, zittend op de veranda van een geel houten huis, en nog een van een veel jongere Megan die op het gras naast haar grootmoeder lag, met haar armen om een corpulente basset geslagen. Ingelijste posters van lang voorbije tentoonstellingen versierden de muren. Ernaast was een kleine slaapkamer met een enkel bed. Krap, maar Chris klaagde er niet over.

'Vertel me eens wat er gebeurd is,' zei Megan. 'Heb je Marcus gevonden?'

Chris vertelde haar alles over zijn gesprekken met Abby Hollis, George Calhoun en dr. Marcia Horwarth. Hij vertelde haar in bijzonderheden over zijn reis naar Vermont om Marcus te spreken. Maar zijn bezoek aan Erics huis vermeldde hij maar kort en hij zei helemaal niets over de dubbele bedreiging die hij in New York had meegemaakt. Hij wilde Megan niet bang maken. Nu hij het besluit had genomen de zoektocht naar Lenka's moordenaar voort te zetten, wilde hij niet dat Megan het uit zijn hoofd zou praten.

Ze luisterde aandachtig en onderbrak hem een of twee keer voor een nadere verklaring. Toen Chris klaar was, stelde ze de voor de hand liggende vraag: 'Wat ging Lenka tegen Marcus zeggen?'

Chris gaf haar zijn antwoord.

Megan zweeg een paar tellen. Haar gezicht was bleek. 'Dat is afschuwelijk. Ik kan het gewoon niet geloven. Denk je echt dat Ian tot zoiets in staat zou zijn?'

'Hij was het of Eric,' zei Chris. 'Ik geloof niet dat Duncan die avond in staat was iemand te verdrinken.'

'Ik weet zeker dat het Eric niet was,' zei Megan. 'Ik ken hem te goed. Het moet Ian zijn geweest. Jesses.' Ze deinsde terug. 'En je denkt dat hij Lenka ook heeft vermoord?'

Chris knikte.

'O, mijn god!' Ze schudde haar hoofd. 'Maar waarom? Waarom zou Ian Alex willen verdrinken? Ze waren geen vijanden.'

'Nee, dat waren ze niet,' zei Chris. 'Ik kan maar één reden bedenken. Heb ik je ooit verteld dat ik Ian betrapte toen hij cocaïne gebruikte tijdens de cursus?'

'Ja, ik geloof van wel.'

'Ik heb het hem maar één keer zien doen. Maar als hij nu eens regelmatig drugs gebruikte? Als hij het eens was die ze aan Alex gaf? Vergeet niet, alleen de Amerikaanse stagiairs werden getest. Ian kan geluk hebben gehad dat hij ontsnapte. En als Alex nu eens van plan was geweest het tegen Calhoun te zeggen?'

'Dus verdronk Ian Alex om hem tot zwijgen te brengen.' Megan huiverde. 'Weet je absoluut zeker dat het zo is gebeurd? Ik kan het nog steeds niet geloven.'

'Nee, zeker weet ik het niet. Het is mijn sterkste vermoeden. Maar vergeet niet dat we hen geen van drieën konden zien. Het had ook Eric kunnen zijn, of misschien zelfs Duncan.'

'Eric was het niet.'

Iets aan Megans overtuiging daarover irriteerde Chris. Hij wist dat het jaloersheid was van zijn kant en hij was er niet trots op. Maar ofschoon hij het eens was met Megan, kon hij zich niet weerhouden haar tegen te spreken. 'We mogen hem niet uitsluiten.'

'Je hoeft hem niet uit te sluiten als je dat niet wilt,' zei Megan. 'Maar ik weet zeker dat het Ian was. Wat doen we nu?'

Chris liet zich achterovervallen op Megans sofa. Ineens voelde hij zich doodmoe. 'Ik weet het niet.'

'Kunnen we naar de politie gaan?' vroeg Megan.

'Daar heb ik over gedacht,' zei Chris. 'En de vraag is, welke politie? Het heeft geen zin naar de politie in dit land te gaan, er is hier geen misdaad gepleegd. We zouden naar de politie op Long Island kunnen gaan en proberen hen zo ver te krijgen dat ze het onderzoek naar de dood van Alex heropenen. Maar we hebben geen harde bewijzen. Alleen horen zeggen en gevolgtrekkingen. En zodra we gaan uitleggen wat er in werkelijkheid is gebeurd, zullen we moeten toegeven dat we tien jaar geleden tegen hen hebben gelogen. Dat zal er alleen toe leiden dat we gearresteerd worden wegens obstructie van het rechtsverloop. Bovendien kunnen ze besluiten Duncan te beschuldigen van doodslag of moord.'

'Hoe zit het met de Tsjechische politie? Als we gelijk hebben en Ian heeft Lenka vermoord, dan kunnen ze hem op laten pakken.'

'Dat is waar. Maar we hebben geen echt bewijs dat Ian betrokken is bij de dood van Lenka. De Tsjechen zouden alle bewijsstukken over de dood van Alex moeten doorlopen en dan zijn we weer terug bij de Amerikaanse politie. Vervolgens zouden ze Ian moeten laten uitleveren. Dat blijft waarschijnlijk niet overeind.'

'Ik begrijp het,' zei Megan.

Er was nog een reden waarom Chris niet naar de politie wilde gaan. Hij wist dat het niet Ian was die hem in New York op straat had overvallen. Als Ian achter de moorden op Alex en Lenka zat, dan had hij een handlanger. Een gevaarlijke handlanger. En zodra Chris naar de politie liep, zou die handlanger weten dat hij zijn dreigement had genegeerd. Tenzij de politie heel snel handelde, wat gezien het bewijsmateriaal uiterst onwaarschijnlijk was, kon Chris wel eens vermoord worden.

'En als we eens met Ian gingen praten?' stelde hij voor.

'Is dat niet een beetje gevaarlijk?' zei Megan. 'Als we nu eens gelijk hebben en hij heeft inderdaad Alex en Lenka vermoord? Dan zou hij ons ook kunnen doden. Chris, ik begin hier bang van te worden.'

'Hij kan niet iedereen van kant maken,' zei Chris. 'Ik zou met hem kunnen praten en hem zeggen dat jij direct naar de politie zal gaan als hij iets stoms probeert. In Engeland iemand onder die omstandigheden vermoorden is je reinste stommiteit. En stom is Ian niet.'

'Ik weet het niet. Het klinkt me nog steeds gevaarlijk in de oren.' Twijfel en angst stonden op Megans gezicht te lezen toen ze Chris aankeek om gerustgesteld te worden.

'Ik vind van niet,' zei Chris zo overtuigend als hij kon. Hij wist dat Megan gelijk had: het was gevaarlijk. Maar ze zouden in elk geval het initiatief nemen. Het was waarschijnlijk minder gevaarlijk dan toe te staan dat Ian hen beiden op zijn gemak te grazen nam.

'Wat ga je zeggen?'

'Ik zal het met hem bespreken. Ian is glad, maar niet zó glad. Ook al ontkent hij alles, wat hij zeker zal doen, dan weet ik het toch.'

Megan zuchtte diep. 'Goed,' zei ze en ze knikte naar haar telefoon. 'Bel hem maar.'

Chris aarzelde. Was hij zeker van wat hij ging doen? Het was nog niet te laat om zijn hoofd in het zand te stoppen, te doen alsof hij was opgehouden vragen te stellen, alsof het hem niets kon schelen dat Alex en Lenka dood waren.

Maar het kon hem wel wat schelen.

Hij zocht Ians privé-nummer op en belde hem. Hij zei hem alleen dat hij in Amerika een paar dingen had ontdekt waarover hij met hem wilde praten, en hij haalde hem over hem de volgende dag, zaterdag, rond lunchtijd in een pub in Hampstead te ontmoeten. Rond die tijd zou het er druk zijn en vanuit het gezichtspunt van Chris dus veilig.

Of dat hoopte hij tenminste.

Het vrijen met Megan was die nacht zowel teder als intens. De angst die ze voor zichzelf en voor elkaar voelden, bracht hen dicht bij elkaar. Daarna hielden ze elkaar stevig vast in het donker, en geen van beiden wilde onder woorden brengen wat ze voelden. Buiten, achter de veilige muren van het collegegebouw, nu de winterse zonsopgang nog maar enkele uren verder was, lagen onzekerheid, gevaar en, heel mogelijk, de dood.

Toen Chris de volgende morgen na het ontbijt het college verliet, zag hij een vage figuur in een auto, die een paar meter verder langs de weg was geparkeerd, zijn krant neerleggen en wegrijden. Waarom zou iemand om half acht in de morgen in een auto een krant willen lezen, dacht Chris. Hij huiverde en ging door de klamme ochtendschemering op zoek naar een taxi, niet in staat het gevoel van zich af te zetten dat hij tijd tekort kwam.

215

Deel 4

1

Eric tuurde over de bovenrand van zijn *Wall Street Journal*, toen zijn auto vaart verminderde achter de gele taxi voor hen. Hij keek op zijn horloge. Het was tien over half zes. Hij moest om kwart voor zes op het advocatenkantoor in het centrum zijn. Hij zou te laat komen. Omdat het vrijdagavond was en ze pas halverwege waren, waarschijnlijk veel te laat. Jammer. Het was overigens niet meer dan een kneuterige deal. Een zaak die Net Cop heette en schakelingen maakte voor het internet, was te koop. De enige reden waarom hij de transactie niet had kunnen doorschuiven naar een assistent, was dat Sidney Stahl zelf in het bedrijf had geïnvesteerd. Sidney zou tevreden zijn als Eric een goede prijs voor Net Cop kon bedingen. En dat zou Eric. Dat was zijn werk. Drie grote fabrikanten van telecomapparatuur hadden belangstelling. Een had er vierhonderd miljoen dollar geboden, maar Eric vertrouwde erop dat hij minstens het dubbele daarvan kon bereiken, misschien zelfs een miljard, als hij ze allemaal bang genoeg voor elkaar kon maken.

De auto schokte zo'n tien meter vooruit. 'Kunnen we hier niet omheen?' vroeg Eric.

'Er zit niks anders op,' zei de veel te dikke chauffeur, die er helemaal vrede mee leek te hebben de vrijdagavond, vastgeklemd in het verkeer in Manhattan, door te brengen.

Eric zuchtte, maar hij besloot er niet op in te gaan. Terry zou wel iets verzonnen hebben. Maar op dit moment was Terry er niet.

Hij richtte zijn aandacht weer op de juridische documenten op zijn knie. Het begon donker te worden en de kleine lettertjes liepen in elkaar over. Hij wreef in zijn ogen en knipte het binnenlampje van de auto aan. Eric kon hard werken, hij hield ervan hard te werken, maar het kwam er steeds meer op neer dat hij aan één stuk door bezig was. En dan was er nog die andere zaak om zich ongerust over te maken.

Zijn gsm tsjirpte. Eric zuchtte. Die verdomde telefoon hield ook nooit op.

'Eric Astle.'

'Eric, met Ian.'

Eric legde zijn papieren neer. Ian klonk geschokt.

'Wat is er?'

'Chris wil me spreken.'

'En?'

'Hij zei dat hij in Amerika iets had ontdekt waarover hij met me wil praten.'

Erics pols versnelde. 'Zei hij wat het was?'

'Nee. Heb je hem gesproken toen hij daar was? Heeft hij je verteld dat hij iets had ontdekt?'

'Ik heb hem wel gesproken,' zei Eric. 'Veel had hij niet gevonden. Hij weet over Alex en de drugs. Maar toen ik hem sprak, had hij nog helemaal geen verband gelegd met wat Alex overkwam, laat staan Lenka.'

'Heeft hij met Marcus Lubron gepraat?'

'Dat weet ik niet. Hij was het van plan. Maar ik hoopte dat hij van gedachte zou veranderen.'

'Misschien heeft hij met Marcus gepraat.' Ian klonk geagiteerd. 'Misschien heeft Marcus hem alles verteld.'

'Rustig aan, Ian,' zei Eric. 'We weten niet wat Lenka tegen Marcus heeft gezegd. We weten niet eens of Chris met Marcus heeft gesproken. En als dat zo is, dan weten we nog niet wat Marcus heeft gezegd.' Hij dacht even na. Hij kon het paniekerige ademen van Ian door de telefoon horen. 'Wanneer heeft Chris je gebeld?'

'Een paar uur geleden.'

'En wanneer hebben jullie afgesproken?'

'Morgen, rond lunchtijd.'

'Volgens mij zou het het beste zijn als je hem uit de weg ging.'

'Maar als ik niet kom opdagen, gaat hij me zoeken.'

'Ga dan ergens naartoe.'

'Ergens naartoe?'

'Ja. Ga naar het buitenland. Frankfurt. Parijs. Zoiets. Zeg dat je met hem zult praten zodra je terugkomt. Zo krijgen we wat tijd.'

'Maar morgen is het zaterdag!'

Eric sloot zijn ogen. Wat kon die jongen zeuren. 'Ian, echte mannen werken op zaterdag. Vertel hem dat maar.'

'Wat ga jij doen?'

'Ik weet het niet,' zei Eric. 'Maar ik bedenk wel iets.'

'Eric, doe niets overhaasts.'

'Ik zei dat ik wat zou bedenken. Weet je wat? Ga naar Parijs. Bel me als je daar aankomt. Nog beter, ik zal je daar ontmoeten.' Hij zweeg een paar minuten en stelde in zijn hoofd een tijdschema op. 'We zullen zondag in het George Cinq ontbijten.' Daarop drukte hij de rode knop op zijn telefoon in en weg was Ian.

Hij staarde naar de mensenmenigte en de auto's en dacht na. Ondanks die zorgvuldig gecultiveerde Britse arrogantie was Ian een slappeling. En Chris was resoluut. Eric zou iets moeten doen. Alweer.

Hij toetste een nummer uit zijn telefoongeheugen in. Het duurde even voordat hij verbinding had. Hij keek naar de dikke nek van de chauffeur. Hij was stom, maar Eric wilde geen enkel risico nemen. Misschien had hij in zijn gesprek met Ian al meer gezegd dan hij van plan was. Dit keer zou hij voorzichtiger zijn.

Er werd opgenomen bij het eerste overgaan.

'Ja.'

'Terry?'

'Ja.'

'Waar zit je?'

'Cambridge.'

'Waar is onze man?'

'Bij ons meisje.'

Als Eric al een lichte spot merkte in Terry's stem, negeerde hij die. 'Oké. Ik geloof niet dat het tot hem is doorgedrongen. Ga dus je gang maar en doe wat je doen moet. Stap dan op een vliegtuig naar Parijs. Daar zie ik je zondag wel.'

'Begrepen.'

Meer gesprekken. Met zijn secretaresse om een vlucht naar Parijs te boeken. Naar een van zijn ambitieuzere vice-presidenten om hem te zeggen dat hij nu werkte aan de Net Cop-deal en dat hij als de sodemieter naar het advocatenkantoor moest komen. De man kon gewoon niet wachten. Zou zeer in het oog lopen bij Sidney. Vervolgens een gesprek met Sidney Stahl zelf, om uit te leggen dat Eric lucht had gekregen van een grote telecom-fusie in Europa en dat hij daar direct moest zijn. Stahl was duidelijk nijdig, maar kon niets zeggen. De tegenstrijdige belangen zouden te opvallend zijn als Eric dat moest laten schieten voor een transactie waarbij Stahl persoonlijk belang had. Eric vertrok zijn gezicht toen hij met hem sprak. Het was nooit een goed idee Stahl te bedonderen. Maar hij kon niet anders.

Ten slotte belde hij Cassie en verpestte opnieuw de plannen voor het weekend. Cassie nam het goed op. Eric glimlachte bij zichzelf. Ze was een fantastische vrouw.

Chris stapte uit de taxi. Hij zeulde zijn koffer de heuvel op, nerveus nadenkend over zijn ontmoeting met Ian over iets meer dan een uur. Hij probeerde de angst te negeren. Ian kon niets uitrichten in een volle pub. Het was zelfs moeilijk Ian te zien als een serieuze fysieke bedreiging. Wel als manipulator. Als een sluwe, liegende, complotterende rotzak. Maar niet als koelbloedige moordenaar.

Maar Alex en Lenka waren beiden dood. En Chris was gewaarschuwd. Chris keek naar beide kanten de straat af voordat hij de voordeur van zijn gebouw ontsloot. Niets verdachts, alleen een man van in de vijftig die met zijn hond wandelde, en een moeder die twee tegenstribbelende kinderen naar de Heath sleurde. Niemand wachtte hem op op de trap, en zijn flat was afgesloten, precies zoals hij hem had achtergelaten. Hij ging naar binnen, dumpte zijn spullen, zette de ketel op het vuur en luisterde naar de berichten op zijn apparaat. Er was er een van Ian.

'Sorry, die lunch haal ik niet. Er is iets tussengekomen. Ik moet naar Parijs. Ik bel je volgende week.'

Chris zocht Ians mobiele nummer op en belde het. Er werd opgenomen.

'Hallo.'

'Ian? Met Chris.'

'O, hallo, Chris.'

'Waar zit je?'

'Heathrow.'

'Luister, ik moet je spreken.'

'Ja. Het spijt me van de lunch van vandaag. Maar we zien elkaar eind volgende week wel. Ik zal je bellen zodra ik terug ben.'

'Maar waarom zo ineens naar Parijs?'

'Belangrijke deal. We moeten snel beslissen. Ik hoorde het pas nadat je me gisteren had gebeld.'

'Maar het is zaterdag!'

'Wat kan ik zeggen? Het is een belangrijke deal. Als ze zeggen: springen, dan spring ik.'

Dit klonk verdacht. Mensen in bedrijfsfinanciering, zoals Eric, werkten misschien het hele weekend, maar Ian was slechts verkoper. Die werkten van maandag tot en met vrijdag. Of dat deden ze in elk geval toen Chris bij Bloomfield Weiss werkte.

'Ik moet met je praten, Ian. Ik kan nu naar Heathrow rijden.'

'Mijn toestel vertrekt over twintig minuten.'

'Kun je geen latere vlucht nemen?'

'Nee. Ik heb een afspraak in Parijs. Zo nauw luistert het allemaal.'

Verdomme, dacht Chris. 'Wanneer ben je terug?'

'Niet te zeggen. Hangt af van hoe de deal verloopt. Einde volgende week op z'n vroegst. Ik bel je wel.'

'Ian...'

'Ik moet nu gaan. Tot ziens.'

Chris legde de hoorn neer. Hij geloofde geen woord van wat Ian hem had verteld.

Ian had een afschuwelijke vlucht naar Parijs. Hij zat te zweten: ze hadden zeker de verwarming in het vliegtuig te hoog gezet, of zoiets. Eric

222

had gelijk: in Parijs zou hij veiliger zijn. Het was onwaarschijnlijk dat Chris hem daar zou komen zoeken. Hij had geen idee wat hij maandag het kantoor moest vertellen. Er was in Frankrijk natuurlijk geen grote deal waaraan hij werkte. Maar in Londen waren wel deals waaraan hij verondersteld werd wat te doen. Hij zou een heel goed verhaal moeten verzinnen om zijn aanwezigheid in Parijs te rechtvaardigen. Maar hij had in elk geval twee dagen om daarover na te denken.

Hij was bang. Hij was tien jaar bang geweest. Hij had zijn best gedaan het te verbergen, te vergeten, het te rationaliseren, maar onder het oppervlak was de angst altijd blijven zitten. En nu, na de dood van Lenka, had zijn angst zich heel erg naar het licht gedrongen.

Hij tastte naar het pakje in zijn jaszak. Het was voor het eerst dat hij iets had meegenomen naar het buitenland. Tot nu toe had hij er altijd voor gezorgd nooit drugs mee te nemen over internationale grenzen. Maar van Londen naar Parijs telde tegenwoordig niet meer. De enige kerels die hij ooit gecontroleerd had zien worden, waren donkere mannen met snorren in leren jacks, die het woord 'smokkelaar' praktisch op hun voorhoofd getatoeëerd hadden staan. Het zou hem wel lukken. En hij had voldoende meegenomen om er tot eind volgende week mee te doen.

Hij kon zeker nu wat gebruiken. Hij wist dat hij de laatste paar weken, sinds de dood van Lenka, meer was gaan nemen. Dat was nauwelijks verwonderlijk. Dit waren uitzonderlijke omstandigheden. Bovendien wist hij dat hij elk moment ermee kon stoppen. Hij was immers de laatste tien jaar verscheidene malen abrupt gestopt?

Ian zat te draaien op zijn stoel. Hij onderschatte Chris niet. Chris was slim en vastberaden en hij zou op den duur achter de waarheid komen. Tenzij Eric hem eerder tegenhield. Ian huiverde. Chris was een lastpak geworden, maar hij wilde niet nog een moord. Het moorden moest ophouden.

Hij wilde dat hij tien jaar geleden mensen had verteld wat hij wist. Nu had hij geen keus. Hij moest zich koest houden en Eric vertrouwen.

Het was te veel. Ian stond op, wrong zich langs de man in het gangpad en liep naar de toiletten.

Terry's voeten raakten de vochtige grond praktisch zonder geluid. Het was een sprong van drie meter vanaf de muur van het college: geen probleem. Terry glimlachte bij zichzelf. Die oude colleges mochten er van buiten misschien uitzien als forten, maar het was een makkie om erin te komen. En eenmaal binnen de muren waren er allerlei bosjes, trappen en gangen waar je je kon verschuilen. Bovendien had iedereen die hij overdag hier had zien rondzwerven er zo verdomd raar uitgezien, dat hij betwijfelde of iemand het vreemd zou vinden als ze hem zagen.

Het was half twee. Er scheen slechts een dun sikkeltje maan dat een heel vaag licht wierp op de breed uitwaaierende takken van de oude boom voor het gebouw. Terry wachtte tien minuten en streek over de snor die hij voor deze klus had opgeplakt. Hij begon er gehecht aan te raken. Misschien moest hij een echte laten staan als dit allemaal voorbij was. Maar de pruik irriteerde hem. Het lange, vettige haar kietelde in zijn hals. Hij voelde er zich sjofel mee, niet de nette, goed verzorgde man vol daadkracht zoals hij zichzelf graag zag. Maar het was nodig, voldoende om iemand te misleiden die een glimp van hem opving. Hij grijnsde bij zichzelf bij de gedachte hoe Szczypiorski in New York erin was gelopen.

Hij wachtte terwijl een dronken jongen zwaaiend over het gras zijn bed ging opzoeken, en sloop toen gebukt door de schaduw van een muur naar het gebouw toe. Hij ging rechtop staan en liep naar het trappenhuis en de deuren door. Er was niets gesloten. Twee trappen op en daar was een dikke houten deur met nummer acht op de muur erboven geschilderd. De deur was op slot, maar het was maar een Yale-slot en binnen enkele tellen was Terry binnen.

Hij bevond zich in een zitkamer. Geen bed, maar in de hoek een deur. Die opende hij en glipte een veel kleinere kamer in. Er stond een smal bed en onder de dekens lag een ineengedoken gestalte met donkere haren uitgespreid over het kussen. Terry glimlachte bij zichzelf, tastte met zijn gehandschoende hand in zijn jasje en haalde er een mes van vijftien centimeter uit.

Twee uur later zat hij in Londen in een internetcafé dat de hele nacht open was, en tikte een kort bericht. Drie uur daarna, nu zonder snor en pruik, stond hij op Terminal Four van Heathrow te wachten op een vroege vlucht naar Parijs.

2

Chris werd zondagmorgen vroeg wakker. Hij kreeg geen kans zich te goed te doen aan zijn traditionele zondagse uitslaappartij, daarom stond hij op en zette in de keuken een kop thee voor zichzelf. De gedachten die in zijn slaap onsamenhangend door zijn hoofd hadden gespookt, smolten nu samen tot vragen die hij moest beantwoorden. Marcus, Ian, Alex, Lenka. Wat was het verband tussen hen? Wat was er tien jaar geleden gebeurd in het water voor de kust van Long Island? En wat deed Ian in Parijs?

Chris slenterde met zijn kop thee de woonkamer in. Hij keek naar het lege scherm van zijn pc. Misschien was er nu een e-mail van Marcus? Of van George Calhoun? Of van iemand anders die op de hele chaos wat licht zou werpen. Hij wist dat het waarschijnlijk tijdverspilling was, maar hij zette zijn apparaat aan en checkte zijn e-mail.

Er was er een. Van 'Een bezorgde vriend'. Als onderwerp werd opgegeven 'Ik heb het je één keer gezegd'.

Het bericht luidde:

Chris
Ik heb je in New York gewaarschuwd en ik waarschuw je opnieuw. Hou op met vragen stellen over Alex. Vergeet hem. Anders ga jij er niet alleen aan. Megan ook.

Chris staarde met open mond naar het bericht. Het was te vroeg in de morgen om het helemaal te laten doordringen. Hij controleerde het adres van de zender: een keten internetcafés waarvan hij vaag had gehoord.

De telefoon ging over. Hij nam de hoorn op.

'Chris! Chris! Met Megan!' Ze klonk bijna hysterisch.

'Heb jij er ook een gekregen?' vroeg Chris.

'Wat voor een? Ik ben net wakker geworden. Ik draaide me om en op mijn kussen lag... Mijn god, het was afschuwelijk.' Ze snikte.

'Lag wat? Rustig aan, Megan. Het is oké. Rustig aan.'

'Een mes, Chris. Een groot lang mes. Met bloed eraan. Mijn hele kussen zat onder het bloed. Het is verschrikkelijk.'

Ze brak uit in een wild gesnik.

'O, nee, Megan! Ben je gewond?'

'Nee,' snoof ze. 'Iemand moet ingebroken hebben en dit gedaan hebben terwijl ik slaap, een paar centimeter van mijn gezicht. Ik heb niets gehoord.'

'Godzijdank ben je niet gewond. Het moet afgrijselijk zijn geweest.'

'Dat was het. Echt waar. Maar wie zou zoiets doen? En waarom?'

'Ze proberen je bang te maken. En mij.'

'Nou, dan zijn ze wel geslaagd,' zei Megan. 'Ik ben mijn hele leven nog niet zo bang geweest.'

'Dat geloof ik best,' zei Chris. Hij wilde dat hij haar vast kon houden, haar troosten, kon proberen haar tot rust te brengen. Toen voelde hij schuld bij zich opkomen. 'Het spijt me zo.'

'Spijt? Jij hoeft helemaal geen spijt te voelen.'

Chris slikte moeizaam. 'Vanmorgen kreeg ik een e-mail.' Hij las hem voor vanaf het computerscherm vóór zich. 'En zelf kreeg ik ook een waarschuwing toen ik in New York was. Iemand bedreigde me met een mes en schreef met bloed dwars over de spiegel in mijn hotelkamer.'

'Verrek, waarom heb je me dat niet verteld?'

'Ik wilde je niet bang maken,' zei Chris. 'Ik dacht dat je me misschien wilde overhalen niet met Marcus te gaan praten. Ik dacht er niet aan dat jij ook in gevaar verkeerde.'

'Nou ja, de volgende keer dat iemand probeert je te vermoorden, moet je het me wel laten weten, oké?' Megan klonk kwaad. En met reden.

'Oké, oké. Het spijt me.'

Megan zweeg even. 'Ze menen het, nietwaar?' zei ze ten slotte.

'Ja.'

'Denk je dat het Ian geweest kan zijn?'

'Misschien. Misschien ging hij naar Cambridge in plaats van naar Parijs. Maar het was zeker niet Ian die me in New York overviel. Als hij erachter zit, moet hij met iemand anders samenwerken.'

'Wat gaan we doen?'

'Als je wilt, kun je het de autoriteiten op de universiteit vertellen. Zij nemen wel contact op met de politie. Ik weet niet zeker of het veel zal helpen: van de politie in New York heb ik niets gehoord sinds ik hun vertelde wat er met mij was gebeurd. Maar ik kan je niet dwingen het stil te houden.'

Megan zuchtte. 'Het heeft geen zin. Bij de universiteit zouden ze dat nauwelijks appreciëren. En wie dit ook gedaan heeft, moet een beroepsman zijn geweest. Het is onwaarschijnlijk dat de politie hem zal vangen. Ik zal het kussenovertrek en het mes in een plastic zak stoppen en weggooien.'

'Houd het mes maar. Misschien hebben we het later nodig als bewijs-materiaal.'

'O, mijn god. Oké.'

Even zwegen ze.

'Chris?'

'Ja?'

'Ik ben bang.'

'Dat weet ik. Ik ook.'

'Volgens mij begint dit uit de hand te lopen.'

Chris gaf niet direct antwoord. Hij had besloten zelf risico's te nemen. Maar hij kon niet ook Megans leven op het spel zetten.

'Misschien wel,' zei hij. 'Ik zal me een tijdje koest houden. Geen vragen meer stellen. Me rustig houden.'

'Het spijt me, Chris. Ik geloof dat je dat moet doen.'

'Je moet je afschuwelijk voelen. Ik haat het dat jij daar alleen bent. Kan ik je vandaag komen opzoeken?'

'Dat zou geweldig zijn als je dat kunt. Ik was van plan het grootste deel van de dag in de bibliotheek door te brengen, maar als je vanavond komt, wil ik je dolgraag zien.'

'Ik zal er zijn,' zei Chris.

'Bedankt,' zei Megan. 'Nu kan ik maar beter die rotzooi gaan opruimen.'

Ian keek om zich heen naar de pracht en praal van de eetzaal van het George V. Normaal zou hij genoten hebben van een ontbijtbespreking in deze weelderige omgeving, de internationale beleggingsbankier spelen met gelijkgezinde mensen. Maar die morgen niet. Waar hij naar snakte, was een kop sterke koffie en een saffie in een hoekcafé. Maar met Eric kon hij dat wel vergeten.

Hij had nu bijna een dag in Parijs zitten kniezen. Het was gaan regenen zodra zijn taxi de Rue Périphérique was opgereden en het was de hele nacht blijven regenen. Het had een eeuw geduurd voordat hij die zaterdagavond een hotelkamer had gevonden, en hij had de hele dag doorgebracht met het ontlopen van luidruchtige mannen in rode truien die daar waren om hun land toe te juichen bij een rugbymatch. Ten slotte vond hij een sjofel hotel bij het Gare du Nord, dumpte er zijn koffers, liep een tijdje door de regen, en zag toen een slechte Amerikaanse film, nagesynchroniseerd in het Frans, in een bioscoop aan de Champs Elysées.

Hij voelde zich rot. De avond tevoren had hij te veel gedronken. En gesnoven. Een tijdje had hij er zich beter door gevoeld. Maar nu voelde hij zich belazerd. Hij pakte een sigaret en stak die op. Aha, dat smaakte goed.

'Ian, fijn je weer te zien.'

Ian had het binnenkomen van Eric niet opgemerkt. Hij zag er walgelijk fris en opgewekt uit met zijn glanzende witte overhemd, en zijn das die in zo'n strakke knoop zat, dat hij vanaf zijn hals recht naar voren leek te springen. Ian voelde aandrang eraan te trekken, maar in plaats daarvan gromde hij wat en negeerde Erics uitgestoken hand. Ondanks de omgeving was dit geen zakelijk gesprek en hij voelde er niets voor te doen alsof.

'Het vliegtuig was een half uur te laat op Charles de Gaulle. Maar er was geen verkeer op weg naar de stad. Heb je al besteld?'

Ian schudde zijn hoofd. Eric trok de aandacht van een kelner in de buurt en bestelde croissants en wat koffie.

'Hoe is het met je?' vroeg hij.

'Rot,' antwoordde Ian en hij snoof.

'Je ziet er niet best uit.' Eric keek hem doordringend aan. Ian kromp ineen. 'Heb je iets gebruikt?'

'Gisteren,' antwoordde hij, met de gedachte dat hij voor Eric niet hoefde te liegen.

'Is dat wel verstandig? Ik denk dat we op dit moment alle twee een helder hoofd moeten hebben.'

'Wat bedoel je, is dat verstandig?' snauwde Ian. 'Ik kan doen waar ik zin in heb. Ik meen te herinneren dat jij in het verleden genoeg van dat spul hebt gebruikt. Daardoor zijn we tenslotte in deze rotzooi terechtgekomen.'

'Dat was lang geleden. Ik heb in tien jaar niets meer aangeraakt,' zei Eric.

'Kijk eens aan, sint Eric,' zei Ian. 'Ik heb in tien jaar niemand meer vermoord. Ik heb zelfs nooit iemand vermoord.'

'Praat niet zo hard,' zei Eric kalm en met een glimlach.

'Waarom moest jij verdomme Lenka laten vermoorden?' zei Ian, dit keer wat zachter.

'Ik kon niet anders. Ze zou gaan praten. Eerst tegen Marcus Lubron en daarna tegen andere mensen. Jij kende Lenka. Er was maar één manier om haar tot zwijgen te brengen.'

'Maar nu zit Chris op het spoor. En jouw oude vriendin, Megan. En vervolgens Duncan. De hele zaak is uit de hand gelopen.'

'Niet helemaal,' zei Eric rustig. 'Ik ben bezig de teugels weer in handen te nemen. En denk eraan, als jij Lenka niet had verteld over Alex, zou niets van dit alles zijn gebeurd.'

228

Ian zuchtte. Zijn hoofd bonsde. Hij sloot zijn ogen. Eric had gelijk. Hij dacht terug aan de nacht waarin hij de hele doos van Pandora had geopend. Ze hadden juist seks gehad, geweldige seks. Lenka had het erover dat ze die dag met Marcus had gesproken. Ian was wat moe, wat high; zijn hersenen werkten niet helemaal goed. Hij had geglimlacht en gezegd dat het gek was dat Duncan niet eens schuld had aan de dood van Alex. Lenka was ineens klaarwakker. Ze wilde weten waar hij het over had. Ian probeerde te ontkennen dat hij er iets mee bedoelde, maar ze wist dat het wel zo was. Ze zette hem stevig onder druk en overviel hem met een massa vragen. Zijn tegenstand brak snel. Hij had het al jaren tegen iemand willen vertellen en ineens leek Lenka de juiste persoon. Daarom vertelde hij haar dat hij Eric Alex had zien verdrinken. Naar bleek, was Lenka helemaal niet de juiste persoon. Ze ontplofte. Binnen tien minuten stond Ian buiten op Old Brompton Road uit te kijken naar een taxi.

Lenka zei tegen Ian dat ze het Marcus ging vertellen. Ian zei dat tegen Eric. En daarna was Lenka dood.

'We hebben het beiden verpest,' zei Ian. 'Maar het is niet nodig de zaken nog erger te maken.'

'Je hebt gelijk, dat is het niet,' zei Eric. 'Volgens mij is het heel belangrijk dat jij je gedeisd houdt. Want je weet wat er gaat gebeuren als je dat niet doet.'

'Is dat een dreigement?'

'Natuurlijk,' zei Eric rustig. 'En je weet dat ik het zonodig zal uitvoeren.'

Ian voelde woede opkomen. Op een bepaalde manier had hij, sinds het verdrinken van Alex, bij Eric onder de duim gezeten. Indertijd had het slim geleken Eric de leiding te geven om de zaken recht te zetten. Eric die altijd op alles een antwoord leek te hebben. Het was nu wel duidelijk dat dat een vergissing was geweest. Eric had meer te verliezen dan Ian. Het werd tijd dat Ian de teugels in handen nam.

Hij stak nog een sigaret op. 'Moet ik niet degene zijn die jou bedreigt?' zei hij, en hij liet met moeite zijn stem kalm en autoritair klinken.

'Ik geloof niet dat dat verstandig zou zijn,' antwoordde Eric koel.

'Waarom niet? Jij hebt Alex vermoord. Jij hebt Lenka laten vermoorden. Val me nu niet meer lastig, anders vertel ik mensen wat ik weet.'

Ian had gehoopt dat dat Eric bang zou maken. Maar dat was niet het geval.

Eric keek Ian lange tijd aan. Ian probeerde rustig zijn sigaret te roken, maar hij zat onwillekeurig te schuiven op zijn stoel. Ten slotte zwierf zijn duim naar zijn lippen en knabbelde hij op zijn nagel.

Eric glimlachte, een zelfvoldane, zelfverzekerde glimlach, een verklaring van zijn superioriteit. 'Niemand bedreigt mij,' zei hij en hij verliet de tafel, net toen de kelner de croissants bracht.

Terry zat op Charles de Gaulle op Eric te wachten. Eric loodste hem naar een van die rustige plekjes op luchthavens waar weinig mensen lopen. Ze gingen ieder op een alleenstaande stoel zitten. De enige persoon binnen gehoorsafstand was een schoonmaker.
'En, baas?' vroeg Terry.
Eric zuchtte en blies zijn wangen op. 'Ian is onbetrouwbaar. Pak hem maar aan.'
'Dezelfde bonus als de laatste keer?'
Eric knikte.
Terry glimlachte. Eric betaalde een hele goede bonus.
'Alles goed verlopen in Cambridge?' vroeg Eric.
'Ik kwam gemakkelijk binnen. Liet het mes achter, vertrok weer. Niemand heeft me gezien.'
'Denk je dat het haar angst zal aanjagen?'
'O ja. Dat zal haar angst aanjagen,' zei Terry. 'Maar weet u zeker dat het genoeg zal zijn?'
'We kunnen geen spoor van lijken achterlaten,' zei Eric. 'Elk lijk vergroot het risico dat we gepakt worden. Ik denk dat het helpt dat elke dode in een ander land is, maar als iemand erachter komt dat ze tien jaar geleden allemaal op dezelfde boot zaten, hebben we problemen.'
Terry knikte vaag. Maar Eric merkte de implicatie. Terry dacht dat Eric Megan wilde sparen omdat ze zijn vriendin was geweest. Nou, daar had hij gelijk in. Eric wilde haar echt niet doden als hij het kon vermijden. Hij had in feite niemand van hen willen doden. Maar na Alex leidde het een tot het ander.
En hij had Alex moeten doden. Als hij dat niet had gedaan, zou hij geen kans hebben gekregen zijn toekomst veilig te stellen. Eric had altijd geweten dat hij een uitzonderlijk bekwaam iemand was, dat had hij geweten vanaf zijn vroegste jeugd. Er was geen klas waarin hij niet als eerste eindigde, geen baan die hij niet kon krijgen, geen match die hij niet kon winnen. Vanaf zijn jeugd had hij aangenomen dat hij dat uitzonderlijke talent met een doel had gekregen, en het doel leek te zijn aan het hoofd van het land te staan. Hij kon het. Hij had het talent. Hij kon het geld verdienen. Verrek, hij had zelfs het geluk mee. En hij wist dat hij zijn werk goed zou doen, zodra hij een hoog ambt bekleedde, of zelfs het hoogste ambt. Eric wist dat zijn ambitie ver buiten het bereik van

de meeste stervelingen lag. Maar hij was vol vertrouwen dat het niet buiten zijn bereik lag.

Alex en een paar gram wit poeder zouden aan dat alles een eind hebben gemaakt. Dat kon hij niet toelaten.

'Laten we hopen dat we hem hebben afgeschrikt,' zei Eric. 'Maar als dat niet werkt, heb ik een ander idee.' Hij keek op zijn horloge. 'Ik moet gaan. Mijn toestel vertrekt over twintig minuten. Veel succes.'

'Bedankt, baas,' zei Terry en ze gingen uit elkaar.

Eric passeerde de beveiligingspoort en de paspoortcontrole en liep naar de uitgang. De vlucht naar Londen Heathrow was omgeroepen, maar er stond een lange rij mensen, dus had hij nog een paar minuten. Hij belde een nummer op zijn mobiel.

'Hallo?'

Hij herkende de stem. Die was in de laatste negen jaar weinig veranderd. 'Megan? Met Eric.'

Even was het stil. Toen hoorde hij haar stem. 'Eric?' Het klonk bijna fluisterend.

'Jazeker. Hoe gaat het met je?'

'Eh... Oké, geloof ik.'

'Goed. Dat is geweldig. Luister, we hebben elkaar lang niet meer gezien, maar ik moet morgen in Londen zijn voor een vergadering, en vanmiddag heb ik wat tijd. Ik dacht dat het fijn zou zijn jou weer eens te zien. Na wat er met Lenka is gebeurd en zo.'

'Uh, oké.' Megan klonk aarzelend. 'Waar ben je?'

'Op het vliegveld.' Eric paste ervoor op te zeggen welk vliegveld. 'Ik moet nog een of twee dingen doen, maar ik kan, denk ik, wel om een uur of drie in Cambridge zijn.'

'Goed dan. Drie uur is prima. Vraag in de portiersloge maar naar mij, zij wijzen je de weg wel.'

'Oké,' zei Eric. 'Tot straks dan.'

Chris staarde naar de kringen witte belletjes op het oppervlak van zijn bier, zich onbewust van het toenemende lawaai om hem heen, naarmate de pub in Hampstead zich vulde met het zondagse lunchpubliek. Duncan had hem om een uur of elf die ochtend opgebeld en voorgesteld samen een pint te gaan drinken, en Chris had blij ingestemd. Er was veel wat hij met hem wilde bespreken.

Maar hij kon alleen maar aan Megan denken. Die mensen namen geen halve maatregelen. Ofschoon hij blij was geweest met zijn beslissing zijn eigen hachje te wagen, kon hij het hare niet zomaar op het spel zetten: ze was voor hem gewoon te belangrijk. Een golf van hulpeloosheid overspoelde hem. Megans veiligheid hield in dat hij helemaal niets kon doen en dat idee stond hem tegen. Het betekende dat Lenka's moordenaar ongestraft bleef.

Hij schrok op uit zijn gedachten door dat er met een bons een glas bier op de tafel werd gezet. Duncan ging op het krukje tegenover hem zitten en bracht een vlaag vrolijkheid mee. 'Hallo Chris. Hoe maak je het op de markt?' vroeg hij als een nutteloze openingsbabbel.

'Belazerd,' zei Chris.

'O ja? En hoe is het met jou?'

'Ook belazerd.'

'Nou ja, geeft niks. Ik heb wat goed nieuws.'

'Onmogelijk.'

'Nee. Heel goed mogelijk. Weet je nog dat je met Khalid hebt geluncht?'

'Inderdaad,' zei Chris en bedacht dat hij nauwelijks het geduld had Duncan nog meer gratis informatie uit hem te laten trekken.

'Hij zei dat hij geïnteresseerd is in al die markten voor rare staatspapieren waar jij in handelt. Hij was kennelijk erg door jou geïmponeerd. Hij vroeg me of hij geld in jouw fonds kan stoppen, in plaats van rechtstreeks in de markt. Hij zou je graag een jaar of zo je gang laten gaan en het dan misschien zelf proberen.'

Chris ging rechtop op zijn stoel zitten. 'Je méént het!'

'Ik meen het,' zei Duncan. 'Hij heeft navraag naar je gedaan bij Faisal, die kennelijk goede dingen over jou te vertellen had. Ik zei hem natuurlijk dat je een verliezer was, maar Khalid luistert nooit naar mijn mening.' Duncan zat te grijnzen.

'Maar hij weet hoe ik bij Bloomfield Weiss ben ontslagen. Hoe ik al dat geld verloor.'

'Zo te zien, kan hem dat niets schelen. Veel goede mensen zijn bij Bloomfield Weiss ontslagen: neem mij nou. Kun je nog een belegger accepteren? Ik weet niet hoe jouw fonds in elkaar zit.'

'Toevallig kunnen we dat. Over hoeveel praten we?'

'Vijftien miljoen dollar. Maar misschien doet hij minder.'

'Nee, vijftien miljoen dollar zou mooi uitkomen.' Vijftien miljoen dollar was zo goed als zeventien miljoen euro. Dat zou genoeg zijn om Rudy uit te kopen en zeven miljoen euro over te houden. 'En volgens mij is het precies het juiste tijdstip. Voor hem en voor ons.'

Duncan glimlachte. 'Zal ik hem zeggen dat je na zorgvuldige overweging besloten hebt dat je hem erin kunt drukken?'

'Zeg hem dat maar,' zei Chris. 'Goed gedaan, Duncan! Ik sta bij je in het krijt.'

'Nee, niet waar,' zei Duncan. 'Het is goed jou voor de verandering eens te kunnen helpen.'

Chris hief lachend zijn glas. 'Op Khalid.' Beiden dronken ze.

'Bovendien,' zei Duncan terwijl hij zijn bier neerzette, 'geloof ik dat ik je moet bedanken omdat je met Pippa hebt gesproken.'

Chris aarzelde even. Hij had gehoopt dat Duncan niet achter dat gesprek zou komen. Maar Duncan leek niet kwaad te zijn. 'Misschien,' zei Chris voorzichtig.

'Ik weet niet wat je tegen haar hebt gezegd, maar het lijkt gewerkt te hebben.'

Chris was verbaasd. 'Voor zover ik me herinner, zei zij dat jij een hufter was, en was ik het daarmee eens.'

'Nou, zij en ik zijn vrijdagavond uit geweest en ik denk dat we weer bij elkaar zullen komen.'

'Geweldig,' zei Chris. En daarop: 'En is dat goed?'

'Volgens mij wel. Jij hebt gelijk en zij ook. Ik was een hufter. Maar ik ben van plan dat van nu af niet meer te zijn. We zullen zien. Het is in elk geval het proberen waard.'

Chris keek Duncan glimlachend aan. 'Dat is het zeker. Veel succes.'

'Hoe zit het met jou? Waarom ben je in zo'n rotstemming? De markt is al eerder gekelderd, nietwaar?'

'Ik zal het je zeggen,' zei Chris. Hij nam een slok bier en beschreef alles wat er gebeurd was sinds hij naar Amerika was vertrokken, inclusief de dreigementen tegen hemzelf en Megan. Duncan luisterde met open mond.

Toen Chris was uitgepraat, wreef Duncan in zijn ogen en ging verzitten op zijn krukje. Hij zuchtte. 'Je bedoelt dat ik Alex toch niet heb gedood?'

'Daar ziet het wel naar uit,' zei Chris.

Duncan schudde zijn hoofd. 'Al die jaren heb ik mezelf de schuld gegeven. En Ian wist al die tijd dat het mijn schuld niet was?'

'Ja.'

Duncan liep rood aan. Hij ging recht zitten en sloeg op de tafel zodat hij bier morste. 'De rotzak!' Het stel aan het tafeltje naast hen draaide zich naar hen om. Duncan zag het en ging zachter praten. 'Wat bedoelde Lenka dus?'

'Megan en ik hebben een idee, maar zeg me eerst wat jij denkt.'

'Oké.' Duncan dacht erover na. 'We weten dat Alex verdronk. Als ik hem dus niet heb gedood toen ik hem sloeg en hij overboord viel, dan... moet iemand anders hem hebben verdronken. Nadat hij in het water was gevallen?'

Chris knikte.

'Het kan alleen een van de mensen zijn geweest die erin doken om hem te redden. Los van mij dus Ian en Eric?'

Opnieuw knikte Chris.

'Nou, dan moet het Ian zijn, nietwaar?'

'Dat lijkt ons het meest waarschijnlijk.'

'Ik kan het niet geloven. Die moorddadige rotzak! En jij denkt dat hij Lenka ook heeft vermoord?'

'Ja. Of anders heeft hij iemand betaald om het te doen.'

'Jézus. Wat ga je eraan doen?'

'Het is moeilijk. Ik heb je verteld dat ik in New York ben overvallen. En over dat mes op Megans kussen gisternacht.'

'Ja, maar we kunnen hier toch niet blijven zitten en hem ongestraft zijn gang laten gaan.'

'Volgens mij moeten we wel. In elk geval voorlopig.'

'Wat bedoel je?' Duncan keek ontzet. 'Dat is gewoon lafheid.'

'Het is gezond verstand.' Duncan fronste, maar Chris vervolgde. 'Luister, toen ik alleen werd bedreigd was ik bereid verder te gaan. Ik ben Lenka veel verschuldigd en ik was bereid risico te nemen om te ontdekken wie haar heeft vermoord. Maar ik kan Megans leven niet op het spel zetten.'

Duncan kneep zijn ogen halfdicht. 'Er is iets aan de gang tussen jou en haar, nietwaar?'

'Ja,' gaf Chris toe. 'Inderdaad.'

Duncan snoof verachtelijk.

'Duncan, wees redelijk. Ook al was dat niet het geval, dan zou ik haar leven nog niet willen riskeren. En jij ook niet. Hoe dan ook, Ian is tot later deze week in Parijs.'

'Jij kunt op je kont blijven zitten als je dat wilt,' zei Duncan. 'Maar dat wil nog niet zeggen dat ik dat ook moet doen.'

'Wat ga je doen?' vroeg Chris.

Duncan zei niets. Hij dronk zijn glas leeg en stond op om weg te gaan. 'Wees in hemelsnaam voorzichtig,' zei Chris, maar Duncan negeerde hem toen hij zich door de mensenmassa een weg baande naar buiten.

Megan vond het heel erg moeilijk zich te concentreren op het boek dat voor haar lag. Het was een analyse van het werk van de monniken van Fleury, een benedictijnenabdij aan de Loire, waar een aantal Engels kerkvorsten gastvrij was ontvangen. Het was niet alleen omdat het in het Frans was, of dat de auteur een afkeer leek te hebben van zinnen van minder dan dertig woorden. Dat kon Megan wel aan. Sinds ze in Cambridge was gekomen, had ze zelfs de bibliotheek en zijn moeilijke teksten een toevluchtsoord gevonden voor de waanzin van Lenka's dood. Alleen hier kon ze zichzelf een paar uur verliezen. Daarom was ze er zo op gebrand geweest die morgen haar kamer te verlaten, in de hoop dat afschuwelijke mes op haar kussen uit haar gedachten te kunnen bannen. Maar dit keer had het niet gewerkt. En de reden daarvoor was Eric.

Nadat ze die morgen met Chris had gesproken, had ze het mes in een plastic zak gestopt en achter in een van haar laden verborgen. Vervolgens had ze de bloederige kussensloop in een andere zak gestopt, samen met de inhoud van haar prullenmanden, en die in de afvalcontainer van het college gedumpt. Ze wilde net naar de bibliotheek gaan toen Eric had gebeld.

Had ze hem wel moeten zeggen dat hij haar kon komen opzoeken? Ze had hem nu acht jaar vermeden en dat besluit had haar ongetwijfeld geholpen hem te vergeten. Maar nu kon het toch zeker geen kwaad? Hij was getrouwd, zij leek aan het begin te staan van iets met Chris, iets waarvan ze hoopte dat het verder zou gaan. Nee, het kon geen kwaad. Waarom had ze dan zo'n droge keel? Waarom kon ze zich niet concentreren op het boek dat voor haar lag? Waarom moest ze voortdurend denken aan zijn stem, zijn gezicht, zijn ogen, zijn aanraking?

Ze wist dat ze hem moest zien. Het was waarschijnlijk een goede zaak. Een einde, wat dat dan ook betekende. Hij zou een gezette, hebzuchtige beleggingsbankier zijn geworden. Ze hadden al weinig gemeen toen ze nog studeerden: nu zouden ze niets gemeen meer hebben. Het zou haar goed doen Eric na tien jaar weer te zien. Ze zou zich eindelijk realiseren dat ze beter af was zonder hem.

Om twee uur gaf ze het op en liep terug naar het collegegebouw. Ze huiverde toen ze op haar kamer kwam. Slechts twaalf uur eerder had iemand anders rond haar bed geslopen. Het zou moeilijk zijn daar vanavond te slapen. De buitendeur sluiten had geen verschil uitgemaakt. Ze keek naar de sofa: als ze die voor de deur duwde voordat ze naar bed ging, zou iemand onmogelijk binnen kunnen komen zonder haar wakker te maken. En dan zou ze gaan gillen. Er waren waarschijnlijk zo'n honderd mensen binnen gehoorsafstand. Zo zou ze hem wel kwijtraken.

Ze ijsbeerde door haar kamer. Ze borstelde haar haar. Ze pakte wat lipstick, die ze nooit droeg, en legde die weer weg. Wat dacht ze wel? Ze hoefde er voor Eric niet goed uit te zien.

Ze ging bij het raam staan en keek omlaag naar de binnenplaats. Onder de oude plataan lag een tapijt van sneeuwklokjes en krokussen. Ze had nog nooit zo'n grote boom gezien, met zo'n wirwar van takken. Over een maand of twee zouden er waarschijnlijk bladeren aan komen, maar het was moeilijk je dat voor te stellen. Op de een of andere manier leek de boom te afgeleefd om dat nog te kunnen. Ze keek op haar horloge. Drie uur. Eric was nergens te zien.

Om vijf over drie werd er zacht op haar deur geklopt. Op de een of andere manier moest ze hem hebben gemist toen hij de binnenplaats overstak. Ze dwong zich de tijd te nemen om de deur te openen.

Hij was niet veel veranderd. Zelfde lengte. Zelfde ogen. Zelfde glimlach.

'Hallo, Megan.'

Zelfde stem.

'Hallo.'

'Mag ik binnenkomen?'

'Ja, natuurlijk. Maar ik dacht dat we misschien ergens heen moesten gaan, als je dat goed vindt. Ergens een kop thee gaan drinken?'

'Met scones, hoop ik?'

'Ik weet zeker dat dat geregeld kan worden.'

'Dit is prachtig,' zei Eric en hij liep door haar woonkamer.

'Ja, het is hier gezellig. Ik heb geluk gehad dat ik deze kamer kon krijgen. De meeste afgestudeerde studenten worden buiten het college opgeborgen. En ik heb telefoon. Dat is hier kennelijk een luxe.'

'Ik kan het niet geloven! Je hebt die poster nog steeds?'

Hij wees naar een zwart-witfoto van een dode boom die verloren in de woestijn van Arizona stond. Het was een reclame voor een tentoonstelling van Ansel Adams in 1989.

'Ik hou van die poster. Kijk, hij is nu ingelijst.'

'Inderdaad. Heel mooi. Zullen we gaan?'

Megan nam hem mee naar een tearoom waar ze al eens eerder was geweest. Hij was heel schilderachtig en echt Engels, en in het toeristenseizoen zou het er waarschijnlijk een nachtmerrie zijn, maar in maart was het er rustig en prima neutraal grondgebied.

'Hoe is het met je?' vroeg Eric nadat ze thee en scones hadden besteld. 'Hoe is het echt met je?'

'Afschuwelijk,' zei Megan. Ze was van plan geweest koel te zijn over de laatste paar weken, maar nu Eric hier was, merkte ze dat ze een lang verhaal begon over alles wat er was gebeurd. Ze vertelde hoe ze zich voelde over de dood van Lenka, over het samenzijn met Chris, over de vermoedens van Chris, over zijn onderzoekingen, over Duncan, Ian en Marcus Lubron. En daarna vertelde ze hem hoe ze die morgen dat mes op haar kussen had gevonden, en dat ze zo bang was geweest, en dat Chris in New York was bedreigd.

Eric was een sympathieke luisteraar, hij haalde Megan over te praten over alle angsten en bedenkingen die ze moeilijk tegen zichzelf kon uit-spreken, laat staan tegen Chris. Megan had er een goed gevoel over met hem te praten en ze kon iets van de spanning van de laatste paar weken van zich afschudden.

'Zo te horen zie je Chris vaak,' zei Eric.

'Ja,' zei Megan en ze lachte verlegen.

'Hij is een aardige kerel,' zei Eric.

'Dat is hij.'

Eric lachte terug. 'Dat is een goede zaak.'

Megan kon voelen dat ze bloosde. Maar ze was blij dat ze Eric duidelijk had kunnen maken dat ze haar eigen relatie had. Het leek de weg vrij te maken voor een vraag die ze hem dolgraag wilde stellen. 'Hoe is het huwelijksleven?'

Hij zweeg en leek heel even te fronsen voordat hij antwoord gaf. 'O, goed, goed,' zei hij. 'Het is nu al zeven jaar.'

'Inderdaad. Heb je kinderen?'

'Een. Een jongetje. Wilson. Hij is twee. Hij is geweldig.'

'Ik weet zeker dat jij een goede vader bent.'

Eric zuchtte en schudde zijn hoofd. 'Ik ben er nooit. Of maar half zo vaak als ik zou willen. Het werk is waanzinnig. Ik zit mijn halve leven in een vliegtuig. Meer dan mijn halve leven.'

'Wat vervelend.'

'Ik heb het zelf gewild,' zei Eric. 'Je weet hoe ik ben. Gedreven.'

Megan glimlachte. 'Ik weet het nog.'

'Het zet mij en Cassie echter onder druk,' zei Eric. 'En dat spijt me. Maar je kunt mijn baan nu eenmaal niet op halve kracht doen.'

'Heb je al voorzichtig aan de politiek geroken?'

'Een beetje. Geholpen met fondsen werven. Hier en daar wat smoezen. Rustig wat advies aan politieke kwallen gegeven over de wetgeving voor telecombedrijven.'

'Maar je hebt je grote stap nog niet gezet?'

Eric glimlachte. 'Nog niet.'

'Op een bepaalde manier betwijfel ik of je tot de Democraten bent be-keerd sinds ik je voor het laatst heb gezien.'

Eric schudde zijn hoofd. 'Sorry. Maar ik zou mezelf een beetje rechts van het midden plaatsen, als dat helpt.'

'Niet veel,' zei Megan. 'Ik geloof niet dat we ooit bestemd waren om er dezelfde politieke meningen op na te houden.'

'Ik denk van niet,' zei Eric. Hij schonk de laatste thee in. 'Wat gaan jij en Chris nu doen, wat Lenka betreft?'

'Ik weet het niet. Na wat er vandaag is gebeurd, denk ik dat we het misschien opgeven. Maar het maakt me zo kwaad. Wie Lenka dan ook heeft vermoord, verdient het gepakt te worden. Ik weet vrij zeker dat Ian er iets mee te maken had. Heb je hem de laatste tijd nog gezien?'

'Nee,' zei Eric. 'Ik loop hem wel eens tegen het lijf als ik het kantoor in Londen bezoek. Hij werkt nog steeds bij Bloomfield Weiss. Maar we zijn eigenlijk geen vrienden meer.'

'Wat vind je?' vroeg Megan. 'Ik heb je alles verteld wat we tot dusver hebben ontdekt. Jij bent intelligent. Wat vind je dat we moeten doen?'

Eric gaf niet direct antwoord. Zijn blauwe ogen keken haar aan. 'Ik denk dat jij heel voorzichtig moet zijn, Megan,' zei hij zacht.

Iets smolt er in Megan. Ze voelde dat ze begon te blozen. Bijna in paniek draaide ze zich om en wenkte een serveerster.

'We willen graag de rekening.'

Chris nam de trap naar Megan met twee treden tegelijk. Hij wilde haar dolgraag zien. Hij was de hele dag in tweestrijd geweest tussen zijn verlangen om een persoonlijk risico te nemen en Lenka's moordenaar te vinden, en zijn angst om Megan in gevaar te brengen. Zijn angst voor Megan had gewonnen. Hij wilde er niet verantwoordelijk voor zijn dat haar nog iets overkwam.

Hij klopte en zij opende de deur. Hij trok haar in zijn armen en ze klemde zich aan hem vast. Hij streelde haar haren.

'Het spijt me zo,' zei hij.

Ze maakte zich los. 'Het is jouw schuld niet. Jij bent niet de psychopaat die hier heeft ingebroken.'

'Ja, maar ik had je moeten vertellen wat er in New York is gebeurd.'

'Maak je niet dik,' zei Megan. 'Laten we er gewoon voor zorgen dat we elkaar in de toekomst zulke dingen vertellen, oké?'

'Oké. Ben je naar de bibliotheek geweest?'

'Ja. Ik kon hier niet blijven en ik dacht dat het me zou helpen het mes te vergeten. Bovendien heb ik een boel te doen.'

'Heeft het gewerkt?'

'Niet echt. Ik kon me niet concentreren.'

'Dat verbaast me niets.'

'Luister,' zei Megan. 'Vind je het erg als we uitgaan? Ik wil hier niet blijven rondhangen.'

Ze gingen naar Café Rouge. Chris nam biefstuk met frites en Megan een geitenkaassalade. Ze dronken een fles wijn leeg en bestelden er nog een.

Megan leek afgeleid. Ze at haar eten niet op en voor het eerst in hun relatie vond Chris het moeilijk om te praten. Elk onderwerp dat hij aansneed, liet Megan weer doodlopen. Chris vertelde haar over zijn ontmoeting met Duncan en hoe kwaad die was geweest toen hij ontdekte dat het waarschijnlijk Ian was die Alex had vermoord, evenals Lenka. Maar nu Chris en Megan besloten hadden het kalm aan te doen met hun onderzoekingen, leek haar enthousiasme voor het onderwerp ook geslonken.

Het verbaasde Chris niet dat de schok die Megan had ondergaan een onvoorspelbare reactie veroorzaakte, maar hij was toch teleurgesteld dat het in die vorm was. Hij had zich voorgesteld dat hij een angstige Megan zou troosten; een afwezige Megan had hij niet verwacht.

Aan het eind van de maaltijd, na een bijzonder lang stilzwijgen, zei Chris: 'Ben je boos op mij, Megan?'

'Nee,' antwoordde ze alleen.

'Want ik zou het begrijpen als je dat was.'

Ze glimlachte, die avond bijna voor het eerst, en legde haar hand op de zijne. 'Dat is het niet, Chris. Maak je niet bezorgd. Het is gewoon...'

'Je moet dat van gisternacht nog verwerken?'

Megan keek hem nerveus aan. 'Ja. Dat is het. Ik voel me gewoon heel verward.'

'Kan ik me voorstellen. Je moet je afschuwelijk voelen.'

'Dat is ook zo. Luister, kunnen we gaan?'

'Natuurlijk.' Chris probeerde de rekening te betalen, maar dat stond ze niet toe. Hij wilde niet aandringen, dus deden ze samsam. Zwijgend liepen ze terug naar het college. Toen ze bij de collegepoort kwamen, bleef Megan staan.

'Chris, het spijt me, maar denk je dat je me vannacht alleen kunt laten?'

'Dat komt niet bij me op,' zei Chris. 'Na wat er gisternacht is gebeurd, blijf ik bij jou. Je hoort nu niet alleen te zijn.'

Megan raakte zijn hand aan. 'Je begrijpt het niet. Ik wil alleen zijn.'

Chris opende zijn mond om te protesteren, maar ze onderbrak hem. 'Wacht. Er kan me niets overkomen. Ze komen vannacht niet terug. We hebben gedaan wat ze wilden; we hebben ons teruggetrokken. Ik wil gewoon een tijdje alleen zijn.'

'Maar Megan...'

'Vertrouw op me, Chris. Alsjeblieft.'

Chris keek geïrriteerd om zich heen. Dit begreep hij niet. Maar Megan keek hem doordringend aan. Ze meende het. En hij zou doen wat ze vroeg.

'Oké,' zei hij. 'Maar als je bang wordt, of met me wilt praten, bel me dan.'

'Dat zal ik doen.' Ze kuste hem op zijn wang. 'Dank je,' en weg was ze. Chris kon alleen zijn weg zien te vinden door de donkere straten van Cambridge naar zijn auto, en terug naar Londen rijden.

Nadat Chris was vertrokken, kon Megan niet in slaap komen. Eerst probeerde ze het niet eens. Ze had een T-shirt aangetrokken, de sofa tegen de deur geduwd, een lamp op de armleuning gezet, die eraf zou vallen als de sofa verschoof, haar slaapkamerraam geopend, zodat ze gehoord zou worden als ze gilde, en was in bed gaan liggen.

Ze wist vrij zeker dat de indringer niet zou terugkomen, in elk geval niet die nacht. Dat hoefde ze alleen maar tegen zichzelf te herhalen en dan zou ze niet bang zijn.

Maar nu ze veilig in haar kleine fort was verschanst, begon ze na te denken.

De middag met Eric was helemaal niet verlopen zoals ze had gepland. Hij was helemaal geen dikke beleggingsbankier; door die extra tien jaar zag hij er zelfs nog knapper uit. Hij was hartelijk voor haar geweest en vriendelijk. De herinneringen hoe het geweest was om totaal, hopeloos verliefd op hem te zijn, kwamen weer terug. Op de middelbare school en de universiteit had ze wel vriendjes gehad, maar hij was de eerste man van wie ze echt had gehouden. Misschien zelfs de enige man van wie ze ooit echt hield. Nu vroeg ze zich af of die liefde ooit over was gegaan.

Het was afschuwelijk van haar om Chris zo weg te sturen. Maar ze moest wel. Nu ze zo in verwarring was, zou ze onmogelijk met hem hebben kunnen slapen. En het laatste wat ze wilde, was hem de ware reden vertellen waarom ze die nacht alleen wilde zijn. Chris had niets verkeerds gedaan en ze mocht hem graag. Eric kwam uit haar verleden en daar wilde ze hem ook houden.

Ja, toch? Eric had erop gezinspeeld dat de zaken met Cassie niet zo goed gingen. Megan wist zeker dat hij om de verkeerde redenen met haar was getrouwd, ook al had hij dat onbewust gedaan. Ze was knap, ze was van een goede familie, ze leek waarschijnlijk de volmaakte echtgenote, maar ze kon niet dezelfde band met Eric hebben als Megan had gehad. Nu het te laat was, besefte hij dat waarschijnlijk.

Megan draaide zich om en kroop weg onder het dekbed. Door het open raam blies een koude wind.

Waar dacht ze eigenlijk aan? Eric was getrouwd, in hemelsnaam! Ze wist dat ze emotioneel een wrak was, en om begrijpelijke redenen: het mes en Lenka. Ze zocht vaste grond door te proberen een gelukkige periode uit haar verleden weer op te roepen. Ze hield zichzelf voor de gek.

Ze moest met iemand praten en ze wist ook met wie. Lenka. Lenka zou hebben kunnen begrijpen hoe ze zich voelde en haar goede raad geven. Maar Lenka was er niet meer. Het verdriet over dat feit overspoelde haar.

Ze opende haar ogen. Misschien had ze geslapen, maar dan niet lang. Ze dacht dat ze gekraak hoorde in de woonkamer. Ze sprong uit bed en sloop naar haar slaapkamerdeur. Ze keek in de donkere zitkamer. Niets. Ze probeerde weer te gaan slapen, maar het lukte niet. Het vage beeld van de onbekende indringer op een paar centimeter van haar gezicht, dwong haar ogen open, telkens wanneer ze ze sloot. Ten slotte gaf ze het op en droeg haar kussen en dekbed naar de woonkamer. Ze zette de lamp weg en krulde zich op de sofa op. Nu ze wist dat ze direct gewekt zou worden als iemand de deur probeerde te openen, voelde ze zich veilig genoeg om in slaap te vallen.

3

Ian verliet het George V zodra hij de rekening had betaald, en zat nu in een goor cafeetje aan de Avenue aan een klein tafeltje bij het raam met genoegen de gecombineerde geur van Gitanes en sterke koffie op te snuiven; hij probeerde na te denken.

Hij was kwaad op zichzelf omdat hij het initiatief uit handen had gegeven, en kwaad op Eric omdat hij het had overgenomen. Eric had de lakens uitgedeeld.

Hij herinnerde zich die avond, tien jaar geleden, de schrik toen hij Alex overboord zag vallen, de dronken euforische aandrang om de held te spelen die hem Alex achterna deed springen, de schok van het koude water en de hoge golven. Ian kon vrij goed zwemmen, maar in het woelige water zag hij niets, op de achtersteven van de boot na die richting Long Island kliefde, en zelfs die was na korte tijd uit het zicht verdwenen. Hij had zich een weg door de zee geworsteld, Alex' naam geroepen, maar hij kon niets horen, op het geklots van het water om zijn oren na. Na een paar minuten verwoed zwemmen zag hij een arm boven de golven uitkomen. Hij zwom erheen en zag bij tussenpozen, door het deinende water heen, twee lichamen die als bezeten rondspetterden. Eerst dacht hij dat de ene worstelde om de andere te redden. Toen hij echter dichterbij kwam, zag hij een hoofd opduiken en twee handen die het resoluut onder water duwden. Ian was moe, maar hij zwoegde om dichterbij te komen. Het leek een eeuw te duren. Toen hij op het topje van een golf dobberde, kon hij nog één hoofd boven water zien. Eric. Hij riep zijn naam, Eric draaide zich om en zwom vervolgens krachtig de tegengestelde kant op.

Ian zocht naar het lichaam van Alex, maar kon het niet vinden. Hij wist niet of het onder water was of buiten zijn gezichtsveld was meegesleurd. Maar na een paar minuten begon hij zich zorgen te maken over zijn eigen situatie. Hij was moe en had het heel koud. Waar was die verdomde boot? Hij hield op met woest om zich heen slaan en begon te watertrappelen, in een poging zijn krachten te sparen.

De kou en de vermoeidheid verlamden zijn gedachten en de schok van wat hij zojuist had gezien. Verrek, wat deed Eric toch met Alex? Het klopte niet. Hij miste de mentale energie om er een betekenis aan vast te knopen.

In de ruwe zee was het hard werken om zijn hoofd veilig boven water te houden. Steeds wanneer hij zijn concentratie verloor en een golf hem overspoelde, waarna zijn longen zich met water vulden, kostte het hem bijna al zijn energie om het water weer uit te hoesten.

Eindelijk hoorde hij het geluid van de bootmotoren en hij zag vervolgens de romp door het donker in zijn richting varen. Stemmen die hij herkende riepen zijn naam, en armen trokken hem uit het water het dek op, waar hij verdoofd en ineengezakt bleef liggen.

Eric fluisterde in zijn oor. 'Niets zeggen. Alex wilde hun over ons beiden gaan vertellen. Ik moest het doen.'

En Ian had niets gezegd. Hij was toch te moe om samenhangend te denken en daarom deed hij mee met de dekmantel die Eric en Chris voorstelden. Later, och, wat kon het hem schelen? Eric leek de touwtjes in handen te hebben. Als Ian probeerde de politie te vertellen wat hij in werkelijkheid had gezien, zou hij alleen maar zelf in moeilijkheden raken. Hij had er niets mee te maken. Hij moest alleen zijn mond houden en het vergeten.

Hij kon het natuurlijk niet vergeten. Ofschoon hij onmogelijk verantwoordelijk kon worden gesteld voor de dood van Alex, voelde hij zich toch schuldig. En op een vreemde manier versterkte dat schuldgevoel de band tussen hem en Eric. Ze deelden een geheim. En als ze beiden hun mond hielden, zou hen niets kunnen gebeuren. En in de tien jaar die volgden op de dood van Alex had Eric heel goed geboerd.

Ian wist nu dat het een afschuwelijke vergissing was geweest. Achteraf bezien besefte hij dat hij weinig te verliezen had gehad, vergeleken met Eric. Eric was het die Alex en Ian de drugs had bezorgd. Ieder van hen gebruikte alleen nu en dan in het weekend, maar in de ogen van Bloomfield Weiss en de politie zou Eric een dealer zijn geweest en Ian en Alex zijn klanten. Op de een of andere manier had Eric lucht gekregen van de drugstest na het eindexamen en was hij vroeg vertrokken. Ian werd niet getest omdat hij door het kantoor in Londen was aangenomen. Maar Alex was getest en betrapt. Hij maakte zich zorgen over zijn baan en de ziekenhuisrekeningen van zijn moeder, en Eric was ervan overtuigd dat Alex hem zou verraden om zichzelf vrij te pleiten. Eric zou niet alleen zijn baan zijn kwijtgeraakt, maar ook de reden zou in de openbaarheid zijn gekomen. Als hij in de toekomst naar een politiek ambt zou dingen, zou iedere journalist die de moeite nam verder te wroeten, ontdekken dat hij bij een bedrijf aan Wall Street was ontslagen wegens het dealen van drugs. Ian wist zeker dat dat Eric tot moord had aangezet.

Voor Ian stond er veel minder op het spel. Hij zou zeker zijn baan zijn kwijtgeraakt, maar op den duur zou hij wel weer iets hebben gevonden. Het was gewoon gemakkelijker Erics versie van de gebeurtenissen te volgen, en toen hij dat eenmaal had gedaan, werd het steeds moeilijker van gedachte te veranderen.

Wat was hij stom geweest om Lenka over Eric te vertellen. En hij kon het Eric nooit vergeven dat hij haar had vermoord. Ian had Lenka altijd graag gemogen. Ze hadden het een tijdje heel goed met elkaar gehad, in de weken voor haar dood. Tot nu toe had hij zich machteloos gevoeld om zelfs maar te protesteren tegen haar dood, vanwege zijn angst voor Eric. Maar dat was nu voorbij.

Kwaad verliet hij het café en liep naar de rivier. Het was eindelijk opgehouden met regenen en de straten waren stil die vroege zondagmorgen, met uitzondering van een groepje katterige mannen uit Wales, die rondwankelden na een lange nacht drinken. Als hij hen zo zag, nam Ian aan dat hun team verloren had.

Wat kon hij doen? Een uur of zo speelde hij serieus met de gedachte Eric zelf te doden. Het zou een terechte wraak zijn voor de moorden op Alex en vooral die op Lenka. En als Eric zo onbezorgd zijn oude vrienden kon vermoorden, waarom kon Ian dat dan niet?

Maar hij wist dat het niet zou werken. Niet dat Ian scrupules had. Wat hem betrof, verdiende de rotzak het. Ian had er gewoon het lef niet voor. De praktische aspecten om een moord te beramen en uit te voeren, ontbraken hem.

Hij stopte bij een ander café in de Marais voor een vroeg biertje, een sigaret en een lichte lunch. De wolken begonnen te breken en vage bundels waterig zonlicht priemden erdoorheen.

Als hij dus Eric niet vermoordde, wat moest hij dan doen? Hij kon niet doorgaan zijn hoofd in het zand te stoppen en net te doen alsof hij niets wist. Chris was vastberaden en Ian onderschatte hem niet. Als Chris erin slaagde Eric te ontmaskeren, zou Ian niet kunnen beweren dat hij slechts een onschuldige toeschouwer was. Hij zou grote problemen krijgen: hij zou geluk hebben als hij niet in de gevangenis terechtkwam. En zelfs als Eric erin slaagde de zaken geheim te houden, zou het een vies zaakje blijven. Er zouden meer mensen gewond of vermoord raken, mogelijk zelfs hijzelf. Ian wilde niet de rest van zijn leven doorbrengen in de schaduw van die ene gebeurtenis waarvan hij getuige was geweest, maar waarvoor hij zich niet verantwoordelijk voelde.

Hij zou nu doen wat hij jaren geleden al had moeten doen. Praten. Eric dwarszitten zou gevaarlijk zijn. Maar de zaken waren op een punt gekomen dat het even gevaarlijk was om niets te doen.

Hij verliet de bar en liep richting Île St. Louis. De Seine was gezwollen door de recente regen en kolkte richting zee, klotsend tegen de brugpeilers die zijn doorgang beletten. Er waren nu meer mensen op pad, aangelokt door de zwakke zonneschijn. Ineens voelde Ian zich beter, beter dan hij zich in weken had gevoeld. Misschien zelfs beter dan sinds de cursus. Natuurlijk zou het moeilijk zijn te weten wie hij het moest vertellen. Hij kon proberen naar een politiebureau in Londen te gaan. Of misschien moest hij naar Praag of New York gaan. Misschien zou hij eerst zelf een advocaat moeten nemen. Of met een journalist moeten praten. Als hij erover nadacht, was Chris eigenlijk de beste persoon om mee te praten. Het was waar dat ze uiteindelijk op elkaar hadden gescholden, steeds wanneer ze de laatste tijd met elkaar hadden gesproken, maar Chris was in de grond een goede kerel. Hij was eerlijk. Hij zou het juiste doen. Ze konden elkaar de morele steun geven die ze nodig hadden om dit tot een goed einde te brengen.

Hoe verder Ian wandelde, hoe zekerder hij werd over zijn besluit. Ten slotte liep hij terug naar zijn hotel om voor de volgende dag een vlucht naar Londen te boeken, een dutje te doen en wat coke te snuiven.

Drie uur later, gestimuleerd door zijn beslissing, zijn dutje en vooral het witte poeder dat hij had gesnoven, vertrok hij voor een laatste avond boemelen in Parijs. Hij bezocht een paar bars op de Rive Gauche en trof twee Deense meisjes in een kroeg bij de Pont St. Michel. Hij deed alsof hij Fransman was en dacht dat hem dat uitstekend lukte. Zijn Frans was niet zo slecht en zijn Engels met Frans accent was goed genoeg om de Denen te verlakken. Hij vermaakte zich en zij ook. De avond ging heel prettig voorbij naarmate ze meer dronken. Toen begon een van hen hem achterdochtig te bekijken. Ian kon dat niets schelen, want de andere, die met de grotere borsten, leek nog steeds te denken dat hij geweldig was. Ze begon dronken en heel plakkerig te worden. Toen nam de achterdochtige haar vriendin mee naar het toilet en ze kwamen niet meer terug.

Na een half uur wachten haalde Ian zijn schouders op, dronk nog een bier en verliet toen de bar, erop vertrouwend dat, als het hem één keer lukte, het hem ook een volgende keer zou lukken.

Hij was nu erg dronken. Een paar minuten liep hij door zonder te weten waar hij heenging. Op de een of andere manier was hij uit het bardistrict gedwaald en bevond hij zich nu in een rustige woonwijk.

'Ian!'

Hij draaide zich om, te beneveld om verbazing te voelen dat iemand hem bij naam kende.

Het mes drong diep in zijn borst door, tussen zijn derde en vierde rib, en doorboorde zijn hart.

4

Chris had het de hele maandag druk. Het was goed je in je werk te verliezen; hij had geen tijd zich zorgen te maken over Megan, Ian of Duncan. Ollie was in de wolken toen hij het nieuws hoorde over de Royal Bank of Kuwait. De markt was weer gezakt, maar dat kon hen niets schelen. Het zou betekenen dat Rudy's verliezen groter zouden zijn, maar RBK zou tegen een lagere koers in het fonds kunnen komen. Chris was opgelucht toen Khalid hem belde; hij was al bang geweest dat Duncan het in al zijn opwinding vergeten was. Khalid wilde meteen iets doen, daarom liepen Chris en Ollie de paar honderd meter naar het kantoor van RBK aan Oxford Street en verzorgden een presentatie voor Khalid en zijn Arabische baas. Khalid stelde enkele indringende vragen, maar Chris kon ze beantwoorden. Naarmate de bespreking vorderde was het duidelijk dat Khalid en zijn baas al een besluit hadden genomen. Ze wilden investeren!

Die middag voerde Chris het telefoongesprek waarnaar hij de hele dag had uitgekeken.

'Rudy Moss.'

'Goedemiddag Rudy, met Chris.'

'Ja?'

'Rudy, ik vrees dat we een probleem hebben,' zei Chris en hij liet de euforie van die morgen niet doorklinken in zijn stem.

'Een probleem? Wat voor probleem?'

'Het gaat om de fondskoers, Rudy. Die zakt vervaarlijk. Eureka Telecom daalt nog steeds. En die Duitse zenuwen hebben de posities van onze staatsobligaties serieus getroffen. Het ziet er niet goed uit.'

'Het klinkt niet goed.'

'Ik vroeg me af of je, bij die dalende koersen, je besluit misschien niet wilt heroverwegen.'

'Je kent mijn besluit,' snauwde Rudy. Hij klonk kwaad. Goed zo, dacht Chris.

'Als je nog een maand kunt wachten, zullen de zaken er misschien beter voorstaan,' zei Chris, en hij zorgde er voor zijn stem niet overtuigend te laten klinken.

'Een maand wachten?' protesteerde Rudy. 'Je moet geschift zijn. Ik wil eruit. Ik wil er nu uit!'

'Maar je hebt nog twee weken voordat de opzegtermijn van dertig dagen voorbij is.'

'Dat kan me niets schelen. Ik wil nu uit dat zootje stappen, hoor je me?'

'Ik weet niet zeker of er wel een manier is om dat te doen.'

'Dan kun je maar beter een manier bedenken,' gromde Rudy.

Chris liet Rudy een paar heerlijke tellen aan de telefoon wachten. 'Nou ja, er is een belegger die ik misschien kan overhalen jouw aandeel te kopen,' zei hij ten slotte. 'Maar het zou me verbazen als ze dat zo snel kunnen doen.'

'Probeer het maar,' snauwde Rudy.

'Je weet dit zeker?'

'Ik weet het zeker. Doe het nu maar.'

Chris draaide twintig minuten duimen en belde daarna Rudy terug.

'We hebben geluk,' zei hij. 'Ik geloof dat ik iemand heb gevonden. En ze reageren misschien snel. Als je vanmiddag je instructies kunt faxen, zou je er morgen uit kunnen zijn.'

'Wacht maar bij het faxapparaat,' zei Rudy en legde op.

Om vijf uur hadden Chris en Ollie instructies van Amalgamated Veterans om hun aandeel te verkopen, met een gelijktijdige opdracht van de Royal Bank of Kuwait om het te kopen. De Koeweiti's hadden zich ook vastgelegd om nog eens voor zeven miljoen euro te investeren. Zizka had die middag een fax gestuurd waarin hij zijn eerdere opdracht om zich uit het fonds terug te trekken, herriep. Eureka Telecom zat nog steeds in de put, en de Duitse economie zag er niet al te best uit, maar Carpathian zou het overleven.

'Ik kan het niet geloven,' zei Ollie voor de zoveelste keer. 'Ik kan het gewoon niet geloven.'

Chris leunde glimlachend achterover in zijn stoel. Hij keek naar Lenka's bureau. Ze zou blij zijn voor hen, waar ze ook was.

'Ollie?'

'Ja?'

'Wil je je spullen daarheen verhuizen?'

'Wat, nu?'

'Nee, niet nu. Morgenochtend. Nu ga ik voor jou en Tina een fles champagne kopen.'

Marcus zat in zijn truck koffie van Royann's te drinken. Hij lette op als nu en dan een auto de parkeerplaats opreed. Hij herkende de meeste klanten. Zelfs van degenen die hij niet kende, wist hij dat ze niet Eric Astle waren.

Eric had gebeld vanaf Burlington Airport. Dat was beter dan die andere kerel die onaangekondigd was komen opdagen. Marcus had geweigerd hem thuis te ontmoeten. Hij had Royann's Diner voorgesteld, om kwart over drie. Hij was heel precies geweest over dat kwart over drie, ook al betekende het dat Eric een paar uur moest wachten. Om kwart over drie kwam Carl altijd langs voor een kop koffie en een donut. Je kon er de klok op gelijkzetten. En Marcus wilde Carl erbij hebben als hij met Eric sprak.

Om tien over drie stopte er een nietszeggende auto met een kenteken van Vermont. Een man in een zakelijke bruine regenjas stapte uit, keek om zich heen en stapte voorzichtig door de sneeuw en de dunne modder naar de ingang van het cafetaria. Hij bleef staan, bekeek opnieuw de parkeerplaats en ging naar binnen. Hij was een paar jaar jonger dan Marcus: zowat de leeftijd die Alex bereikt zou hebben als hij nog leefde. Eric. Marcus wachtte en bleef uitkijken terwijl hij het jachtgeweer betastte op de zitting naast hem. Maar Eric was alleen.

Vijf minuten later arriveerde de witte politieauto. Marcus glimlachte in zichzelf en sprong uit de truck. 'Hallo, Carl,' zei hij tegen de magere politieman toen die uitstapte.

'Hoe is het met je, Marcus?' antwoordde de agent. Marcus wist zeker dat Carl hem niet echt vertrouwde, maar nadat hij negen jaar in de buurt had gewoond, wist hij zeker dat hij door hem zou worden gegroet. En als hij ruzie kreeg met iemand van buiten de stad wist hij ook zeker wiens kant Carl zou kiezen.

Eric zat in de zithoek achter in het cafetaria; een keurig pak, omringd door spijkerbroeken, overalls en vuile T-shirts. Hij keek op toen Marcus binnenkwam en leek hem te herkennen, wat Marcus eraan deed denken hoezeer hij moest lijken op zijn jongere broer, zelfs na tien jaar. Marcus ging in een zithoek bij de bar zitten, binnen een meter of zo van Carls favoriete plek, maar net buiten gehoorsafstand. Hij keek even naar Eric en knikte. Eric pakte zijn kop koffie en kwam bij hem zitten, net toen Carl op zijn kruk bij de bar klom. Carl bestelde een donut en een kop koffie, en begon zijn dagelijkse praatje met Royann, die wist hoe ze met een vaste klant moest flirten. Voorzover Marcus kon zien, bracht Carl zijn dag door met overal in het district te eten, maar hij leek geen greintje aan te komen.

Erics ogen keken van de politieagent naar Marcus en hij glimlachte. 'Eerlijk is eerlijk.'

Marcus glimlachte niet terug.

Eric stak zijn hand uit. 'Eric Astle.'

Marcus schudde de hand niet. 'Wat wil je?'

'Met jou praten.'

'Zeg op dan.'

Marcus deed zijn best Eric van zijn stuk te brengen, maar dat werkte niet. Eric leek zich niets aan te trekken van zijn grofheid.

'Oké,' zei hij. Daarna dronk hij van zijn koffie en keek Marcus doordringend aan.

'Ik zei, praat!'

'Ik wil met je praten over je broer.'

'Dat dacht ik al.'

'Hij was mijn vriend.'

'Natuurlijk. Net zoals hij de vriend was van die andere kerel. Die Engelsman. Nou, als jullie hem allemaal zo te vriend hadden, hoe komt het dan dat hij dood is?'

Eric negeerde hem en bleef zacht praten, met vaste stem. 'Zoals ik al zei, hij was mijn vriend. We leerden elkaar kennen in onze eerste week bij Bloomfield Weiss. We konden direct met elkaar opschieten, we bekeken de zaken anders dan de meeste anderen. Beiden zochten we een appartement. Hij vond er een, hij had iemand nodig om het met hem te delen en hij vroeg mij. Ik zei ja.'

'Je was zijn kamergenoot?'

'Ja. Zoals ik al zei, hij en ik konden echt goed met elkaar opschieten. We amuseerden ons. Twee vrijgezellen kunnen in Manhattan veel plezier maken.'

De serveerster kwam voorbij en Marcus bestelde koffie. Eric wachtte totdat ze wegging om de koffie te halen voordat hij verderging. 'Ik was er kapot van toen hij verdronk. Ik heb gedaan wat ik kon om zijn moeder te helpen de begrafenis en alles te regelen; ze was te ziek om het alleen te doen. Ik heb later veel tijd doorgebracht bij zijn moeder, jouw moeder. Maar zoals je weet, verloor ze haar wil om te vechten, toen hij eenmaal verdwenen was.'

'Dat weet ik,' zei Marcus en hij slikte moeizaam. Natuurlijk wist hij dat niet echt. Hij was er niet geweest. Hij was duizenden kilometers ver weg geweest.

'Ik kende je broer pas zo'n negen maanden, maar hij heeft grote indruk op me gemaakt. Hij had een geweldig gevoel voor humor. Ik heb geprobeerd terug te denken aan de manier waarop hij niets wat bij Bloomfield Weiss gebeurde serieus nam. Als iedereen nu gespannen is en de zaak staat op z'n kop, dan denk ik wel eens wat Alex zou doen. Het houdt me eigenlijk menselijk.'

Marcus keek Eric voortdurend aan terwijl hij praatte. Hij leek rustig, bijna melancholiek. Niet half zo gespannen als die Engelsman was geweest.

'Ik heb een paar van zijn schilderijen gezien: die waren echt goed. Na zijn dood heb ik er een gehouden. Je moeder vond het goed. Hij verspilde zijn talent bij de beleggingsbank.'

Marcus bleef zwijgen. Hij wilde Eric niet laten merken dat hij tot hem doordrong. Dit was precies wat Marcus iemand, behalve hijzelf, had willen horen zeggen over zijn broer sinds diens dood. Tot nu toe had niemand dat gedaan.

Eric dronk van zijn koffie.

'Ga door,' zei Marcus ten slotte.

'Ik dacht dat alles wat er met Alex was gebeurd verleden tijd was. Maar de laatste paar weken heb ik me gerealiseerd dat dat niet zo is. Het begon spoedig nadat jij in New York had geprobeerd mij te spreken te krijgen. Het spijt me dat ik je toen niet kon ontmoeten, tussen haakjes. Ik had het druk met deals, en ik denk... Nee, het doet er niet toe.'

'Wat denk je?'

Eric keek Marcus recht aan. 'Ik denk dat ik nog steeds kwaad op jou was omdat je er niet bij was toen Alex stierf. En ook niet bij je moeder.'

Marcus voelde een vlaag van woede. Wat was dit voor vent om hem te bekritiseren? Maar Eric stak in een kalmerend gebaar zijn hand op. 'Het spijt me. Ik weet dat het niet eerlijk is. Vooral omdat ik nu weet hoeveel je hebt gedaan om te ontdekken wat er echt met hem is gebeurd.'

Marcus gromde. Die kerel begreep tenminste dat hij probeerde wat te doen. Maar toch wantrouwde hij Eric nog. Hij was tenslotte een beleggingsbankier, in een net pak.

De beleggingsbankier vervolgde langzaam en op redelijke toon. 'Ik denk dat jij dat wel weet, maar er zat een luchtje aan de dood van Alex. Het was geen ongeluk. Iemand heeft hem verdronken. En daarna vermoordde iemand Lenka, die je geloof ik ook hebt ontmoet. En gisteravond werd er nog iemand vermoord. In Parijs.'

'Nog iemand?'

Eric knikte. Hij trok een opgevouwen stuk papier uit zijn zak en gaf het aan Marcus. Het was de uitdraai van een Reuters-bericht dat Ian Darwent, een tweeëndertig jaar oude Engelse beleggingsbankier de avond tevoren doodgestoken was gevonden in de straten van Parijs.

Marcus had Ian niet ontmoet, maar hij wist natuurlijk wie hij was. 'Weet je wie dit heeft gedaan?'

'Ik denk van wel. En ik weet in elk geval wie jouw broer heeft gedood.'

Marcus kon zijn hart sneller voelen kloppen. Hij stond op het punt te ontdekken wat hem al zo lang was ontgaan.

'Wie?'

'Duncan Gemmel.'

250

'Duncan Gemmel?' snauwde Marcus geïrriteerd. 'Ik weet dat hij het niet was. Lenka vertelde me dat. Iemand verdronk Alex nadat Duncan hem in zee had geslagen.'

'Duncan heeft het gedaan,' zei Eric kalm.

'Duncan heeft het gedaan?'

Eric knikte. 'Toen Alex in het water viel, zijn Ian en ik hem direct nagesprongen. Duncan zag ons en sprong er toen zelf in. Het water was woelig en je kon moeilijk iets zien. Ian en ik raakten je broer kwijt. Maar Duncan niet. Duncan vond hem en verdronk hem.'

'Hoe weet je dat?'

'Ian zag het,' zei Eric.

'Ian?'

'Ja. Vorige week heeft hij het me verteld. Ik was in Londen en we ontmoetten elkaar om te praten over wat er met Lenka was gebeurd. Hij zat helemaal in de puree. Hij zei dat hij tien jaar geleden Duncan Alex had zien verdrinken, maar hij had het voor zich gehouden. Toen liet hij het per vergissing ontglippen bij Lenka. Lenka zei dat ze het rond zou gaan vertellen, ook tegen jou, wat ze, naar ik aanneem, niet heeft gedaan?'

Marcus was voorzichtig met zijn reactie. 'Ga door,' zei hij.

'Ian vertelde het dus tegen Duncan en voordat hij het wist, was Lenka dood. Tegen de tijd dat Ian met me sprak, was hij bang. Ik bedoel echt bang. Hij dacht dat hij de volgende zou zijn. Hij zei dat hij voor zaken naar Parijs ging en hij wilde niet terugkomen.'

'En toen dit?' Marcus knikte naar het nieuwsbericht dat voor hem lag.

Eric knikte.

'Wie heeft Ian dus vermoord? Duncan?'

Eric fronste zijn wenkbrauwen. 'Kijk, daar gaat het om. Ik denk niet dat het Duncan was. Volgens mij was het Chris Szczypiorski.'

'Die Engelsman die mij kwam opzoeken?'

'Precies.'

'Waarom denk je dat?'

'Omdat ik hem, toen ik op het vliegveld was op weg naar huis, bij de incheckbalie voor vluchten naar Parijs zag staan. Ik zou naar hem toe zijn gegaan om hallo te zeggen, maar ik wilde mijn plaats in de rij niet verliezen. Tegen de tijd dat ik had ingecheckt, was hij op weg naar de vertrekpoort.'

'Hij was dus op weg naar Parijs? Wat is daar voor belangrijks aan?'

'Het kon niet gewoon toeval zijn. Ik had die dag nog met hem gebeld en hij zei dat hij het weekend in Londen zou zijn. Hij loog dus tegen me. Waarom zou hij dat doen?'

Marcus keek twijfelachtig. 'Luister,' zei Eric. 'Ik weet het niet zeker van

Chris. Ik weet niet wat voor afspraak hij met Duncan had gemaakt. Maar ik ben heel zeker achterdochtig.' Marcus probeerde het allemaal te bevatten. Het klopte allemaal, op één ding na. 'Als Duncan Alex met opzet verdronk, waarom zei Lenka me dan dat hij niet verantwoordelijk was voor de dood van Alex?'

'Dat weet ik niet,' zei Eric. 'Misschien bedoelde ze dat Duncan je broer niet per ongeluk had gedood. Maar ik weet wel wat Ian me vertelde. Hij zag hoe Duncan je broer onder water duwde.'

Marcus leunde achterover en wreef over zijn slapen. Dit begon gecompliceerd te worden. 'Heb je enig bewijsmateriaal?'

Eric zuchtte. 'Nee. Als ik dat had, zou ik naar de politie gaan. Zoals het nu is...'

'Ik moet jou dus op je woord geloven?'

Eric glimlachte. 'Je kunt me geloven als je wilt. Als je het niet doet, moet je het zelf weten. Ik weet alleen dat je het recht hebt het te weten. Maar zeg alsjeblieft tegen niemand dat ik het je heb verteld. Vooral niet tegen Duncan of Chris. Die weten niet dat Ian met me heeft gesproken, dus ik hoop dat ik veilig ben. Maar jij niet.'

'Ik ben niet veilig?'

'Natuurlijk niet. Niet nadat Lenka met je heeft gesproken. Ik betwijfel of ze het bij Ian zullen laten.'

'Wat ga je doen?' vroeg Marcus.

'Ik kan niet veel doen, me gedeisd houden. Net doen of ik niets weet. Hoe zit het met jou ?'

'Met mij?'

'Ja. Jij was de eerste die vermoedde dat er iets aan de hand was. Nu heb je ontdekt dat dat inderdaad zo was. Wat ga je nu doen?'

'Ik weet het niet. Ik heb bewijzen nodig.'

'Als ik bewijzen krijg, geef ik ze je door,' zei Eric. 'Maar ik ga er niet naar zoeken.'

'Ik weet niet wat ik ga doen,' zei Marcus.

'Wel, ik moet morgen terug naar Londen. Weer zo'n verdomde deal. Als jij besluit ook daarheen te komen, bel me dan op mijn mobiel. Misschien kan ik je helpen. Discreet. Hier is mijn kaartje.' Marcus nam het aan en liet het in zijn zak glijden zonder ernaar te kijken. 'Ik weet wel dat iemand er iets aan moet doen. Denk er eens over na.'

Daarmee pakte Eric een biljet van vijf dollar uit zijn zak, liet het op tafel liggen en stond op. 'Wees voorzichtig,' zei hij en hij duwde zich langs Carl naar de uitgang.

Marcus volgde hem in verwarring. Zijn hersenen probeerden te verwerken wat hij zojuist had gehoord. Klopte het?

Chris kwam de volgende morgen vroeg op kantoor. Hij en Ollie moesten de portefeuille revalueren. Die revaluatie moest de koers bepalen waartegen de investering van Amalgamated Veterans overgemaakt zou worden naar de Royal Bank of Kuwait. Voor staatsobligaties was zoiets gemakkelijk, maar de junkbonds hadden veel vagere koersen en Eureka Telecom had wel de allervaagste.

Om half tien hadden ze alle koersen, behalve die van Eureka Telecom. Chris en Ollie keken elkaar aan terwijl Chris Ians nummer draaide. Ook al wist hij dat Ian in Parijs was, hij vroeg toch naar hem bij naam, op die manier zou hij er zeker van zijn met iemand te praten die voor hem inviel. Toen hem verzocht werd te wachten, vroeg hij zich af met wat voor cijfer Bloomfield Weiss zou komen. Hij wilde een zo laag mogelijke koers. Hoe meer Rudy verloor, hoe gelukkiger Chris zou zijn, en hoe meer winst RBK zou maken als de markt weer terugsprong.

Eindelijk werd de telefoon weer opgenomen. 'Chris? Met Mandy. Mandy Simpson.'

Chris herinnerde zich haar als een assistent-verkoopster toen hij bij Bloomfield Weiss was. Ze was nu waarschijnlijk een sterverkoopster.

'Hallo, Mandy, hoe is het met je? Ik wist niet dat jij Ians zaken behartigde.'

'Dat doe ik ook niet. Ik praat alleen met je omdat ik jou ken.'

Chris hoorde aan haar stem dat er iets helemaal fout zat.

'Wat is er, Mandy?'

'Het gaat om Ian. Hij is gisteravond vermoord. In Parijs.'

Chris sloot zijn ogen. Hij wist het. Hij wist het gewoon.

'Chris?' zei Mandy.

'Sorry. Enig idee hoe het is gebeurd?'

'Hij werd kennelijk doodgestoken.'

O, Duncan, Duncan. 'Doodgestoken? Heeft de politie de dader gepakt?'

'Voor zover we weten niet. Maar we weten niet veel.'

'Jézus.'

'Ik vind het erg, Chris,' zei Mandy. 'Ik weet dat jullie vrienden waren.'

Mooie vriend, dacht Chris. Maar ook al was hij zo goed als zeker dat Ian verantwoordelijk was voor de dood van twee mensen, toch verraste het Chris dat hij zich overspoeld voelde door een golf van verdriet.

'Oké, Mandy. Bedankt dat je het me hebt verteld,' en hij legde op.

Ollie had meegeluisterd. Hij was bleek. 'O, mijn god,' zei hij.

Chris zuchtte diep. 'Precies.'

Duncan had hem vermoord. De stomme hufter! Zodra Chris Duncan had verteld over Ian, was Duncan op een vliegtuig gestapt, had Ian gevonden en hem vermoord. Zoals hij Duncan kende, zou hij het ook niet al te subtiel hebben gedaan. Hij zou waarschijnlijk binnen vierentwintig uur in de gevangenis zitten.

'Ollie, kun je me even alleen laten? Ik moet iemand bellen.'

Ollie haastte zich terug naar zijn bureau, nog steeds hevig geschrokken.

Chris belde Megan en vertelde haar het nieuws.

'Het moet Duncan zijn geweest,' zei ze.

'Ik ben bang van wel.'

'Die vent is een psychopaat. Ik heb het altijd al geweten.' Er klonk een ondertoon van 'Ik heb het je wel gezegd' in haar stem, maar Chris moest het toegeven; ze had het hem echt gezegd.

'Je hebt gelijk,' zei Chris. 'Ik wed dat die stomme klootzak gepakt zal worden.'

'Ik ga hem niet opnieuw dekken,' zei Megan.

'Nee, dit keer niet. Niet als hij het heeft gedaan.'

'Denk je dat we eerst naar de politie moeten gaan?'

Chris zuchtte. 'Nee. Laat die maar naar ons komen. Dit kan een aardige rotzooi worden. Ze zullen de moord op Lenka moeten onderzoeken en die van Alex, en we kunnen nog steeds in de problemen komen omdat we toen hebben gelogen. Je hebt gelijk dat we niet moeten liegen, maar volgens mij moeten we wachten totdat zij ons de vragen stellen, voordat we ze beantwoorden.'

'Oké. Ik moet zeggen dat ik opgelucht ben.'

'Opgelucht?'

'Ja. Nu Ian... er niet meer is. Geen mensen meer die door mijn slaapkamer sluipen. Geen lijken meer. En ik zeg het niet graag, maar als hij inderdaad Lenka heeft vermoord, heeft hij zijn verdiende loon gekregen.'

'Ja,' zei Chris op vlakke toon.

'Wat is er? Je klinkt niet overtuigd. Denk je niet dat hij haar heeft vermoord?'

'Ja, ik denk van wel.'

'Maar je klinkt niet absoluut zeker.'

'Nee. Jij wel soms?'

'Ik zie niet in hoe we dat kunnen zijn. We zullen gewoon moeten wachten op waar de politie mee komt.'

'Megan?'

'Ja?'

'Kan ik je vanavond komen opzoeken? In Cambridge?'

Megan aarzelde. 'Natuurlijk. Dat zou heerlijk zijn.'

'Tot straks dan,' zei Chris. Maar hij was ongerust toen hij de hoorn neerlegde. Hij had de aarzeling in Megans stem gehoord toen hij haar vroeg of hij haar kon komen opzoeken, en dat beviel hem niet. Ook had ze gelijk: ze konden niet zeker zijn over Ian.

Hij dacht eraan Duncan te bellen. Het had niet veel zin; hij was bijna zeker nog in Parijs, heel waarschijnlijk in een politiecel. Maar hij pakte de hoorn toch en toetste het nummer van de Honshu Bank in. Tot zijn verrassing hoorde hij Duncans zachte Schotse accent bij het opnemen.

'Duncan! Ik dacht niet dat je daar zou zijn!'

'Waarom niet?' zei Duncan. 'Het is dinsdagmorgen. Het is tien uur. Waar zou ik anders zijn? Heb je iets bereikt bij RBK?'

'Ja, inderdaad. Luister, ik moet met je praten.'

'Ga je gang.'

'Niet door de telefoon,' siste Chris. De gesprekken bij de Honshu Bank werden natuurlijk opgenomen, net als bij Bloomfield Weiss.

Duncan ging zachter praten, ineens serieus. 'Gaat het over Ian?'

'Ja.'

'Oké. Ik moet nu naar een vergadering. Daar kom ik om ongeveer half een uit. Dan kunnen we praten.'

'Duncan! Dit is belangrijk!'

'Het spijt me, Chris. Hier kan ik niet onderuit.'

'Oké. Dan zie ik je om half een voor het kantoor.'

5

Het kantoor van de Honshu Bank bevond zich op Finsbury Square aan de noordrand van de City. Duncan was vijf minuten te laat.

'Waar gaan we heen?' vroeg hij.

'Stukje wandelen,' zei Chris en hij liep vóór hem het gebouw uit.

'Maar het is steenkoud,' zei Duncan huiverend. En dat was het. Een koude wind woei over het plein. 'Ik heb geen jas bij me.'

'Dat is jouw probleem,' zei Chris en hij liep snel City Road op.

Na zo'n honderd meter kwamen ze aan Bunhill Fields, een oude begraafplaats in de City of London. Ze liepen naar binnen door de groengeschilderde poort en over het pad tussen dicht opeenstaande grafzerken door, bedekt met mos en korstmos, waarvan de meeste inscripties onleesbaar waren. In het midden stonden wat banken bijeen en Chris ging op een ervan zitten. Voor hen lag John Bunyan languit onder een platte witte steen, met zijn voeten naar hen toe.

'Waarom hier?' vroeg Duncan. 'Ik heb het koud.'

'Hier is het rustig,' zei Chris. Op een mooie dag zat het hier vol met kantoorpersoneel dat er zijn lunch verorberde. Maar in deze maartwind hielden hen alleen de grafstenen gezelschap.

'Wat heb je toch?' vroeg Duncan en hij stak zijn handen diep in zijn zakken.

'Ian.'

'Ik dacht dat ik degene was die verondersteld werd kwaad op Ian te zijn.'

'Je hebt het zeker leuk gehad in Parijs, Duncan? Nog bezienswaardigheden bezocht? Op de Eiffeltoren geweest?'

'Ik weet niet waar je het over hebt. Ik ben niet in Parijs geweest.'

'Duncan, ik ben niet achterlijk. En ik ga je niet nog eens dekken.'

'Mij dekken? Wat bedoel je?' En toen zweeg hij. 'Er is iets met Ian gebeurd, nietwaar? In Parijs? En jij denkt dat ik het heb gedaan?'

'Ik denk heel zeker dat jij het hebt gedaan,' mompelde Chris.

'Wat is er gebeurd? Is hij dood?'

Chris keek Duncan aan. Zijn verwarring leek echt. Maar Chris had zojuist wel gezegd dat hij hem niet meer zou dekken. Duncan had geen enkele reden om de waarheid te vertellen, en alle redenen om verbaasd te reageren.

'Hij is zondagavond in Parijs neergestoken. Door jou.'

'Hé, toe nou, Chris,' protesteerde Duncan. 'Zoiets kun je niet zeggen. Ik heb hem niet vermoord. Ik was niet eens in Parijs.'

'Maar je wilde het wel, nietwaar?'

'Nee, dat wilde ik niet.'

'Zo zag het er anders wel naar uit, laatst in de pub.'

'Ik was kwaad, meer niet,' zei Duncan. 'Dat kun je me nauwelijks kwalijk nemen.'

Chris schudde zijn hoofd. 'Je bent te ver gegaan, Duncan. Wat Ian gedaan heeft, was verkeerd, maar wat jij hebt gedaan, is al even verkeerd. Je had hem niet mogen doden.'

'Maar ik heb hem niet gedood. Verrek, ik was gewoon in Londen.'

'Ongetwijfeld lekker door jezelf in bed gestopt?'

'Waarschijnlijk. Nee, even denken. Ik weet het nog. Zondag was een rotdag. Ik ben 's avonds alleen uitgegaan om wat te drinken. Je hebt gelijk, dat gedoe met Ian had me te pakken gekregen. Maar daarna ging ik Pippa opzoeken.'

'Wat, midden in de nacht?'

'Ongeveer half twaalf. Ik wilde met haar praten. Ze zei dat ik dronken was en dat ik kon opdonderen.'

'En zij zal jouw verhaal bevestigen?'

'Ik neem aan van wel. Ik zie niet in waarom ze dat niet zou doen.'

Chris aarzelde. 'Misschien heb je haar zover gekregen dat ze voor je liegt. Zoals je ons op de boot voor jou hebt laten liegen.'

Duncans ogen flitsten van woede. 'Ik heb jullie nooit voor mij laten liegen! Ik herinner me dat het jouw idee was. Ik zou willen dat jullie me toen de waarheid hadden laten vertellen. Dan zou dit alles niet zijn gebeurd.' Hij streek met zijn handen door zijn haren. 'Verrek. Als de politie met je komt praten, ga je hun dan vertellen dat ik hem heb vermoord?'

'Ik zal hun de waarheid vertellen. Meer niet,' zei Chris.

'Nou, de waarheid is dat ik hem niet heb vermoord. En denk er eens even over na. Als ik Ian niet heb gedood, dan heeft iemand anders het gedaan. En dan loop jij ook gevaar, niet?'

Chris keek Duncan even aan en stond op om weg te gaan. Wat hem betrof, viel er verder niets meer te zeggen. Maar Duncan greep hem bij zijn arm.

'Hier,' zei hij en hij duwde Chris zijn mobiel onder de neus. 'Bel haar.'

Chris aarzelde. Duncan toetste een nummer in en gaf hem de telefoon. Chris trok zijn schouders op en hield het apparaat aan zijn oor. Hij hoorde de telefoon overgaan en daarna Pippa's stem.

'Philippa Gemmel.'

'Pippa, met Chris Szczypiorski.'

'O, hallo, Chris. Luister, ik sta op het punt weg te gaan.'

'Dit duurt maar heel even,' zei Chris. Duncan keek hem gespannen aan. 'Heb jij Duncan de laatste paar dagen nog gezien?'

'Waarom vraag je dat?'

'Geef me antwoord en dan zeg ik het je.'

Pippa zuchtte. 'We zijn vrijdagavond samen gaan eten.'

'En sindsdien?'

'Hij kwam me midden in de nacht opzoeken. Hij was dronken. Hij wilde bij me uithuilen. Ik zei hem dat hij op kon donderen.'

'Welke nacht was dat?'

'Zondag.'

'Weet je het zeker?'

'Natuurlijk weet ik het zeker. Waarom?'

'Ian Darwent is zondagavond in Parijs vermoord.'

'O, mijn god.' Even was het stil. Toen Pippa weer sprak, klonk haar stem niet bruusk meer. Ze klonk moe. 'Niet weer eentje. Duncan zeurde maar over hem door, maar ik kon niet volgen wat hij allemaal zei.'

'Duncan dacht dat Ian Lenka had gedood,' zei Chris.

'En nu denk jij dat Duncan Ian vermoord kan hebben?'

'Ja,' zei Chris kortaf en hij keek naar Duncan die naast hem zat.

'Jij vertrouwt je vrienden ook niet erg, hè?' zei Pippa vernietigend. 'Maar met vrienden als de jouwe verbaast me dat niet zo erg. Nee, Duncan was die nacht in Londen. Daar sta ik voor in.'

Chris zei niets.

'Wat scheelt eraan? Geloof je me niet?'

Chris zuchtte. Hij wist dat Pippa Duncan niet dekte. Ineens schaamde hij zich voor zijn gebrek aan vertrouwen in haar, in Duncan. 'Ik geloof je. Dank je, Pippa. Tot kijk.'

Hij zette de telefoon af en gaf hem terug aan Duncan. 'Sorry.'

Duncan liet de telefoon weer in zijn zak glijden. Toen glimlachte hij. 'Het is wel goed. Er zijn de laatste tijd rare dingen gebeurd. Het is moeilijk te weten wie je kunt vertrouwen.'

'Daar heb je gelijk in,' zei Chris en hij hield zijn hoofd in zijn handen. Hij leunde achterover tegen de bank. Tussen de versleten grafstenen zat een ekster te pikken.

'Je weet wat dit betekent?' zei Chris ten slotte.

'Wat?'

'Als jij Ian niet hebt vermoord, dan moet hij om dezelfde reden zijn gedood als Lenka: omdat hij wist wie Alex had verdronken.'

'Denk je dat?'

'Het lijkt me het meest waarschijnlijke. Ik kan geen andere reden bedenken.'

'Wie heeft Alex dus verdronken?' vroeg Duncan.

'Er is maar één mogelijkheid over,' zei Chris. 'Drie mensen doken in zee. Jij, Ian en Eric.'

'Eric.'

'Dat moet wel,' zei Chris. Nu hij dat had aangenomen, paste in zijn gedachten alles in elkaar. 'Eric heeft Alex verdronken. Lenka ontdekte dat en dreigde het verder te vertellen. Dus vermoordde Eric haar. Ian wist dat en nu is hij dood.'

'Jézus,' zei Duncan.

'Natuurlijk heeft Eric Lenka en Ian niet zelf vermoord. Waarschijnlijk huurde hij dezelfde man in die Megan en mij de schrik op het lijf heeft gejaagd.' De man met de snor en het lange haar. De man in New York wiens manier van lopen Chris had herkend van Praag.

Een snor en lang haar konden gemakkelijk vals zijn. Ineens wist Chris wie de man was.

'Terry,' zei hij. 'Erics chauffeur en parttime lijfwacht. Terry.' Chris draaide zich naar Duncan. 'Wat denk jij?'

Duncan blies zijn wangen op. 'Het klopt allemaal,' zei hij. 'Nadat ik zo kwaad ben geworden op Ian, wil ik dit keer geen overhaaste conclusies trekken, maar volgens mij heb je gelijk. Eric is de enige die het geweest kan zijn. Los van al het andere zou er nogal wat organisatie nodig zijn om dat allemaal te doen. Ik weet zeker dat Eric iemand als Terry de hele wereld over kan laten vliegen om zijn vuile karweitjes voor hem op te knappen. Maar ik weet niet zeker of iemand van de rest van ons dat zou kunnen. Eric lijkt zo'n charmante kerel, maar onder die charme zit iets kils. Hij is zo berekenend, snap je wat ik bedoel? Ja, volgens mij klopt het.'

Ze staarden naar de smerige steen van John Bunyan een meter voor hun neus.

'Je hebt natuurlijk geen bewijzen,' zei Duncan.

'Nee.'

'Hoe zit het met die psycholoog die je in New York hebt opgezocht?'

'Ze wilde me niets zeggen. Kwestie van geheimhouding.'

'Heeft het enige zin het nog eens te proberen? Nu we een naam hebben?'

Chris overwoog het. 'Ik weet het niet. Ik zie niet in waarom niet. Geef me je telefoon eens.'

Het was kwart over een, in New York kwart over acht, maar dokter

Marcia Horwarth was al op kantoor, ook al was haar receptioniste dat niet. Ze nam zelf de telefoon aan.

'Dokter Horwarth, met Chris Szczypiorski.'

'O, ja?' Haar stem klonk koel, maar Chris dacht iets van nieuwsgierigheid te horen.

'We hebben elkaar vorige week gesproken. Ik vroeg u over het testen van employés van Bloomfield Weiss.'

'Natuurlijk.'

'Hebt u nog kans gezien erover na te denken of u me meer informatie kunt geven over die testen?'

'Ja, dat heb ik, en ik vrees dat het antwoord nee luidt. Indertijd vond ik het mijn plicht Bloomfield Weiss te vertellen over mijn ongerustheid. Afgezien daarvan ben ik geheimhouding verschuldigd jegens hen en jegens de betreffende stagiairs.'

'Dat zie ik in,' zei Chris en hij probeerde niet ongeduldig te klinken. 'En ik begrijp dat dit een moeilijk ethisch probleem is. Maar twee dagen geleden is Ian Darwent vermoord. Dat wil zeggen dat drie van de zeven mensen op die boot gedood zijn, waarschijnlijk allen door dezelfde persoon. Het is zeer waarschijnlijk dat die persoon opnieuw zal moorden.'

'Dan moet u dat de politie vertellen,' zei Marcia. 'Van hen zou ik een verzoek in overweging moeten nemen.'

'Zo gemakkelijk is dat niet,' zei Chris. 'Alstublieft.' Verdomme. Hij liet de vertwijfeling doorklinken in zijn stem. 'Ik zou heel gemakkelijk de volgende persoon kunnen zijn die wordt vermoord. Dit is geen abstract ethisch dilemma. Als ik de komende paar dagen dood ben omdat u me de informatie die ik nodig heb niet heeft gegeven, zult u zich dit gesprek uw leven lang herinneren.'

Aan het andere eind was het stil. Duncan stak bemoedigend zijn duim op naar Chris.

'Dokter Horwarth?'

Ze antwoordde. 'Een van de testen die ik toepaste was een persoonlijkheidsonderzoek, de Minnesota Multiphasic Personality Inventory. Die wordt gewoonlijk gebruikt bij de diagnose van persoonlijkheidsstoornissen, maar hij leek te passen bij de doelstellingen van Bloomfield Weiss. Tijdens de periode dat ik de test gebruikte, wezen de resultaten van twee kandidaten op ernstige psychopathologie. Ik verzocht om verdere interviews met hen en mijn vrees werd bevestigd. In beide gevallen heb ik mijn bedenkingen in de krachtigste termen doorgegeven aan meneer Calhoun bij Bloomfield Weiss, die echter zijn gang ging en hen toch aannam. Een van hen was Steven Matzley, die zoals u weet wegens verkrachting werd veroordeeld nadat hij Bloomfield Weiss had verlaten.'

Even was het stil. Toe nou, dacht Chris. De andere. De naam. Geef me de naam.

'De andere werd later aangenomen. De heer Calhoun belde me daarna terug om me te vertellen dat hij als eerste uit de opleidingscursus was gekomen. Ik geloof dat het dezelfde cursus was die u ook hebt gevolgd. Meneer Calhoun leek te denken dat dit een rechtvaardiging was van zijn besluit de kandidaat aan te nemen, ondanks mijn protesten.'

'Dank u hartelijk, dokter Horwarth.'

'Geen probleem. U zult mij op de hoogte houden van de ontwikkelingen, nietwaar?'

'Dat zal ik,' zei Chris.

Hij gaf Duncan de telefoon terug.

'En?' vroeg Duncan.

'Eric.' Eric was als eerste uit de cursus gekomen. Het was Eric die ernstige psychopathische neigingen had vertoond. Ze waren goed verborgen door zijn gladheid, zijn charme, zijn kennelijke openhartigheid. Maar dokter Horwarth had niet getwijfeld. Ze zaten er. 'Ze zei dat het Eric was.'

'Dat geeft zo'n beetje de doorslag,' zuchtte Duncan. 'Wat doen we nu dus? Gaan we naar de politie?'

'Ik weet het niet,' zei Chris. 'Het is moeilijk. Op de eerste plaats is er het probleem aan welke politie we het moeten melden. We praten over drie moorden in drie verschillende landen en geen daarvan in Engeland. Ook hebben we onvoldoende bewijzen om Eric onmiddellijk te laten arresteren. De politie zou aan een lang en ingewikkeld internationaal onderzoek moeten beginnen. Eric zou de beste advocaten van het hele land in de arm nemen om uit de gevangenis te blijven. En intussen zouden jij, ik en Megan alle drie in gevaar verkeren. Misschien verzamelt de politie nooit het bewijsmateriaal om hem veroordeeld te krijgen, en zelfs als dat wel het geval is, zouden wij waarschijnlijk dood zijn tegen de tijd dat ze hem opsluiten.'

'Ik snap wat je bedoelt,' zei Duncan. 'Maar we kunnen niet op onze krent blijven zitten en niets doen, wachtend tot er weer een slachtoffer valt. Hoe zit het met Lenka? En Ian en Alex? Als Eric hen heeft vermoord, kunnen we dat niet ongestraft laten.'

'Ik weet niet wat we anders kunnen doen,' zei Chris.

'Ik wel,' zei Duncan op resolute toon.

'Nee, Duncan,' zei Chris. 'Ik weet dat ik ongelijk had toen ik dacht dat jij Ian had neergestoken, maar ik had geen ongelijk dat het stom zou zijn zoiets te doen. Je zou gepakt worden. Mensen doden is verkeerd, Duncan, ook al is het iemand als Eric.'

'Ik bewonder jouw morele scrupules, Chris. Maar als we niets doen, zal hij ons toch allemaal vermoorden.'

Chris wist dat Duncan gelijk had. 'Oké, oké. Misschien moeten we wel naar de politie gaan. Het is een risico, maar niets doen is dat ook, zoals jij al zei. Maar voordat we dit doen, wil ik met Megan praten. Ik zie haar vanavond.'

'Waarom moet je met haar praten?'

'Omdat zij net zo goed in gevaar verkeert als wij, indien Eric erachter komt waarmee we bezig zijn.'

'Oké,' zei Duncan. 'We doen het op jouw manier. Praat met haar en daarna gaan we naar de politie. Maar wees er in hemelsnaam voorzichtig mee.'

Marcus bewoog zich met gemak over de lange loipe naar het meer, zijn cross-countryski's gleden over de versgevallen sneeuw van de vorige nacht. De hemel was helderblauw en hij was omringd door gedempte stilte, zijn favoriete geluid. Aan de oever van het bevroren meer bleef hij staan; het zou zijn gewicht nog wel een paar weken dragen. De zes zomerhuisjes die eromheen stonden, stonden er verlaten bij, nog steeds in hun winterslaap, en de sneeuw op hun daken en in de tuintjes was nog maagdelijk. Hij zette koers over het meer en bewoog zich zonder moeite over het dunne laagje sneeuw dat het ijs bedekte. Hier was hij graag om na te denken, zich op te laden. Vanaf het meer zou het hard werken zijn; de heuvel op, terug naar huis, maar het was het waard.

De koude lucht was stimulerend. De nacht tevoren had hij slecht geslapen en hij had zich gevangen gevoeld in de warme berghut die hij gewoonlijk zo behaaglijk vond. Ook Angie maakte hem gek. Hij wist dat ze alleen maar wilde helpen, maar dit moest hij zelf regelen.

En regelen moest hij het. Het gevoel van schuld en verlies over de dood van zijn moeder en Alex had tien jaar lang aan hem geknaagd. Toen hij eenmaal was begonnen vragen te stellen over wat er in werkelijkheid met Alex was gebeurd, kon hij niet meer terug. Hij kon letterlijk niet rusten totdat hij er een eind aan had gemaakt.

Hij wist niet helemaal zeker wat dat betekende. In elk geval vaststellen wie Alex had gedood. Ervoor zorgen dat die persoon ook gestraft werd. Maar welke vorm die straf zou aannemen, wist hij nog niet zeker. Hij wist wat hij wilde doen, wat hij voelde dat hij moest doen. Maar hij was nog niet zover dat hij dat voor zichzelf toegaf.

Voor de zoveelste keer liet hij zijn gedachten gaan over het gesprek met Eric en hij voelde de woede weer opkomen. Hoe kon Eric op die manier spreken over het helpen van zijn moeder, over kwaad zijn dat Marcus er niet was geweest toen Alex stierf. Daar had hij geen recht op! Het was voor Marcus al moeilijk genoeg om het te verwerken, zonder dat de een of andere opgeblazen beleggingsbankier, die beweerde een vriend van Alex te zijn, hem vertelde wat hij had moeten doen.

De moeilijkheid was dat Marcus geloofde dat Eric echt een vriend van Alex was geweest. Hij begreep Erics woede, hij deelde die zelfs. Hij had zijn broer en moeder in de steek gelaten. Het was goed geweest Eric complimenteuze dingen over Alex te horen zeggen, maar de kritiek op hemzelf deed nog pijn. En het zou pijn blijven doen totdat Marcus de oplossing had gevonden.

Hij begon in een sneller tempo het meer over te steken. Hij was vroeger een uitstekende afdaler geweest, maar pas toen hij in Vermont was gaan wonen, was hij met cross-countryskiën begonnen. Hij was goed: hij had er de fysiek voor en het temperament. Sommige weken legde hij wel tachtig kilometer af, als het weer goed was en hij de aandrang ertoe voelde.

Alex had nooit geskied. Maar in bijna al het andere was hij beter dan Marcus. Hij was slimmer, hij was een betere kunstenaar, hij was populairder. Marcus had Alex nooit benijd om zijn succes: hij was altijd trots geweest op zijn jongere broer. En Alex had het nooit in zijn bol gekregen of zichzelf te serieus genomen. Daar had Eric gelijk in gehad.

Alex had een vriend als Eric verdiend. Hij had ook een broer als Eric verdiend, maar die had hij niet gekregen.

Sprak Eric de waarheid toen hij beweerde dat Duncan Alex had vermoord? Hij had tenslotte geen bewijs en hij was een beleggingsbankier. Marcus liep het gesprek weer na en probeerde zo objectief mogelijk te zijn. Hoe meer hij erover nadacht, hoe meer hij overtuigd raakte.

Van die Engelsman met zijn Poolse naam, Chris wat dan ook, was hij niet zo zeker. Hij was heel anders geweest dan Eric. Meer gespannen. Behoedzamer over het verschaffen van informatie. Meer eropuit iets van Marcus te weten te komen. Eric, dat wist hij, was in vrede gekomen, had zijn verhaal verteld en was vertrokken. Marcus wist niet zeker wat de plannen van Chris waren geweest. Het kon hem eigenlijk niet schelen wie Ian Darwent had vermoord. Alleen wie zijn broer had gedood interesseerde hem. En hij wist nu zeker wie dat was.

Duncan.

Hij verliet het meer en duwde de ski's de helling op naar huis. Hij wist dat hij naar Londen moest gaan en hem opzoeken. Een andere keus had hij niet.

Eric liet zich achteroverzakken op de achterbank van de gehuurde Jaguar. Hij was kapot. Hij was gewend aan een zwaar reisschema, maar dit was belachelijk. Maar het moest gebeuren. Zoals hij in Parijs tegen Terry had gezegd, was er een grens aan het aantal lijken waarvoor ze rechtstreeks verantwoordelijk gehouden konden worden, en met Ian hadden ze zowat die grens bereikt. Ze hadden een nieuwe rekruut nodig.

Terwijl Terry de wagen door het luchthavenverkeer loodste en de afslag naar de M4 nam, pakte Eric zijn mobiel en luisterde naar zijn berichten. Het waren er een stuk of tien, allemaal dringend. Hij negeerde ze alle op een na, zelfs de boodschap van Cassie. Maar op één bericht moest direct worden gereageerd. Hij zocht het nummer op en toetste het in. Het gesprek was kort, maar hij sloot het glimlachend af.

'Goed nieuws, meneer?' vroeg Terry vanaf de voorbank.

'Ja, ik zou zeggen van wel,' antwoordde Eric. 'Dat was netjes gedaan van je in Parijs, trouwens, Terry. Je bonus moet gisteren zijn overgemaakt.'

'Geen probleem. Ik zal met genoegen nog eens zoiets doen. U zegt het maar.'

'Voorlopig niet nodig,' zei Eric. Hij leunde weer achterover en sloot zijn ogen. 'Ik zou zeggen dat de zaken zoals ze er nu voorstaan aardig in elkaar beginnen te grijpen.'

6

Chris was zowel gretig als nerveus toen hij de trap van Megan beklom. Gretig, omdat hij Megan wilde vertellen wat hij had ontdekt. Nerveus, omdat hij nog ongerust was over haar koele houding van afgelopen zondag tegenover hem, en de aarzelende klank in haar stem toen hij zichzelf bij haar had uitgenodigd.

Hij klopte op haar deur, een beetje buiten adem van de trap.

Ze deed direct open. 'Hallo,' zei ze glimlachend.

'Hallo.'

'Kom eens hier.' Ze trok hem naar zich toe en kuste hem. Al zijn nerveusheid trok uit hem weg toen hij haar handen over zijn rug voelde strelen. Ze stapte achteruit en begon zijn overhemd los te knopen.

'Wat is dit?' zei Chris.

'Waar lijkt het op? Heb je er soms iets op tegen?'

'Helemaal niet,' glimlachte hij.

Een half uur later lagen ze in elkaars armen, naakt in de verduisterde kamer. Chris werkte zich op zijn ellebogen omhoog en zag het licht van de collegegebouwen aan de overkant op Megans huid spelen.

'Dat was heerlijk,' zei hij en hij streek met een vinger langs haar dij.

'Ja, dat vond ik ook. Dat verdiende je wel nadat ik zo rot tegen je heb gedaan.'

'Dat was jouw schuld niet,' zei Chris. 'Je was nog geschrokken.'

'Het was mijn schuld wel,' zei Megan ernstig. 'En het spijt me.' Ze kuste hem zacht op de lippen.

'Ik heb vandaag iets ontdekt,' zei hij.

'O ja?' ze ging recht zitten en trok haar knieën tegen haar borst. 'Vertel eens.'

Chris vertelde haar over zijn gesprek met Duncan, over Pippa die het verhaal van Duncan bevestigde en over wat dokter Horwarth hem over Eric had verteld. Ze luisterde aandachtig. Toen hij klaar was, bleef ze zwijgen.

'En? Wat denk je?' vroeg hij.

'Ik weet niet zeker of je de juiste conclusie hebt getrokken.'

'Over Eric?'

'Ja. Over Eric. Volgens mij heeft hij er niets mee te maken.'

Chris was verbijsterd. Hij staarde Megan aan, niet wetend wat hij moest zeggen. Hij had vertrouwd op haar gezond verstand om hem te helpen beslissen wat ze moesten doen, nu ze wisten dat Eric verantwoordelijk was voor zoveel doden.

'Maar zie je het dan niet? Hij moet het zijn. Hij verdronk Alex, hij heeft Lenka laten vermoorden om haar het zwijgen op te leggen en daarna liet hij Ian vermoorden. Het ligt voor de hand.'

'Voor mij niet,' zei Megan.

'Maar waarom niet?'

'Je hebt toch zeker geen bewijs?' zei ze. 'Ik zeg dit niet graag, maar volgens mij zie je de zaken niet in het juiste perspectief, in je pogingen Duncan vrij te pleiten. Ik geloof niet dat dat verstandig is. We hadden ongelijk toen we hem al die jaren geleden dekten, en het zou verkeerd zijn hem nu te dekken.'

'Maar hoe zit het dan met die psychometrische testen?'

Megan lachte. 'Toe nou! Je kunt iemand niet veroordelen op basis van een stel meerkeuzevragen die hij tien jaar geleden heeft beantwoord. Dat is trouwens allemaal onzin.'

'Dokter Horwarth was ervan overtuigd.'

'Natuurlijk was ze overtuigd. Het is haar werk overtuigd te zijn van die psycho-nonsens.'

'Nou ja, we weten dat Duncan die avond niet in Parijs was.'

'Volgens zijn vrouw, die hem waarschijnlijk beschermt. Bovendien weten we dat Eric daar ook niet was.'

'Weten we dat?' vroeg Chris verbaasd. 'Waar was hij dan?'

'Hij was die dag in Engeland,' zei Megan zacht. 'Hij heeft me hier opgezocht.'

'Wat heeft hij?'

'Hij kwam naar Cambridge. We zijn ergens thee gaan drinken. We hebben gepraat.'

'Waarom heb je me dat niet verteld?' wilde Chris weten.

Megan trok haar schouders op. 'Ik hoef jou niet alles te vertellen.'

'Megan!'

'Luister Chris, hij was mijn vroegere vriend. Ik voel me onbehaaglijk als ik met jou over hem praat. Het was niets belangrijks. Maar het betekent wel dat hij niet in Parijs was.'

'Maar dat doet er niet toe. We weten dat hij iemand anders heeft om het vuile werk voor hem op te knappen.'

'Misschien heeft Duncan dat ook wel. Heb je daaraan gedacht?'

Chris streek gefrustreerd met zijn hand door zijn haren. 'Maar het gaat er juist om dat we aannamen dat Duncan Ian in een vlaag van woede had gedood. Als Eric dit allemaal heeft gedaan, was het zorgvuldig voorbereid.'

'Misschien plande Duncan de hele zaak,' zei Megan. 'Ik heb hem nooit vertrouwd. Terwijl ik Eric wel vertrouw.'

Chris keek haar aan. Nog maar tien minuten geleden had alles zo eenvoudig geleken. Nu werd het ingewikkeld. Megans bereidheid om Eric te verdedigen zat Chris dwars. Het zat hem enorm dwars. En als zij Eric zondag gezien had, kon dat wel eens haar koele houding jegens hem op die avond verklaren, in plaats van de schok van het ontdekken van dat mes op haar hoofdkussen.

Megan dacht er kennelijk hetzelfde over. 'Er is niets meer tussen ons nu, dat weet je. Er is al jaren niets meer.' Ze raakte zijn arm aan. 'Je moet me geloven, Chris.'

'Moet ik dat?' snauwde hij.

'Dat zou ik graag willen.'

Chris wilde ertegenin gaan, maar hij beet op zijn tong. Hij wist dat Megan probeerde er niet moeilijk over te doen, en hij wilde hetzelfde. 'Oké,' zei hij en hij probeerde zijn stem zo verzoenend mogelijk te laten klinken. 'Maar vind je het erg als ik je een paar vragen stel over Eric?'

'Ga je gang.'

'We weten dat Alex en Ian drugs gebruikten toen we allemaal samen in New York waren. Deed Eric dat ook?'

Megan keek verontrust. 'Ja, inderdaad. Een beetje. Cocaïne. Maar hij is gestopt toen Alex werd betrapt.'

Chris staarde haar aan. 'Waarom heb je me dat niet eerder verteld?'

'Het leek niet belangrijk. Iedereen gebruikte toen drugs.'

'Jij ook?'

'Nee,' gaf Megan toe. 'Op de universiteit heb ik het natuurlijk geprobeerd. Maar ik ben er nooit echt mee doorgegaan.'

'Maar Eric wel?'

'Ja. Ik maakte me wat zorgen over hem op de universiteit. En opnieuw in New York. Maar zoals ik al zei, nadat Alex werd betrapt, is hij ermee opgehouden. Het zou in de weg hebben gestaan bij zijn ambities voor zijn kostbare politieke carrière.'

'Ik begrijp dat dat het geval kon zijn,' zei Chris. 'En wie had de drugs?'

'Wat bedoel je?'

'Je weet wat ik bedoel. Waarschijnlijk moet óf Eric óf Alex de drugs van iemand hebben gekocht. Wie van hen was het?'

'Dat weet ik niet,' zei Megan. 'Ik heb het niet gevraagd. Ik wilde er niets mee te maken hebben.'

'Oké, wie bewaarde ze?'

'Eric,' zei Megan met tegenzin.

'En als Alex wat wilde hebben, ging hij naar Eric?'

'Ik denk dat het zo was, ja.'

'Alex zou dus tegen Bloomfield Weiss verteld kunnen hebben dat Eric zijn leverancier was?'

'Nee,' protesteerde Megan en voor het eerst verhief ze haar stem. 'Ze waren vrienden. Wat probeer je te beweren? Dat Eric de ploertachtige drugsdealer was en Alex zijn onschuldige slachtoffer?'

Megan snoof verachtelijk.

'Megan,' zei Chris rustig. 'Duncan en ik denken dat we naar de politie moeten gaan.'

'Over Eric?'

Chris knikte.

'Vind je niet dat je dat eerst met mij moet bespreken?'

'Dat wilde ik vanavond doen.'

'O ja? Nou, ik denk dat jullie een grote fout zouden maken. Je bent jaloers op Eric omdat hij en ik jaren geleden met elkaar omgingen, en je wilt die stomme vriend van je in bescherming nemen tegen de gevolgen van zijn eigen daden. Daar doe ik niet aan mee.'

Chris had geprobeerd zijn boosheid in te houden, geprobeerd de dreigende confrontatie uit de weg te gaan, maar nu lukte dat niet meer.

'Misschien ben ik jaloers. Misschien moet ik dat wel zijn,' zei hij. 'Er is veel wat je me niet hebt verteld over Eric. Je hebt het nooit eerder over drugs gehad. Je hebt me nooit verteld dat hij je zondag heeft opgezocht. Er is waarschijnlijk nog een hoop meer wat je me niet over hem hebt verteld. Jij bent degene die de zaken niet in het juiste perspectief ziet. Die man is een moordenaar, Megan! Begrijp je dat dan niet? Hij is uiterst gevaarlijk. Het is heel waarschijnlijk dat hij zal proberen mij of jou te vermoorden, of ons beiden. Daar horen we diep over na te denken. Iets doen voordat het te laat is.'

Megan keek Chris woedend aan. Ineens voelde hij zich koud en onbehaaglijk in zijn naaktheid. 'Ik geloof dat je maar beter kunt gaan,' mompelde ze tussen opeengeklemde tanden door.

'Maar Megan...'

'Kleed je aan en ga weg!'

Dus ging Chris weg.

Megan keek Chris na toen hij met gebogen schouders over de binnenplaats liep. Heel even kreeg ze de aandrang de ramen te openen en omlaag te roepen dat hij terug moest komen. Maar ze kon het niet. Niet zonder toe te geven dat hij gelijk had wat Eric betrof. En dat was iets wat ze niet kon doen.

Ze had echt geprobeerd Eric te vergeten. Haar warme welkom voor

Chris was niet helemaal voor hem geweest. Ze had zichzelf willen bewijzen dat Eric in haar verleden lag, dat ze nu om Chris gaf.

Maar het was haar niet gelukt. Chris had gelijk over haar en Eric. Haar hoofd had de strijd met haar hart verloren. Zij, die zo trots was op haar zelfbeheersing en haar vermogen de meest ingewikkelde problemen objectief te analyseren, zij wilde Eric zien, nee, ze móest Eric zien. Ze wist dat het zinloos was. Ze wist dat er niets van kon komen. Maar ze moest het doen, ze zou het zichzelf niet kunnen vergeven als ze de kans voorbij liet gaan om te zien wat er nog tussen hen kon groeien. Ze wist nu dat ze nooit was opgehouden van hem te houden nadat ze uit elkaar waren gegaan. Ze kon zichzelf keer op keer vertellen dat ze hem vergeten was, maar dat was niet zo, ze was hem nooit vergeten. Nu zou ze dat feit moeten aanvaarden en zien wat er van kwam. Het vooruitzicht schrok haar af, vooral de waarschijnlijkheid dat ze afgewezen zou worden, maar ze vond het ook spannend. Als ze terugdacht aan haar middag met hem die zondag, wist ze dat ze nog steeds iets voor hem voelde. Er moest een kans zijn.

Chris had dat alles aangevoeld en dat had haar kwaad op hem gemaakt. Ze had ontkend wat hij als voor de hand liggend kon zien, en ze was niet eerlijk tegen hem geweest. Ze mocht hem graag, ze mocht hem heel graag en ze wilde hem niet kwetsen, maar ze voelde dat de situatie uit de hand was gelopen. Tot die week had ze niet geloofd in het lot. Nu voelde ze aan dat het lot haar leven in zijn greep had, en het was haar taak dat toe te laten.

Ze wist echter zeker dat Chris zich vergiste in één ding, dat Eric al die mensen had gedood. Ze kende Eric en wist dat hij zoiets nooit zou doen. Ze wantrouwde zowel Duncan als Ian en ze wist zeker dat een van hen beiden verantwoordelijk was geweest voor de moorden. De jaloezie van Chris maakte het hem onmogelijk in te zien wat voor haar voor de hand lag.

Ze draaide zich om van het raam en begon aan haar notities te werken. Dat gaf ze spoedig op; ze miste de concentratie ervoor. Daarom haalde ze een oud beduimeld bundeltje tevoorschijn met gedichten van Emily Dickinson, dat Eric haar had gegeven toen ze nog studeerden. De vertrouwdheid met de gedichten troostte haar een beetje, zoals oude vrienden, hun ritme onveranderd, betrouwbaar.

De telefoon ging over. Ze pakte de hoorn op.

'Hallo.'

'Megan?'

Ze voelde haar hele lichaam warm worden toen ze de stem herkende.

'Eric.'

'Hoe is het met je?'

'Niet al te best eigenlijk.'

'Heb je dat van Ian gehoord?'

'Ja, dat heb ik. Ik kan het niet geloven. Weer een.'

'Ja. Ik belde omdat ik me zorgen over je maak.'

'O ja?'

'Ja. Ik bedoel maar, ik heb geen idee waarom Ian werd vermoord, maar na ons gesprek van zondag wilde ik er zeker van zijn dat alles goed met je was.'

'Alles is prima. Geen psychopaten meer die door mijn slaapkamer sluipen.'

'Goed zo. Ik maak me zorgen dat degene die jou zaterdagnacht heeft bedreigd, het echt meende. Doe niets om hem te provoceren, oké?'

'Maak je geen zorgen. Dat zal ik niet doen. Ik wil gewoon de hele zaak vergeten.'

'Dat is gemakkelijker gezegd dan gedaan, geloof ik. Hoe zit het met Chris?'

Megan kon het niet over zich verkrijgen Eric te vertellen over de belachelijke verdenkingen van Chris jegens hem. Niet door de telefoon. Ze besloot het vaag te houden. 'Ik geloof dat hij besloten heeft naar de politie te gaan en hun alles wat hij weet te vertellen.'

'Is dat niet gevaarlijk?' zei Eric. 'Ik bedoel maar, hij moet het zelf weten als hij risico wil lopen, maar dat mes werd op jouw kussen achtergelaten.'

'Hij schijnt zijn besluit genomen te hebben,' zuchtte Megan. 'We hadden er net ruzie over.' Even zweeg ze. 'Vanwaar bel je?' vroeg ze.

'Londen. Ik heb de hele dag vergaderd.'

Megans hart begon sneller te kloppen. 'Ik neem aan dat je geen vrije tijd hebt terwijl je hier bent? Alleen... het zou leuk zijn je te zien, als het je lukt.'

'Natuurlijk,' zei Eric. 'Dat zou ik ook leuk vinden. Wacht even, laat me eens in mijn agenda kijken.' Megan wachtte. Ze verlangde er zo naar hem te zien. Ze moest hem zien. 'Ja, oké, ik kan morgenavond naar Cambridge komen als je dat graag hebt.'

'Goed.' Ze wilde hem dit keer niet naar haar kamer laten komen. Ergens op neutraler terrein. 'Als we eens afspraken in een pub?'

'Oké. Welke?'

'Er is er een die Fort St. George heet. Het is bij de rivier. Ik zou je wel de weg willen wijzen, maar ik weet zelf niet zeker meer waar het is. Maar het is een leuke tent.'

'Maak je geen zorgen,' zei Eric. 'Ik vind het wel. Ik zie je daar om zeven uur.'

'Oké.' Megan glimlachte in zichzelf toen ze de hoorn oplegde.

De vroege lentezon bescheen de vermoeide gelaatstrekken van Marcus terwijl hij op een bank in St. James Park zat. Hij wist zeker dat het de juiste was, aan de Mall-kant van het meer, bij de voetbrug, precies zoals Eric het hem had beschreven. Hij keek op zijn horloge. Vijf over elf. Eric had elf uur gezegd.

Hij wist niet zeker wat hij moest verwachten: of Eric naar hem toe zou komen of iemand anders. Hij had erover gedacht helemaal niet te komen, maar uiteindelijk had hij besloten zich aan de afspraak te houden. Hij had niets te verliezen en hij kon alle hulp gebruiken die hij kon krijgen. Hij wist nog steeds niet zeker wat hij zou doen als hij Duncan eenmaal had gevonden. Maar hij moest hem vinden.

Tijdens de vlucht had hij helemaal niet geslapen. Hij had zelfs een paar nachten niet goed geslapen, sinds zijn gesprek met Eric in Vermont. Hij was moe en hij liet zijn ogen dichtvallen, gesust door het gestage achtergrondgeluid van het verkeer, en het gesnater van de eenden die zich in het water vóór hem druk maakten.

Ineens voelde hij de druk van iets wat op zijn schoot werd gezet. Hij opende zijn ogen en zag een goedkope zwarte canvas sporttas. Hij keek van links naar rechts. Aan de ene kant slenterde een paartje arm in arm richting Buckingham Palace. Aan de andere kant liep een man met donker haar dat over de kraag van zijn leren jack kroop, snel weg. Marcus riep hem na, maar de man versnelde zijn pas. Marcus trok zijn schouders op. Eric was het niet, en wie de bode was, deed er niet toe. Wat ertoe deed was de tas.

Hij ritste hem open. Er zat een enkel vel wit papier in en een donkerblauwe plastic zak. Hij keek op het papier. Er stonden twee keurig getypte adressen op: het kantoor in Londen van de Honshu Bank en het huisadres van Duncan Gemmel.

Hij betastte de plastic zak, er zat iets in wat klein en zwaar was. Hij raadde wat het was, terwijl hij er voorzichtig in keek en het al die tijd in de sporttas hield.

Hij had gelijk. Een revolver.

Zijn hart klopte snel en hij ritste de tas dicht. Hij keek recht voor zich uit en probeerde te besluiten wat hij moest doen, zich onbewust van de toeristen en het kantoorpersoneel die voorbijwandelden.

Er zat niets anders op. Hij had geweten wat hij moest doen sinds hij de dag tevoren over het meer was geskied; hij had het alleen niet aan zichzelf willen toegeven. Maar nu het middel daar in zijn schoot lag, nam hij het besluit. Hij stond op, wandelde resoluut de Mall af naar Trafalgar Square en hield de handgrepen van de sporttas stevig vast.

7

'Hé Chris! Moet je dat scherm zien! Niet te gelóven!'
Het dringende geroep van Ollie deed Chris met een schok ontwaken uit
zijn gemijmer en hij keek. Op het Bloomfield News was een mededeling verschenen.
*Radaphone in overeengekomen overname van Eureka Telecom voor
1,5 miljard euro.*
Chris keek snel de details door. Het zag eruit als een gedane deal. Hij
belde Bloomfield Weiss en kreeg Mandy Simpson aan de lijn. 'Heb je
het nieuws over Eureka Telecom gezien?' vroeg hij.
'Ja.'
'Wat betekent dat voor de obligaties?'
'Goed nieuws voor jou, Chris. En ook goed nieuws voor Bloomfield
Weiss. Radaphone is verplicht ons een twaalf procent-coupon te betalen.'
Chris glimlachte bij zichzelf. Radaphone was goed voor zijn geld: zijn
obligaties werden normaal tegen de helft van dat rendement verhandeld. 'Wat maakt jullie handelaar ervan?'
'Hij zegt dat hij een-nul-zeven zal bieden. Maar dat is laag. Ze zullen
hoger gaan.'
'Uitstekend!' zei Chris. 'Bedankt, Mandy.'
'Zo te zien heeft Ian jullie toch nog een goede deal verkocht,' zei ze.
Chris dacht na over haar woorden toen hij de hoorn oplegde. Ze had
gelijk. Ian had al die tijd geweten dat Eureka overgenomen zou worden.
Hij had het tegen Lenka gezegd terwijl hij dat waarschijnlijk niet had
mogen doen. Zij had de obligaties gekocht toen ze het waarschijnlijk
niet had mogen doen. Alles was volgens plan verlopen. Alleen waren
noch Lenka, noch Ian in leven om het mee te maken.
Ian had gelijk gehad zich op de vlakte te houden tegenover Chris. Chris
had gedacht dat dat kwam omdat Ian Lenka had bedrogen en zich zorgen maakte gesnapt te worden. Ian had haar in feite de waarheid verteld,
maar hij wilde dat aan Chris niet toegeven. Hij had waarschijnlijk gelijk
gehad dat hij voorzichtig was gebleven. Hij zou ongetwijfeld geredeneerd
hebben dat zijn vermoeden over de overname niet meer was dan een vermoeden; maar wat hij had gedaan, leek verdacht veel op het doorgeven
van *inside information*. Hoe minder mensen het wisten, hoe beter.
Voor het eerst vroeg Chris zich af of hij te cynisch was geweest over Ian

en Lenka. Misschien had ze voor Ian meer betekend dan Chris van hem had geloofd. Na wat er met beiden was gebeurd, hoopte hij dat.

Dit was goed nieuws voor RBK. De koers waartegen ze de positie van Amalgamated Veterans hadden gekocht, was de dag tevoren vastgesteld. Die was zojuist met vijftien procent gestegen. Chris glimlachte bij zichzelf. De winst van Khalid was het verlies van Rudy Moss geweest. De toekomst van Carpathian was nu zeker gesteld.

Chris belde het nummer van Duncan.

'Heb je het nieuws over Eureka Telecom gezien?'

'Ja,' zei Duncan. 'Jullie hadden daar iets van, nietwaar?'

'We hadden er een heleboel van.'

'Khalid zal in de wolken zijn.'

'Hij heeft veel geluk gehad.'

'Niet helemaal,' zei Duncan. 'Hij koos het juiste tijdstip op de markt en hij zocht de juiste fondsbeheerder uit. Hij verdient het winst te maken.'

'En Rudy Moss verdient het geld te verliezen.'

Duncan lachte.

'Serieus, bedankt Duncan. RBK heeft ons echt gered.'

'Maak je geen zorgen. Mijn cliënt is gelukkig. Dat zorgt dat ik er ook goed uitzie. Het doet me er zelfs verdomd briljant uitzien.' Duncan grinnikte. Toen werd zijn stem ernstig. 'Heb je met Megan gepraat?'

'Ja. Inderdaad.'

'En wat zei ze?'

'Ze denkt dat we het helemaal verkeerd hebben. Ze denkt dat Eric zoiets onmogelijk heeft kunnen doen.'

'Dat is waanzin. Ze heeft iets met hem gehad, hè? Misschien is ze bevooroordeeld. Misschien valt ze nog op hem. Doet ze dat?'

'Ik geloof van wel,' zei Chris met moeite.

Duncan hoorde de toon waarop Chris het zei. 'Kennelijk een teer punt. Wacht eens. Als zij denkt dat Eric onschuldig is, wie denkt ze dan dat iedereen heeft vermoord? Ik?'

Chris zei niets.

'Dat dacht ik al,' zei Duncan. 'Luister, ik begrijp waarom je met haar wilde praten. Maar nu moeten we iets doen. Als zij niet kan inzien dat ze zich vergist wat Eric betreft, dan is dat haar probleem. Je hebt haar alles verteld wat je kunt.'

Chris zuchtte. 'Je hebt gelijk. We moeten iets doen. Maar, zoals ik al eerder zei, zo eenvoudig is dat niet. Met wie gaan we praten? De politie op Long Island? Of in Praag? Of Parijs? De enige naam die ik heb, is van een man in Praag die Karásek heet, maar hij zal het heel moeilijk hebben om alles in elkaar te passen.'

'Verrek, Chris, we moeten wát doen!'

'Dat weet ik.' Chris dacht na. 'Wat dacht je van een advocaat?'

'Een advocaat?'

'Ja. Als we een goede krijgen, kan die ons misschien helpen ervoor te zorgen dat we onze rol in dit alles veilig stellen. En hij weet het best hoe het internationale rechtssysteem werkt. Volgens mij is dat de veiligste manier.'

'Goed dan,' zei Duncan. 'Zoek er maar een. En laat me weten wat er gebeurt.'

'Dat zal ik doen.'

Chris staarde naar de hoorn terwijl hij ophing. Duncan had gelijk, er viel geen tijd te verliezen. Ze liepen allemaal gevaar zolang Eric vrij bleef rondlopen. Hij pakte de telefoon en belde de advocaat van het fonds. Zij noemde iemand die weer iemand anders aanbeval, en binnen een uur had hij een afspraak om met Mr. Geoffrey Morris-Jones te gaan praten, morgen om negen uur op zijn kantoor in Holborn.

Duncan vond het erg moeilijk zich te concentreren. Om vijf over twaalf greep hij zijn jasje en verliet het kantoor. Hij haastte zich naar de pub om de hoek en bestelde een pint. Het smaakte goed.

Duncan had zich lange tijd niet zo goed gevoeld. Hij had energie en hij had een doel. Hij wist wat er moest gebeuren: Eric moest worden tegengehouden. Als dit kon gebeuren binnen de grenzen van de wet, des te beter, maar hij wist nog niet zo zeker of het plan van Chris zou werken. Het politieonderzoek zou langzaam en moeizaam verlopen. Eric zou gewoon de beste advocaten in de arm nemen en zich koest houden. Het zou maanden of jaren duren om hem de gevangenis in te krijgen. En al die tijd verkeerden ze zelf in levensgevaar.

Toen dacht Duncan aan Lenka. Haar dood moest gewroken worden.

Hij dronk zijn glas leeg, verliet de pub en liep vijftig meter verder de straat in naar een ijzerhandel. Daar kocht hij een groot, scherp keukenmes. Als Chris niet slaagde met zijn plan, zou hij klaar zijn.

Ook Chris vond het moeilijk zich op zijn werk te concentreren. De obligaties van Eureka Telecom waren gestegen tot 109, en Ollie was in een jubelstemming. Hij en Chris bespraken hoe ze de extra zeven miljoen euro van RBK zouden gaan investeren. Chris deed zijn best mee te doen met de goedgehumeurde Ollie, maar hij slaagde er niet in.

Hij maakte zich ongerust over zijn gesprek met de advocaat de volgende dag. Hij wist zeker dat Megan ongelijk had met Eric te vertrouwen, maar hij wilde haar niet graag in een potentieel gevaarlijke situatie brengen zonder haar toestemming. Als Eric ooit ontdekte dat ze naar de politie waren gegaan, zou haar leven echt in gevaar zijn. Die gedachte joeg hem schrik aan. Misschien zou ze veiliger zijn als ze terugging naar Amerika? Het probleem was dat Eric er geen moeite mee leek te hebben over de hele wereld met lijken te strooien: Amerika zou niet veiliger zijn dan Engeland. Chris besloot de volgende dag met de advocaat te bespreken welke stappen er genomen konden worden om haar veiligheid en ook de zijne, te verzekeren.

Hij moest nog eens met Megan praten en proberen haar te laten inzien dat het juist was wat hij deed. Een hele minuut lang staarde hij naar de telefoon, daarna belde hij haar.

Ze klonk berustend toen ze zijn stem hoorde, maar ze wilde tenminste met hem praten. Hij vertelde haar over zijn afspraak de volgende dag.

Ze was niet onder de indruk. 'Ik weet niet waarom je me dit allemaal vertelt. Je verspilt je tijd. Je weet dat ik denk dat Eric totaal onschuldig is.'

'Dat weet ik. En ik respecteer het. Maar ik wilde je laten weten wat ik doe. En ik wil ervoor zorgen dat je veilig bent, voor het geval je het bij het verkeerde eind hebt.'

'Als je wilt zorgen dat ik veilig ben, praat dan niet met de politie,' zei Megan.

'Maar we moeten iets doen! Het gevaarlijkste is af te wachten en niets te doen.'

'Oké. Maar als ik nu eens gelijk heb? Als het nu eens Duncan is over wie je je zorgen moet maken?'

'Ik heb gisteren weer met hem gepraat,' zei Chris. 'Ik geloof echt niet dat het nodig is ons zorgen over hem te maken.'

'O, geweldig,' zei Megan. 'Nou ja, ik spreek Eric vanavond en ik zal je laten weten hoe ik erover denk, nadat ik met hem heb gepraat.

'Wat ga je doen?'

'Ik zei dat ik Eric vanavond spreek.'

'Waar? Wanneer?'

'In het Fort St. George. Om zeven uur.'

'Je bent gek. Doe dat nu niet.' Chris kon de paniek voelen opkomen in zijn stem.

'Luister. Ik zal met hem praten over jouw theorie. Eens kijken wat hij zegt. Ik ken hem. Ik zal kunnen zien of hij de waarheid spreekt.'

'Maar als je dat doet, zal hij weten dat we nog steeds vragen stellen. Hij zal weten dat ik hem door heb. Het zal ons allemaal in gevaar brengen.'

'O, ik snap het. Het is dus volkomen veilig dat jij met Duncan praat, maar voor mij is het gevaarlijk om met Eric te praten, is dat het?' Megan begon haar stem te verheffen.

'Zo eenvoudig is het niet.'

'O nee? Nou, ik vind van wel. Bovendien heb ik hem al verteld dat jij van plan bent met de politie te gaan praten.'

'Wát heb je gedaan? Waarom deed je dat?'

'Ik heb niet gezegd dat jij hem verdacht.'

'Maar dat zal hij weten! In hemelsnaam, Megan. Ga vanavond niet met hem praten. Alsjeblieft. Het is te gevaarlijk. Ik vraag je dit alleen omdat ik om je geef. Ik zou het verschrikkelijk vinden als jou iets overkwam.'

Aan de andere kant van de lijn was het enkele tellen stil. Toen Megan sprak, klonk haar stem zachter. 'Ik weet dat je dat meent, Chris. En ik weet dat ik de laatste paar dagen oneerlijk tegen jou ben geweest. Dat spijt me, echt waar. Maar je hebt gelijk; het heeft met Eric te maken. Ik weet gewoon niet waar ik met hem sta en dat is iets wat ik moet uit-zoeken. Daarom moet ik met hem praten. Daarom ga ik hem vanavond ontmoeten.'

'Megan...'

'Sorry, Chris,' en ze legde op.

Chris staarde ongelovig naar de hoorn. Hij keek op zijn horloge. Twin-tig over vijf. Hij kon het nog net vóór zeven uur halen naar het Fort St. George. Hij zou geen tijd hebben om terug te gaan naar zijn flat en zijn auto te nemen, maar als hij vanaf King's Cross een trein pakte, moest het lukken. Hij moest haar opvangen voordat ze Eric ontmoette.

Hij belde Duncans nummer.

'Honshu.'

'Duncan, slecht nieuws. Megan gaat vanavond met Eric praten in een pub in Cambridge. Ze gaat hem alles vertellen wat ik heb ontdekt. Ik maak me zorgen om haar. Ik ga daar nu direct naar toe. Ga je mee?'

'Jazeker. Hoe ga je erheen?'

'De trein vanaf King's Cross. Jij kunt er een pakken vanaf Liverpool Street. We treffen elkaar op het station van Cambridge en gaan van daaruit naar de pub. Als we opschieten, moeten we het halen voordat Megan er is.'

'Oké. Ik bel je op mijn mobiel als ik weet hoe laat de trein in Cam-bridge aankomt.'

Chris legde op, zei de verbaasde Ollie goedendag en liep naar de deur.

De Jaguar gleed geluidloos over de M11, met een snelheid van net onder de honderddertig kilometer per uur. Terry reed, Eric zat achter-in, beheerst, keurig in een donker pak, wit overhemd en Ferragamo-das. Hij voelde zich lekker.

'Volgens mij gaat ons dit lukken, Terry.'

'Dat hoop ik, meneer.'

'Ik hoef alleen maar Megan ervan te overtuigen dat ze zich rustig houdt en de moordenaar van Lenka vergeet. Ik geloof dat ze daar nu juist zo'n beetje aan toe is.'

'Weet u zeker dat u me die andere twee niet wilt laten opruimen? We willen immers niet dat ze naar de politie lopen.'

'Ik denk dat we hen wel aan onze vriend Marcus kunnen overlaten. Hij is bewapend en gevaarlijk. En zonder hen komt de politie nergens.'

'Denkt u niet dat hij u zal verlinken als hij wordt gepakt?'

'Nee,' zei Eric. 'Dat heeft geen zin. Hij zal denken dat hij de man heeft gedood die zijn broer heeft vermoord. En de politie zal hem waarschijnlijk geloven, omdat er niemand meer over is om hem tegen te spreken. Hij zal geen reden hebben om mij met zich mee te slepen. Hoe dan ook, ik zal gewoon alles ontkennen. Een goede advocaat zal me beschermen, geen probleem.'

'Het gaat dus alleen om Megan?'

'Alleen Megan. Zul je op me wachten op de parkeerplaats?'

'Dat kan ik niet. Ik heb de kaart bekeken en zo te zien ligt die pub niet eens aan een weg. We zullen aan de overkant van de rivier moeten parkeren en dan kunt u over de voetbrug lopen.'

'Geeft niet. Ik weet niet helemaal zeker of ik vanavond met je zal teruggaan,' zei Eric.

'Nee?'

Eric probeerde de nieuwsgierigheid in Terry's stem te negeren. 'We zullen gewoon moeten zien hoe de zaken verlopen.'

'Ja, meneer,' antwoordde Terry, terwijl hij met de Jaguar de afrit van de snelweg naar Cambridge insloeg.

Chris nam rechtstreeks vanaf Oxford Circus de ondergrondse naar King's Cross; het was sneller dan een taxi in het spitsuur. Hij bereikte het station precies op tijd om op de trein van kwart voor zes te springen, die om zes over halfzeven in Cambridge zou aankomen. Dat moest net voldoende tijd voor hem zijn om om zeven uur per taxi in het Fort St. George te arriveren.

De trein verliet juist het station toen de mobiel van Chris overging. Het was Duncan. Hij had een trein vanuit Liverpool Street gehaald die om kwart voor zeven in Cambridge zou zijn. Chris zei dat hij op het perron op hem zou wachten.

De trein reed met grote snelheid door het vlakke landschap van Hertfordshire, voorbij Stevenage en Royston, en tussen de nog vlakkere Fens van Cambridgeshire door. Ze waren nog maar tien minuten van Cambridge verwijderd, toen de trein langzaam af begon te remmen en toen stopte. Chris trommelde geërgerd met zijn vingers. Psychisch was hij niet voorbereid op een oponthoud. Buiten begon het te schemeren. Het lichte blauwgrijs van de heldere hemel begon in te krimpen en werd bedekt door inktzwarte wolken die snel kwamen aandrijven vanaf de Fens naar het westen. De trein bewoog zich niet. Een paar tellen spetterden er regendruppels op het raampje en daarna hamerde er een muur van water tegen het glas. Het hele rijtuig schommelde in de wind.

Chris staarde gefrustreerd naar de regen buiten. Ze zouden te laat zijn. Ze konden nu onmogelijk de pub bereiken vóór Eric en Megan. Wat zou Eric met haar doen? Chris kon de gedachte niet verdragen dat hij haar op de een of andere manier kwaad zou doen. Maar als ze hem alles vertelde wat Chris had ontdekt, zat er voor Eric niets anders op.

Tenzij... Tenzij Eric van plan was haar te verleiden. Dat zou ze toch zeker niet toelaten? Chris wist niet of het instinct of jaloezie was, maar hij vreesde dat ze het wel zou doen. Op dat moment was dat een bijna even afschuwelijke gedachte voor hem.

De angst van Chris werd onderbroken door een bekendmaking door de luidsprekers van de trein dat er op een spoorovergang vlak voor hen een probleem was, en dat de trein spoedig weer zou gaan rijden.

Dat deed hij niet.

8

Megan was nog slechts een halve kilometer van het Fort St. George toen het begon te regenen. Ze kon de pub al langs de rivier zien staan, omgeven door de weidse ruimten van Midsummer Common en Jesus Green. Toen de regen een stortbui werd, begon ze te rennen, maar ze was doorweekt tegen de tijd dat ze binnen was.

De pub was bijna leeg. Eric was nergens te zien. Ze keek op haar horloge: ze was tien minuten te vroeg. Ze bestelde een glas donker bier en ging in een kleine hoek zitten waar een open haard gloeide. Ze snoof toen ze haar vochtige haar uit haar ogen streek.

Ze was nerveus over de ontmoeting met Eric, maar ze voelde zich ook opgewonden nu ze iets onbezonnens ging doen. Ze had geen idee wat ze hem ging zeggen, maar ze wist wel wat ze te weten wilde komen: of haar toekomst op de een of andere manier met die van hem was verbonden. Op een bepaalde manier wist ze zeker dat ze dat vanavond te weten zou komen.

Ze hoorde de deur van de pub dichtklappen en even later stak Eric zijn hoofd om de hoek, terwijl het water uit zijn haren droop, langs zijn neus en zijn kleren. Ze glimlachte tegen hem. Hij kwam naar haar toe en kuste haar op de wang; hij bracht de kou van de wind en de regen buiten met zich mee. Ze begroetten elkaar en hij ging voor zichzelf een pint halen. Even later zat hij tegenover haar naast de haard.

'Verrek, wat een rotweer,' zei hij huiverend.

'Je raakt er wel aan gewend.'

'Waar komt die wind vandaan? De noordpool?'

'Waarschijnlijk.'

Eric nam een grote slok bier. 'Toch niet te geloven wat er met Ian is gebeurd, hè?' zei hij.

'Nee, afschuwelijk.'

'Eerst Lenka en nu hij.' Eric schudde zijn hoofd. 'En dat mes op jouw kussen. De zaken beginnen echt eng te worden.'

'Inderdaad.'

'Ik maak me zorgen om jou, Megan. En ik maak me er zorgen over dat Chris naar de politie gaat. Ik bedoel maar, wie dit ook heeft gedaan, zou nu wel eens niet meer kunnen ophouden. Zorg alsjeblieft goed voor jezelf.'

279

Megan glimlachte even tegen hem. 'Dat zal ik doen.' zei ze. Ze dronk nerveus wat van haar bier. Het was tijd om het hem te vragen. Het was iets wat ze moest doen als ze ooit zeker van hem wilde worden. 'Chris denkt dat jij Ian hebt gedood. En Lenka. En Alex, die zeker.'

Eric sloot zijn ogen. Hij schudde langzaam zijn hoofd. 'Ik dacht dat Chris me beter kende.'

'Heb je het gedaan?' vroeg Megan en ze keek hem strak aan.

'Hoe kun je zoiets vragen?' zei hij.

'Maar heb je het gedaan?' herhaalde ze.

Eric keek haar recht in de ogen. 'Nee,' zei hij, nauwelijks verstaanbaar. 'Nee, ik heb het niet gedaan.'

Een paar tellen lang zaten ze elkaar alleen maar aan te kijken. Herinneringen aan die tijd zo lang geleden, toen Megan zo hopeloos verliefd was op Eric, overspoelden haar weer.

'Geloof je me?' vroeg hij ten slotte, haar nog steeds aankijkend.

'Ja,' zei ze. 'Ja, ik geloof je.'

Eric glimlachte. 'Goed zo. Maar waarom denkt Chris dat ik hen heb vermoord? En hoe kon ik in hemelsnaam Alex hebben vermoord? Als iemand het heeft gedaan, was het Duncan.'

Megan begon te vertellen hoe Chris de dingen zag. Toen ze klaar was, keek Eric peinzend.

'Maar hij heeft helemaal geen bewijzen. Het is allemaal zo vaag. Door dit alles is hij gewoon door het lint gegaan en hij heeft mij als antwoord gekozen. Dat stelt me teleur. Ik mocht Chris altijd graag: ik dacht dat hij wel beter zou weten.'

'Hoe zit het met die psychometrische testen?' vroeg Megan.

'O, dat,' glimlachte Eric. 'Ze hadden geen betere kunnen ondervragen dan mij. Dat moet je niet vergeten. Ik kreeg tijdens mijn laatste studiejaar banen aangeboden door tien firma's aan Wall Street. Mijn geheim was dat ik hun vertelde wat ze graag hoorden. En Bloomfield Weiss wilde horen dat ik een stoere, harde bink was die baby's voor zijn ontbijt at. Dus dat vertelde ik hun. Misschien heb ik het een beetje overdreven. Maar zoals je weet, kreeg ik de baan wel mooi.'

'Dus je hebt gelogen?'

'Niet echt. Net ertegenaan. Ik smukte de zaak wat op. Steeds als het een keus was tussen een oud dametje helpen de straat over te steken of haar onder een bus te gooien, gooide ik haar onder de bus. Dat soort dingen. Maar niets daarvan was echt. Toen ik eenmaal bij Bloomfield Weiss zat, praatte ik hen naar de mond bij al die onzin van "het is daarbuiten een jungle". Ik was altijd het roofdier, nooit de prooi, maar ik geloof dat ik me vrij netjes gedroeg. Vraag het Chris maar. Hij weet het.'

Megan voelde zich opgelucht. Erics verklaring was helemaal geloof-
waardig. Als die vrouw, dokter Horwarth, goed was geweest, had ze
moeten ontdekken dat Eric de antwoorden verzon, maar het verbaasde
Megan niet dat hij kans had gezien haar te misleiden.

'Wie vermoordde Lenka en Ian volgens jou?' vroeg Eric.

Megan zuchtte. 'Ik weet het niet. Ik probeer echt er niet over te denken.
Ik denk dat het Duncan moet zijn. Maar Chris weet zeker dat Duncan
onschuldig is. Ik weet niet wat het is met die twee, Chris lijkt hem altijd te dekken.'

'Dat hebben we op de boot allemaal gedaan, nietwaar?' zei Eric. 'Misschien was dat een vergissing. Ik weet het niet. Dit soort geheimen
komt op den duur gewoonlijk aan het licht.'

'Wat denk jij?' vroeg Megan.

Eric staarde peinzend in zijn bier. 'Ik weet het evenmin. Volgens mij
moet het Duncan zijn. Maar ik geloof dat het voor jou het beste is alles
hierover te vergeten. Als Duncan een moordenaar is, of iemand anders
die we niet eens kennen, dan houden ze je in de gaten. Chris kan zichzelf in de nesten werken zoveel hij wil, maar ik zou het verschrikkelijk
vinden als jou iets ergs overkwam.'

Megan bloosde en keek Eric aan. De bezorgde blik in zijn ogen was veel
meer dan ongerustheid over een oude vriendin uit een vroeger leven.

'Dank je,' zei Megan en ze raakte zijn hand aan.

Eric glimlachte tegen haar. Elkaars handen aanrakend zaten ze zo een
moment lang; het leek Megan wel eeuwen te duren.

'Laten we eens over iets anders praten,' zei Eric ten slotte. 'Wat zijn die
beroemde dons uit Cambridge voor mensen? Zijn ze allemaal zo gek als
ze eruitzien? En wat doen ze allemaal, nu ze geen spionnen voor de KGB
meer kunnen rekruteren?'

Megan begon aan een verhaal over de excentriekelingen die ze in haar
college had ontmoet. Dat leidde tot een uitwisseling van herinneringen
aan hun professoren op Amherst. Daarna werd het gesprek persoonlij-
ker. Ze bespraken de grote beslissingen die ze in hun leven hadden genomen, en waarom ze die hadden genomen.

Eric begon over Cassie te praten. 'Je hebt haar toch ontmoet?' vroeg hij.

'Ja. Een paar keer, toen je in het begin met haar uitging.'

'Hoe vond je haar?'

'Ze was aardig. Duidelijk heel knap. Ik kan niet zeggen dat ik haar graag
mocht, maar toen was ik wat bevooroordeeld.'

'Sorry,' zei Eric. 'Stomme vraag. Maar je hebt gelijk. Ze leek de volmaakte vrouw. Knap, intelligent, charmant.'

'En haar vader is een hoge Piet in de Republikeinse partij.'

'Dat is niet eerlijk.'

'Sorry.' Maar het speet haar niet echt. Die opsomming van Cassies charmes beviel haar niet.

Toen fronste Eric zijn wenkbrauwen. 'Ik weet het niet. Ofschoon ik het aan niemand heb toegegeven, was dat misschien ook iets in haar voordeel. Hoe dan ook, ze leek in alle opzichten volmaakt. Dat zeiden al mijn vrienden. En de eerste paar jaar hadden ze waarschijnlijk gelijk.'

Megans pols versnelde. 'De eerste paar jaar?'

'Ja,' zei Eric en hij zweeg.

'Waarom? Wat gebeurde er toen?'

'Ik weet het niet. Het was niet iets wat ze deed; ze is altijd de volmaakte echtgenote geweest. Het lag meer aan mij. Ik begon te beseffen dat ik behoefte had aan iets anders van degene van wie ik verondersteld werd voor de rest van mijn leven te houden. Iets wat Cassie me, om de een of andere reden, niet kon geven.'

'Iets anders? Wat bedoel je?'

'Ik weet het niet. Het is moeilijk te omschrijven.' Toen keek hij Megan recht in de ogen. 'Nou ja, eigenlijk weet ik het wel. En jij ook.'

Megan deed haar best de opwellende opwinding te onderdrukken. Zij wist het! Haar gevoel dat er een unieke band tussen hen bestond, was bevestigd. Eric wist het ook, daar was ze zeker van. 'Dat is nogal hard voor Cassie, nietwaar?' zei ze behoedzaam.

Eric knikte. 'Inderdaad. En ik voel me zo rot dat ik dat denk. Zo ondankbaar voor alles wat ze voor me doet. Maar ik kan het niet helpen. Het is een van die ideeën die niet weggaan als ze je eenmaal te pakken hebben.'

'En ga je er iets aan doen?' vroeg Megan. Heel even dacht ze dat ze te ver was gegaan, maar ze moest het weten. Ze moest het gewoon weten. Eric keek verward. 'Ik weet het niet. Het komt erop neer dat ik meestal aan mijn werk denk. En ik houd van Wilson. Nee. Ik verwacht dat we gewoon verder uit elkaar zullen groeien. Toch is het triest.'

Megans keel voelde droog aan. 'Ja, dat is het.'

Ze had het gevoel dat ze zich op hetzelfde moment in zijn armen wilde werpen. Maar ze wist dat hij nog getrouwd was, en ondanks het feit dat hij ongelukkig was, was het zo te horen niet waarschijnlijk dat er direct een scheiding zou komen. Hij zinspeelde er niet op dat hij ooit ontrouw was geweest; integendeel, hij wekte de indruk dat hij een plichtsgetrouwe, zij het nu en dan afwezige echtgenoot was. Ze kon toch zeker niet verantwoordelijk zijn voor het verwoesten van een gezin? En hoe zat het met Chris? Als ze iets begon met Eric, zou dat heel wreed zijn tegenover hem. En ze wilde niet wreed zijn tegen Chris.

Eric keek naar hun lege bierglazen. 'Ik geloof dat het niet meer regent. Als we eens ergens iets te eten gingen zoeken?'

'Ja,' zei ze direct. Ze had het niet anders kunnen zeggen: ze had geen keus.

Eindelijk zette de trein van Chris zich weer in beweging en tien minuten later reed hij het station van Cambridge binnen. Chris wachtte de paar minuten tot de trein van Duncan arriveerde, en na samen wat gevloekt te hebben, sprongen ze in een taxi. De regen had het verkeer vast doen lopen en het duurde twintig minuten voordat de taxi de smalle weg door een woonwijk bij de rivier bereikte.

Chris en Duncan renden de voetbrug over naar het Fort St. George. Ze keken de hele pub door, maar Eric en Megan waren nergens te zien. Chris sprak de barkeeper aan, een magere jongeman met sproeten en een oorring. 'Hebt u hier twee Amerikanen gezien? Een lange man en een meisje met donker krulhaar?'

'O ja,' zei hij. 'Die zijn een paar minuten geleden vertrokken.'

'Bedankt.' Chris wendde zich tot Duncan. 'Ze lopen waarschijnlijk over het grasland naar de stad. Laten we maar gaan.'

Ze renden de pub uit en speurden de grote stukken parkgrond af die hen omringden. Het was heel donker, en ofschoon de weg die over het grasland liep verlicht werd door straatlantaarns, konden ze hen geen van beiden zien.

'Kom op,' zei Chris en hij begon een pad op te lopen dat naar de lichten van Jesus College leidde en het centrum van de stad. Hij liep hard, vurig hopend dat alles goed was met Megan, dat Eric haar niets had gedaan, dat Eric haar niets zou doen.

Terry keek op van het zakschaakspel dat op de voorbank naast hem lag en zag twee gedaanten uit een taxi springen en de brug over rennen. Hij herkende hen direct. De taxi reed weg en hij stond op het punt uit te stappen, toen hij weer een taxi zag stoppen. Dit keer verscheen er een rijzige man in een lange overjas. Hij keek over de brug waar de andere twee verdwenen waren, en volgde hen.

Terry liep de drie achterna, zeer op zijn qui-vive. Zo te zien zou de baas wel wat hulp kunnen gebruiken.

9

Chris rende gestaag door en tuurde het donker van Jesus Green in. Hij kon Duncan achter zich horen voortpuffen. Toen zag hij hen: twee gedaanten die langzaam richting stad liepen. Hij versnelde zijn tempo tot een sprint.

Chris bleef buiten adem naast hen staan. Ze waren midden op het grasland, ver van de bebouwde kom. Er was niemand anders in de buurt.

'Chris! Wat doe jij in hemelsnaam hier?' riep Megan uit. 'En waarom heb je hém meegebracht?'

Duncan voegde zich zwaar puffend bij hen.

'Ik moet met je praten,' zei Chris hijgend.

'Wel, wij hoeven niet met jou te praten.'

'Alsjeblieft, Megan. Dit is belangrijk.'

Megan keek Chris ongeduldig aan. Maar er bleek ook aarzeling uit haar blik.

'Kom op, Megan,' zei Eric en hij pakte haar arm.

'Nee, blijf hier!' De stem van Chris klonk niet smekend meer, maar gebiedend.

'Wat stelt dit voor, Chris?' protesteerde Megan.

'Ik probeer je alleen in leven te houden, meer niet. Ons allemaal in leven te houden.'

'Dat is belachelijk. Luister, waarom praat je niet zinnig met Eric? Hij kan je helpen.'

'Wacht even, Megan,' zei Eric. 'Ik heb me tot dusver hier niet mee bemoeid, en ik wil me er ook niet mee bemoeien. Als jou maar niets overkomt, dat is het enige wat me interesseert. Chris kan zoveel wilde theorieën bedenken als hij wil, maar ik wil er niets mee te maken hebben. Laten we nu gaan.'

Chris keek even naar Megan. Die keek hem aan met een mengeling van verwarring en boosheid. Hij kon Eric niet met haar weg laten lopen.

'Stop!' zei hij en hij greep Eric bij de arm.

Eric draaide zich om en keek hem woedend aan. 'Blijf van me af!'

'Ja, blijf staan,' zei Duncan. Hij stapte naar voren en waaide dreigend met het keukenmes naar Eric, een blinkende, lichtgrijze strip in het donker.

Eric verstijfde. Megan gaf een gilletje.

284

De eerste gedachte van Chris was achteruit te stappen en Duncan Eric met het mes te laten bewerken. Toen kwam zijn gezond verstand weer boven. 'Duncan. Hou op. Doe dat niet.'

'Waarom niet? Hij heeft mijn vrienden vermoord. Hij zal ons allemaal doden als we hem de kans geven. Hij verdient de dood.'

'Niet doen, Duncan. Het is verkeerd. En hoe dan ook, je zult gepakt worden. Je draait jarenlang de gevangenis in.'

'Het zal de moeite waard zijn.'

'Nee, dat zal het niet. Wacht! Ik bel de politie.'

'Nee,' zei Duncan grimmig.

Chris keek naar Duncans gezicht. Hij wist dat het geen zin had er verder ruzie over te maken. En hij kon niet proberen Duncan fysiek tegen te houden, zonder Eric los te laten. Daarom liet hij Erics arm los en stapte achteruit. Megan keek vol afgrijzen toe. 'Houd hem tegen, Chris.'

Op dat moment hoorde Chris achter zich iets klikken. Ze draaiden zich allemaal om naar het geluid. Daar stond Marcus in zijn lange jas, ongeschoren en buiten adem. Hij had een revolver waarmee hij hen allen onder schot hield.

'Wel, wel, wel. Hoe noem je een groep beleggingsbankiers? Een vlucht? Een kudde? Zo te zien kunnen jullie geen van allen met elkaar opschieten.'

Zwijgend staarden ze naar de revolver.

'Wie ben jij?' vroeg Megan ten slotte.

'Marcus Lubron. Alex was mijn broer. Totdat hij hem vermoordde.' Marcus knikte naar Duncan.

'Wat bedoel je?' wierp Duncan tegen.

'Leg dat mes neer,' zei Marcus met een ruk van zijn wapen in zijn richting.

Duncan bewoog zich niet.

'Ik zei, leg het neer.'

Duncan legde het mes langzaam op de grond.

'Ik word misselijk van jullie,' zei Marcus. 'Jullie hebben niet alleen mijn broer gedood, maar jullie gaan nu elkaar ook nog vermoorden.'

'Nee, je begrijpt het niet,' zei Duncan en hij zette een stap naar Marcus.

'Blijf staan,' snauwde Marcus. Ik weet hoe ik met dit ding moet omgaan. Zo te zien ben ik hier net op tijd gekomen om te verhinderen dat jullie elkaar afmaken.'

'Maar het is Eric die jouw broer heeft vermoord!' protesteerde Duncan.

'En de anderen.'

'Ik heb genoeg van al dat onzinnige gejank. Ga daar staan. Jij ook,' zwaaide Marcus met de revolver naar Chris. 'Ga bij hem staan.'

Chris en Duncan gingen aan een kant staan, naast elkaar, tegenover Marcus. Zijn gezicht was in de schaduw, maar Chris kon nog net de resolute trek om zijn mond zien. Hij meende het serieus. Dodelijk serieus. Chris voelde angst opkomen.

'Marcus,' zei Chris, in zijn beste poging redelijk te klinken. 'Volgens mij zie je dit helemaal verkeerd.'

'Hou je kop of ik schiet je aan flarden.'

'Maar Chris heeft niets gedaan,' protesteerde Megan.

'Hij heeft jullie vriend in Parijs vermoord,' zei Marcus.

'Nee, niet waar. Zeg het hem, Eric.'

Ze draaide zich naar Eric. Die zei niets.

Marcus hief zijn revolver op en richtte die recht op Duncan. 'Alex heeft misschien niets voor jou betekend,' zei hij. 'Maar hij was mijn jongste broer. Hij zou een geweldig leven voor zich hebben gehad, als jij er geen eind aan had gemaakt. Ik was er niet om hem te beschermen. Maar nu ben ik hier.'

'Marcus...' zei Duncan en zijn stem brak van paniek.

'Ik zei dat je je bek moest houden,' snauwde Marcus.

Megan keek met toenemende afschuw toe. Ze stond op het punt iemand in koelen bloede neergeschoten zien worden. Ze wilde gillen. Ze wilde wegrennen. Na de emotionele verwarring van het laatste uur en de stress van de voorgaande maand, dacht ze dat ze ineen zou storten. Het was allemaal te veel voor haar. Ze keek naar Duncan; doodsangst. Naar Eric, die er onbewogen bijstond met een zweem van een voldaan glimlachje op zijn gezicht. En Chris, die rechtop stond, gespannen, maar moedig oog in oog met de dood.

In die laatste momenten voor zijn dood draaide hij zich naar haar. Zijn ogen vonden de hare. Ineens knapte er iets in haar en ze zag alles helder. Hier gingen mensen sterven. De verkeerde mensen. Dit was veel belangrijker dan haar kinderachtige verliefdheid. Ze zag ook dat iemand van haar hield. En diegene was niet Eric.

Langzaam en welbewust stapte ze naar voren en ging voor Duncan staan.

'Ga uit de weg!' gromde Marcus.

'Nee,' zei Megan rustig. 'Leg dat wapen neer.'

'Luister, het kan me niet schelen hoeveel beleggingsbankiers ik hier neerknal. Schiet op nu!'

'Ik ben geen beleggingsbankier,' zei Megan. 'En ik geloof niet dat die mensen hier iets te maken hebben gehad met de dood van je broer. Zelfs als ze dat al hebben gehad, zijn er al te veel moorden gepleegd. Het moet ophouden.'

Een glimp van aarzeling blonk in de ogen van Marcus. Megan keek snel naar Eric. 'Vertel me alleen hoe je weet wie Alex vermoordde? En waarom denk je dat Chris Ian heeft gedood?'

'Hij heeft het me verteld.' Marcus knikte naar Eric.

Toen wist Megan het. Eric had haar niet verteld dat hij met Marcus had gesproken. De poging om Chris erbij te betrekken was je reinste cynisme van zijn kant. Eric had haar bedrogen. Over alles.

'Hij heeft gelogen,' zei ze.

'Verrek,' zei Marcus gefrustreerd. 'Goed, dan knal ik jullie allemaal neer. Jullie verdienen het allemaal.'

'Je schiet niemand van ons neer,' zei Megan en ze stapte naar voren. 'Jij bent geen moordenaar. Alex zou niet willen dat je ons vermoordde.'

'Ik anders wel,' zei Marcus, maar Megan kon de twijfel in zijn ogen zien.

'Nou, als je dat doet, moet je met mij beginnen. En je weet dat ik onschuldig ben.'

Ze zette nog een stap. De loop van de revolver was op slechts enkele centimeters van haar borst. Marcus liet zijn arm zakken.

Op dat moment deed Eric een uitval. Met één beweging greep hij de arm van Marcus vast en draaide die op zijn rug. Marcus slaakte een kreet van pijn en liet de revolver vallen. Eric schoof hem naar voren en pakte hem op. Hij richtte hem op Megan.

'Probeer die stunt niet met mij,' zei hij koeltjes. 'Want ik haal de trekker over.'

'Jij rotzak!' zei Megan met een stem vol minachting. 'Ik heb jou geloofd en je hebt tegen mij gelogen. En je vermoordde al die mensen, alleen omdat ze jouw kostbare plannetjes in de weg stonden.'

'Als je iets wilt, moet je bereid zijn te doen wat ervoor nodig is.'

'Ik dacht dat jij een speciaal iemand was,' zei Megan. 'Maar ik had ongelijk. Jij denkt dat je beter bent dan wij, nietwaar? Beter dan wij allemaal. Jij denkt dat het oké is als mindere mensen sterven, zodat de grote Eric Astle zijn lotsbestemming kan bereiken. Nou, ik zal je eens wat vertellen. Jij bent klein. Je bent een smerige leugenaar, een gemene, miezerige schooier. Jij stelt niets voor, Eric. Je hebt nooit iets voorgesteld en dat zul je ook nooit doen.'

'Kreng,' zei hij en hij hief de revolver op om te mikken.

Enkele tellen eerder had Chris de dood onder ogen gezien en hij had het geaccepteerd. Nu kon hij Megan niet voor zijn ogen neergeschoten zien worden. Op dat moment leek de beslissing gemakkelijk. Als hij bleef staan, zou Megan sterven. Als hij toesprong, zou hij misschien worden neergeschoten, misschien Duncan ook, maar Megan zou blijven leven. Zijn ogen flitsten naar Duncan en hij zag dat de angst verdwenen was. Ook hij was klaar om in actie te komen.

Ze wierpen zich tegelijk op Eric. De revolver ging af en toen hadden ze hem vast en Marcus voegde zich meteen bij hen. Chris greep Erics rechterhand vast die het wapen nog omklemde. Hij drukte hem tegen de grond, toen de revolver opnieuw afging, maar dit keer vloog de kogel ongevaarlijk het donker in. Eric worstelde en trapte, maar binnen enkele tellen hadden ze hem stevig tegen de grond gepind. Marcus wrong de revolver uit zijn vingers en hield hem tegen Erics oor. 'Beweeg je niet, kloteklapper,' gromde hij.

Terry bekeek alles vanaf zijn gunstige positie, twintig meter verder achter een boom. Hij wist dat dit ooit zou gebeuren, dat Eric te ver zou gaan. Nou ja, Terry zou hem niet volgen in zijn ondergang. Hij had meer dan een miljoen dollar weggestopt op een Zwitserse bankrekening voor als er ooit zoiets zou gebeuren. Niet voldoende om hem voor de rest van zijn leven te onderhouden misschien, maar wel om ergens lang op vakantie te gaan. Het was tijd om te vertrekken. Hij glipte weg en ging stil naar de Jaguar en Stansted Airport.

Chris kwam overeind en Megan rende naar hem toe. Hij omarmde haar stevig.

'Het spijt me zo,' zei ze en ze keek naar hem op. 'Wil je me vergeven?'

'Natuurlijk.' Chris streelde haar haren. 'Natuurlijk wil ik dat.'

Ze vlijde glimlachend haar hoofd tegen zijn borst.

Hij hoorde naast zich op de grond iemand vloeken. Duncan hield zijn schouder vast.

'Alles goed met je?' vroeg Chris.

'Ik leef nog. Maar dit doet verdomde pijn. En het bloedt.'

'Laat me eens kijken.' Chris en Megan hurkten naast hem. Duncans gezicht was vertrokken van pijn, maar het zag er niet levensgevaarlijk uit.

'Wat moet ik doen met deze rotzak?' vroeg Marcus en hij stootte Chris aan.

'Houd hem daar maar,' zei Chris. Hij haalde zijn mobiel tevoorschijn en belde 999. De vragen en verklaringen zouden beginnen. Maar de waanzin was ten einde.